PAUL LEHMANN

PARODIE IM MITTELALTER

DIE PARODIE
IM MITTELALTER

von

PAUL LEHMANN

Mit 24 ausgewählten parodistischen Texten

2., neu bearbeitete

und ergänzte Auflage

1 9 6 3

ANTON HIERSEMANN · STUTTGART

MANU LEUMANN
und
HEINZ HAFFTER
zu eigen

VORWORT ZUR ZWEITEN AUFLAGE

Obwohl das mittelalterliche Schrifttum in starkem Maße geistlich gerichtet und gestimmt ist, haben in ihm Scherz, Schimpf und Spott eine recht große Rolle gespielt. Eine Geschichte der Satire im Mittelalter gibt es leider noch nicht. Wer sie schreiben will, muß auch die Parodien und die parodistischen Texte berücksichtigen. Ich habe das bereits 1922 und 1923 getan. Diese Veröffentlichungen haben Anklang gefunden und sind schnell vergriffen gewesen. Schüler und Freunde haben mich oft gebeten eine Neubearbeitung zu liefern, und ich sammelte im Laufe von rund vier Jahrzehnten viele Berichtigungen und Ergänzungen. Jedoch gingen meine zahl- und umfangreichen Nachträge im Juli 1944 bei einem Fliegerangriff mit vielem anderem wissenschaftlichem Material in einem Keller unserer Universität restlos verloren. Eine Rekonstruktion war mir nicht möglich, und andere große Aufgaben beeinträchtigten meine Ergänzungsbemühungen. Da indessen im Laufe der Zeit der Wunsch vieler Interessenten oft wiederholt wurde und der rührige Verlag Anton Hiersemann sich nach Fertigstellung der 5 Bände meiner ‚Erforschung des Mittelalters' bereit erklärte, eine Neuauflage zu bringen, habe ich mich entschlossen das Wagnis zu unternehmen. Die Durchführung wäre mir allerdings in meinem hohen Alter schwerlich gelungen, wenn mir nicht die Professoren Bernhard Bischoff (München) und Hans Walther (Göttingen) uneigennützig die von ihnen gesammelten Parodistica zur Verfügung gestellt hätten. Dankbar habe ich von ihren Notizen und Abschriften Gebrauch gemacht und zwar in einer Auswahl, um das Werk nicht zu sehr anschwellen zu lassen. Ich gebe mich der Hoffnung hin, daß mir die Ausdehnung und die Beschränkung hinlänglich gelungen sind und mein Buch in der neuen Fassung vielen Lesern Belehrung und Ergötzung bringt. Ich versäume auch nicht, meinem lieben Schüler Privatdozenten Dr. Franz Brunhölzl (München) herzlich zu danken, der mir wichtige bibliographische Hinweise gab und eine im Anhang gebotene Spieler- und Saufmesse gründlich erläuterte.

Wenn ich die Neubearbeitung meinen treuen Schweizer Kollegen und Freunden *Manu Leumann* (Zürich) und *Heinz Haffter* (Winterthur und Zürich) widme, mit denen ich viele Jahre hindurch für den Thesaurus linguae Latinae gewirkt habe, so tue ich das in der Überzeugung, daß sie auch dem Humor sein Recht gönnen und daß sie Verständnis dafür haben, wenn ich mich einmal von einer anderen Seite zeige. Möchten sie mit den anderen, die dieses Werk in die Hand nehmen und durchlesen, gnädig schmunzelnde Richter sein!

München, im April 1963   PAUL LEHMANN

INHALTSÜBERSICHT

EINLEITUNG

Die lateinische Literatur des Mittelalters ist voller Entlehnungen und Nachahmungen. Oft bis zum Überdruß klingen uns aus ihr Gedanken, Verse und Sätze, Phrasen, Worte und Wörter der Antike, der Bibel, der Kirchenväter, okzidentaler und orientalischer Schriftstücke verschiedener Zeiten und Gattungen entgegen. Bewußt und unbewußt hat man die Autoritäten von Kirche und Schule immer wieder sprechen lassen. Der Erforscher der mittellateinischen Poesie und Prosa hat nicht allein die mühsame Aufgabe, die Zitate, die zahlreichen Nachahmungen und Anklänge auf ihre Quellen zurückzuführen und taktvoll – wie es leider oft nicht geschehen ist – zu unterscheiden, was wirklich Entlehnung, was unbewußte Herübernahme im ganzen oder einzelnen ist, sondern auch zu beurteilen, das Urteil darüber vorzubereiten, ob und inwieweit das Mittelalter trotz der gewollten und ungewollten Verkettung mit der Vergangenheitsliteratur sich in den Gefilden der Gedanken, des Wortes aufrecht und frei bewegt hat.

Ist auch die Verachtung des Mittellateins nicht mehr so abgrundtief und allgemein wie im 18. und fast im ganzen 19. Jahrhundert, haben Männer wie L. Traube, W. Meyer, P. von Winterfeld nicht vergebens jahrzehntelang ihre Kräfte angespannt, ihre Gesundheit geopfert, um Verständnis, ja Liebe für das abendländische Schrifttum in der lateinischen Sprache des Mittelalters zu gewinnen, so werden wir Schüler und Nachfolger jener Bahnbrecher doch immer noch manch Lächeln über die bald barbarisch roh, bald epigonenhaft und dekadent scheinende mittellateinische Sprache und Literatur ertragen oder verscheuchen müssen, verscheuchen nicht durch jene Fanfaren und Reklameplakate, die heute die Mystik und Gotik, morgen die primitive Erzählungskunst und Anekdotenfülle modern, anziehend zu machen suchen, verscheuchen vielmehr und Achtung, Beachtung uns erringen durch wissenschaftlich ehrlichen Bericht, wie es denn eigentlich gewesen ist. In diesem Bericht muß stehen, daß die sprachliche, literarische Nachahmung im Mittelalter außergewöhnlich groß gewesen ist, soll aber ebenfalls klar und eindringlich gesagt werden, daß trotz der Imitation und oftmals durch sie der mittelalterliche Schriftsteller Großes geleistet und Schönes gespendet hat, nicht bloß in der temperamentvoll erzählten, parteiisch gefärbten Frankengeschichte Gregors von Tours, in Bedas quellreiner Erzählung von den Anfangsschicksalen der englischen Christenheit, in Einharts stilvollem Leben Karls des Großen, in Ekkeharts oder Geralds fesselndem Gesang von Walther und sonstigen Texten, die vornehmlich für die nationale Geschichte und Sage ergiebig sind, nicht bloß in weihevollen Hymnen und Sequenzen, in mächtig emporragenden Gebäuden von Theologie und Philosophie, nein, Herrliches, Anmutiges und Ergreifendes z. B. auch in den weltlichen Liebesliedern, Belustigendes in der komischen Literatur, Witziges und Eindrucksvolles in der Satire und so noch Wertvolles in vielem anderen mehr. Kaum einer hält sich frei von Zitieren und Imitieren. Die Geschichte aller mittelalterlichen Literatur, insbesondere die des lateinischen Schrifttums im Abendlande, ist für mehrere Jahrhunderte in hohem Maße eine Geschichte der Aufnahme, Verarbeitung und Nachahmung fremden Gutes.

Die gröbste Form der Imitation und Entlehnung ist der Cento, der ganz und gar aus älteren Versen und Versteilen eine neue Dichtung zusammenstoppelt. Erfreulicherweise hat man sie – ob aus künstlerischem Geschmack und Originalitätswillen oder aus Scheu vor der Arbeit des Aneinanderflickens sei dahingestellt – nicht übermäßig oft für größere Werke gebraucht. Dem Cento nahe verwandt ist mehr als eines der Beispiele der mittelalterlichen Parodie, die ich im folgenden zu untersuchen beginne. Viele Parodien bringen ganz selten nur ein eigenes Wort, fast alles ist gewaltsam entlehnt, gestohlen. Und doch steht die Parodie hoch über dem Cento. Mißbrauch treiben sie beide: der Centonendichter meist für einen guten Zweck, der Parodist nicht selten in boshafter Absicht. Hier wie da zeigt sich oft große Geschicklichkeit. Aber Geist, Witz und Laune offenbaren sich nur in der Parodie.

Die Parodie, wie ich sie auffasse, ist eine besondere Art literarischer Nachahmung. Damit lehne ich gleich die ältere Auffassung ab, die jede Imitation, jeden Cento eine Parodie nennt.[1] Nach F. W. Genthe[2] wären auch christliche Hymnen, die in der Form horazischer Oden einhergehen, parodistisch. Dann müßte ich also beispielsweise die Quirinalia des Metellus von Tegernsee mitbehandeln. Umdichtungen weltlicher Lieder zu geistlichen sind trotz Genthe, trotz F. M. Böhme[3] u. a. nicht zu den Parodien zu rechnen. Es ist m. E. zu bedauern, daß selbst F. Vogt in seinem vielbenutzten Überblick über die mittelhochdeutsche Literatur[4] von „geistlichen Parodien" redet, und ganz überflüssig, daß Ch. A. Cole[5] zwei geistliche Anpassungen des ‚Te Deum' an die Verehrung der Jungfrau Maria ‚adaptions or parodies' geheißen hat.

Das Wort wird nichtssagend, wenn es all und jede Nachahmung besagen kann. Geistliche Anpassungen, umgestaltende Nachahmungen älterer religiöser Dichtungen sind etwas ungemein Häufiges in der mittelalterlichen Hymnenpoesie und verdienen hellere Beleuchtung – bei anderer Gelegenheit. Sehr oft wiederholte man in den Neuschöpfungen nur die Anfangsverse anderer Hymnen, sei es, daß man sich begnügte, den Anfang des Ganzen

---

[1] Beachtenswerte Bemerkungen bei C. F. Flögel, Geschichte der komischen Literatur. I. (Liegnitz u. Leipzig 1784) S. 84 ff. und 349 ff.

[2] Geschichte der macaronischen Poesie, Halle und Leipzig 1829, S. 33.

[3] Altdeutsches Liederbuch, Leipzig 1877, S. XLV und 810 ff.

[4] In H. Pauls Grundriß der germ. Philologie II[12] S. 304 und 310.

[5] Memorials of Henry the fifth, king of England, London 1858, p. LVIII.

hervorzuheben durch die Eingangszeile eines allen vertrauten Gesanges, sei
es, daß man Anfang und Schluß aller einzelnen Strophen mit den Eingangs-
zeilen verschiedener Hymnen schmückte.[1] In einigen wenigen Fällen ist diese
Mode parodistisch[2], zumeist bleibt die Nachahmung auf religiösem Gebiete.
Vollständig imitierte Hymnen, denen man in der Nachbildung trotz engen
formalen Anschlusses an die Muster eine andersartige Bestimmung gab, sind
die Kreuzlieder des Venantius Fortunatus ‚Pange, lingua, gloriosi' und ‚Vexilla
regis prodeunt'. So sang Albert von Beham[3] auf die Siege der Parmesen über
das Heer Kaiser Friedrichs II. im Jahre 1248: ‚Pange, lingua, gloriam praelii
felicis' und ‚Vexillum victoriae, Parma, ferens gaudia'. Und als 1312 der Favo-
rit Edwards II. von England, der gefürchtete und verhaßte Peter von Gave-
ston hingerichtet war, erklang aus den Reihen seiner triumphierenden Gegner[4]:

> ‚Vexilla regni prodeunt
> fulget cometa comitum' etc.

und

> ‚Pange, lingua, necem Petri
> qui turbavit Angliam' etc.

Dagegen beim Tode Richards von Pembroke[5]

> ‚Plange, lingua, detestando
> praelium Ybernie' etc.

Dieselben alten Hymnen des 6. Jahrhunderts wurden noch im 15. Jahrhundert von Hussiten und Antihussiten variiert[6]. Wohl klingt uns aus den
englischen Triumphliedern Spott und Hohn entgegen, aber richtige Parodien
sind sie alle nicht. Ihre Dichter wollten durch die Nachahmung keineswegs
komisch wirken.

Ich verstehe hier unter Parodien nur solche literarischen Erzeugnisse, die
irgendeinen als bekannt vorausgesetzten Text oder – in zweiter Linie – An-
schauungen, Sitten und Gebräuche, Vorgänge und Personen scheinbar wahr-
heitsgetreu, tatsächlich verzerrend, umkehrend mit bewußter, beabsichtigter
und bemerkbarer Komik, sei es im ganzen, sei es im einzelnen, formal nachahmen oder anführen.

An Fällen, wo man zweifeln kann, ob die literarischen Entlehnungen, die
leichten Wortlautsänderungen, die gewaltsamen Umdeutungen bestimmter
Werke, Namen, Wörter parodistisch gedacht sind, fehlt es nicht, da uns man-

---

[1] Außerordentlich viele Bestätigungen obiger Behauptung gibt eine Durchsicht der
Analecta hymnica von Blume und Dreves.

[2] Vgl. unten II Kap. 1 und 2.

[3] Vgl. C. Höfler, Albert von Beham, Stuttgart 1847, S. 123 ff. und MG. SS. XVIII
792 f.

[4] Vgl. Th. Wright, The political songs of England etc., London 1839, p. 258 sqq.

[5] Vgl. Catalogue of manuscripts in the British Museum. New Series. vol. I. The Arun-
del Mss. (1834) p. 144 sq.

[6] R. Peiper in den Forschungen zur deutschen Geschichte XVIII (1878) S. 161 ff.

1*

ches komisch anmutet, was das Mittelalter ernst gemeint hat, umgekehrt der
mittelalterliche Witz nicht immer leicht verständlich ist. Auf einiges dieser
Art komme ich gelegentlich zu sprechen, ebenso wie auf nichtparodistische
oder halbparodistische Nachahmungen und Spielereien, die der Parodie nahe-
gestanden haben und ihrer Ausbildung förderlich gewesen sind. Zumeist wird
meine Definition eine schnelle Entscheidung ermöglichen. So muß man jetzt
sagen: Bethmann[1] durfte des Jacobus de Theramo liber Belial nicht eine
Parodie aus dem römischen Prozeß nennen; denn die dort gewählte, parodistisch anmutende Einkleidung sollte durchaus nicht komisch wirken. In
meinen Augen mißbraucht W. Meyer[2] den Terminus, wenn er bei der Imitation von Anal. hymn. II no. 139 sagt: „Die Fröhlichkeit der Weihnachtszeit
zeigt sich in der Zeile einer Parodie des daktylischen Zehnsilbers ‚Edite corpore virgineo‘. Dagegen durften H. Schneegans[3] und F. Behrend[4] das Geldevangelium nicht aus der Reihe der eigentlichen, der „reinen" Parodien aus-
scheiden, da der Verfasser es ja nicht auf die Verspottung des Evangeliums abgesehen hätte. Die formale Nachahmung und die Absicht des komischen
Effektes sind da und liegen zutage. Ihr Vorhandensein ist das Wichtigste.
Verspottung, Beschmutzung des zugrunde gelegten Textes ist gar nicht das
hauptsächliche, ist meist gar kein Ziel unserer Parodien. Der mittelalterliche
Mensch konnte etwas profanieren und sich damit amüsieren, ohne es zu persi-
flieren. Die Parodisten spielen mehr leichtfertig als schändlich mit Hohem
und Heiligem. Wo sie Hohn anwenden, und sie tun das oft reichlich, gilt es
in der Regel nicht dem Literaturwerk, sondern dem Menschen, der Sache,
auf die sie die fremde Form angewandt, umgeprägt haben. Der moderne Be-
urteiler möge auch nicht vergessen, daß die Scherze früher vielfach derber
waren als in der neuzeitlichen guten Gesellschaft, derber, ohne darum stets
als unpassend und kränkend empfunden zu werden. Gewiß hat auch das Mittelalter in den Parodien vielfach nicht nur ein Überschäumen hochentwickelter
und hochgetriebener Geister und Gemüter geduldet, vielmehr in den Parodisten wohl manchmal auch einen Abschaum der literarisch gebildeten Gesellschaft gesehen. Seit dem 13. Jahrhundert verboten die Synoden wiederholt, daß Scholaren oder Goliarden in den Kirchen leichtfertige Lieder sangen
und Spiele trieben, ja die Altäre und die Namen der heiligen Trinität beim
Würfeln entweihten[5]. Anderseits wissen wir nicht, in welchem Umfange es
parodistische Vorträge und Ausschweifungen gewesen sind, die man aus den
heiligen Räumen zu verbannen sich bemühte; wir sehen auch mehr als einen

[1] Archiv d. Ges. f. ältere deutsche Geschichtskunde XII 594.
[2] Ges. Abhandlungen zur mittellat. Rythmik. I (Berlin 1905) S. 228.
[3] Geschichte der grotesken Satire, Straßburg 1894, S. 76f.
[4] Archiv für Reformationsgeschichte. XIV 51.
[5] Vgl. N. Spiegel, Die Vaganten und ihr Orden, Speyer 1892, S. 58f.; Histoire littéraire de la France. XXII 154sqq.; S. Santangelo, Studio sulla poesia goliardica, Palermo
1902.

sehr, sehr weltlichen Text in geistlichen Codices unbeanstandet und wissen, daß namentlich die Prediger, um auf die Hörer packend zu wirken, sich grober Späße, ja frommer Blasphemien bedienten. „Man hielt vieles für erlaubt und unverfänglich, was unser Gefühl tief verletzt. Darum konnte der fromme Hollen sich erlauben, eine Spielermesse vorzuführen, um die Spielwut zu bekämpfen. Die Spieler bilden, führt er aus, eine Satanskirche. Ihre Kardinäle sind die Spieldämonen und die Kartenhändler. Ihre Kirchen sind die Wirtshäuser, die voll von Schlemmern und Dirnen sind; die Wirte sind die Pfarrer und die Spieler die Gemeinde. Und Luzifer ruft: Wir müssen sorgen, daß der Zudrang des Volkes hierher reicher werde als zu den Kirchen Christi. Wir wollen die Geräte ordnen: der Altar sind die Spieltische, die an den Seiten frei sein müssen zur Aufstellung der Reliquien und heiligen Spieler. Das Missale sind die Würfel und deren Punkte die Noten. Der Kelch sind die vollen Krüge und die Patene die Gulden. Der Introitus ist die Aufforderung zum Spiel; der Wechselgesang, das Kyrie, der Streit um die Würfe, das Gloria die Gotteslästerungen, das Dominus vobiscum die gegenseitige Verfluchung. Die Epistel beginnt: ‚Titivillus[1] apostolus, princeps tenebrarum, ad ebrios. Fratres estote ebrii.‘ Das Graduale ist das immer schlimmere Versinken in Sünden. Das Evangelium sind die Wehklagen über Verlust, worauf respondiert wird: ‚Proficiat tibi.‘ Das Offertorium ist das Geld. ‚Et sic de ceteris‘, schließt der Augustinereremit seine Parallele.“[2] Ganz Ähnliches wie bei dem hier zitierten Gottschalk Hollen († 1481) findet sich um die Mitte des 15. Jahrhunderts bei dem Minoriten Bernardino von Siena[3]. Vermutlich ist der deutsche Prediger von dem italienischen abhängig, hat aber Besonderheiten. Für unsern Zweck genügt einstweilen die Feststellung, daß man sich derartige Beispiele auf der Kanzel erlauben durfte, daß der Zweck die Mittel der Parodie heiligte. Wer mein Buch mit wohlwollendem Verständnis liest, wird dafür manche andere, neue Bestätigung finden.

Ehe ich nun einen Überblick über die lateinische Parodie des Mittelalters gebe und zu ihrer genaueren Betrachtung und Erforschung auffordere, versäume ich nicht zu bemerken, daß ich Vorgänger, Vorarbeiter gehabt habe. Viel Material trug W. Wattenbach mit bewundernswertem Forscherfleiß herbei und legte es in verschiedenen Zeitschriften vor; eine Verarbeitung versuchte F. Novati in einer wie es scheint in Deutschland nicht genügend bekannten, recht anregenden Abhandlung ‚La parodia sacra nelle letterature moderne‘[4]. Die Darstellungen von Th. Wright[5] und O. Delepierre[6] blieben meist an der

---

[1] Über diesen Teufelsnamen vgl. Joh. Bolte in der Zeitschrift für vergleichende Literaturgeschichte. N. F. XI (1897) S. 262ff.

[2] A. Franz, Die Messe im deutschen Mittelalter, Freiburg 1902, S. 29.

[3] F. Novati, La parodia sacra p. 200sqq. ohne Hollen zu kennen, während Franz den Sienesen unerwähnt läßt.

[4] In Novatis Studi critici e letterari, Turin 1889, p. 177–310.

[5] On the history of comic litterature during the middle ages: Th. Wr., Essays on

Oberfläche haften und beschränkten sich auf die allerbekanntesten Texte, obwohl Wright in anderen seiner vielen Bücher Parodien und Parodistisches in
Fülle veröffentlicht hatte. Der treffliche F. Aug. Eckstein[1] weiß in seinem
Artikel „Parodie" übers Mittelalter nichts zu sagen. Wertvolle Bemerkungen
und Mitteilungen findet man bei O. Hubatsch[2], A. Straccali[3], Ph. S. Allen[4]
und J. J. A. Frantzen[5], während Holm Süßmilch[6] in diesem Falle versagt und
enttäuscht. Eero Ilvonen[7] gibt eine brauchbare, aber unzulängliche Übersicht
über die mittellateinischen Parodien, behandelt im Hauptteil fast ausschließlich die alten Gedichte, die Lateinisches und Französisches mit komischer
Wirkung mischen, also nur einen Nebenzweig der mittelalterlichen Parodie,
und subsumiert unter „Parodie" zuviel, da er zu ihr profane Nachahmungen
kirchlicher Poesien zählt, wo die Imitation mehr oder weniger nur als Esels-
brücke beschritten ist. Habe ich den einen und anderen Gelehrten, aus dessen
Schriften ich für meine Forschungen etwas lernte, im vorhergehenden zu
erwähnen unterlassen, so bitte ich das mit der gebotenen Raumsparsamkeit
zu entschuldigen und sich aus meinen sonstigen Literaturangaben zu über-
zeugen, daß ich viel habe lesen müssen. In starkem Maße bin ich von keinem
Werke abhängig. Sie haben mir alle nicht genügt und eine neue Untersuchung
meinerseits nicht überflüssig gemacht: W. Wattenbach hat seine zahlreichen
Funde und die der anderen nie summiert, F. Novati vieles zufällig übersehen,
vieles absichtlich beiseite gelassen, die anderen, die ich nannte, bestenfalls
einzelne gute Gedanken ausgesprochen. Behaupte auch ich, nur Stückwerk
zu bieten, so ist das keine rhetorische Phrase gemachter Bescheidenheit. Als
mir der Plan kam, erinnerte ich mich keiner Arbeit eines anderen über das
Thema, und als ich mich besser unterrichtete, sah ich halb mit Schrecken
halb mit Freude, daß ich nicht einfach fortsetzen und ergänzen konnte, sondern einen neuen Bau beginnen mußte. Der zu bewältigende Stoff wurde
immer größer, je mehr ich mich in Handschriften und Drucken umsah und
eingrub. Während ich von Anfang an mich weder der Parodie in der bildenden
noch in der mimischen Kunst widmen wollte, mußte ich wohl oder übel bald
auch darauf verzichten, den Texten in germanischen und romanischen Sprachen den gebührenden Platz in meiner Darstellung einzuräumen, verzichtete

archaeological subiects etc. II (London 1861) p. 230 sqq.; Histoire de la caricature et
du grotesque dans la littérature et dans l'art. 2e éd., Paris 1875.
  [6] La parodie chez les Grecs, chez les Romains et chez les modernes, London 1870.
  [1] Ersch u. Gruber, Allgem. Encyklopädie 3. Sect. XII (1839) S. 266 ff.
  [2] Die lat. Vagantenlieder des Mittelalters, Görlitz 1870.
  [3] I goliardi ovvero i clerici vagantes delle università medievali, Florenz 1880. (Erwei-
terter Aufsatz der Rivista Europea. XVI u. XVII)
  [4] Mediaeval lyrics: Modern philology. V (Chicago 1908) 448 sq., 456 sq., VI 134 sqq.
  [5] Neophilologus V (1919/20) p. 66, 73 f.
  [6] Die lat. Vagantenpoesie des 12. und 13. Jahrhunderts als Kulturerscheinung. Leipzig 1917.
  [7] Parodies de thèmes pieux dans la poésie Française du moyen age, Helsingfors 1914.

in Abschätzung meiner Kräfte, meiner Zeit und des mir vom Verlage zur Verfügung gestellten Raumes, tat es in der ruhigen Überzeugung, daß die lateinische Parodie des Mittelalters, auf die ich mich konzentrierte, am wenigsten bekannt ist und doch die größte Bedeutung für die ganze Entwicklung gehabt hat. Bis zu dem Zeitpunkt zu warten, wo ich Vollständigkeit und einen höheren Grad von Richtigkeit erreicht zu haben behaupten könnte, hielt ich nach fast dreijährigem Forschen für falsch. Die wenigen Vorläufer und Vorkämpfer der lateinischen Philologie des Mittelalters, denen man es nie leicht gemacht, müssen schaffen, solange es noch Tag ist. Besserwisser würden an dem Buch selbst nach dreimal so langem Feilen und Füllen etwas auszusetzen haben. Ich schreibe für die, die sich von mir und mit mir im Glauben an die wissenschaftliche Notwendigkeit der mittelalterlichen Studien belehren lassen wollen, schrieb dem hochstrebenden und doch nie hochmütigen Forschungsführer zu Ehren und hoffentlich zur Freude, Karl Voßler, dessen Freundschaft mir in schweren Jahren ein Hort und Quell des Trostes, der Hoffnung, der Anregung geworden war.

URSPRUNG UND ANFÄNGE

Woher kam, wie und wann beginnt die mittelalterliche Parodie? Auf diese Fragen ist schwer in der Kürze und mit der Zuverlässigkeit, die ich beide erstrebe, zu antworten. Der Ursprung ist problematisch und wird es fürs erste noch bleiben; diese Einsicht darf ich meinem Leser nicht ersparen.

Die griechisch-römische Welt hat dem abendländischen Mittelalter zwar den Namen, aber kein zugkräftiges Beispiel der Parodie hinterlassen. Es gehörte die Phantasie und Kombinationskühnheit eines Hermann Reich dazu, wollte man bestimmen, inwieweit etwa der Mimus zur Erhaltung der antiken Parodie beigetragen habe. Daß Schauspieler, Jahrmarktskünstler und dergleichen Leute immer gern persiffliert und parodiert haben, braucht nicht erst bewiesen zu werden. Ohne Reichs gedankliche Sprünge und Flüge alle mitzumachen, die in seinen letzten Jahren sogar Paul von Winterfeld, den schmerzlich Vermißten, in die Irre geführt haben, kann und muß man zugeben, daß vielleicht dank dem Mimus Reste parodistischen Gebrauches ins frühe Mittelalter hinübergeführt worden sind. Jedoch hängt die überwiegende Mehrheit der erhaltenen mittellateinischen Parodien keineswegs mit dem Mimus des Altertumes zusammen. Die einzige Verbindung zwischen Altertum und Mittelalter, die ich mir auf diesem Gebiete vorstellen, aber in den Texten selbst nur tastend und schwankend bei der Cena Cypriani verfolgen kann, haben wohl die Saturnalien hergestellt, die trotz offizieller Bekämpfung durch die kirchlichen Obrigkeiten in der schon christlich gewordenen oder gerade christlich werdenden Welt, wiewohl in veränderten Formen, fortlebten.

Das ganze Mittelalter hindurch haben um Weihnachten und Neujahr herum namentlich die Schulkinder und die niedere Geistlichkeit mit den kirchlichen Riten ihren Scherz getrieben, geistliche Gebräuche parodiert und sakrale Texte, die sie sonst höchstens anhören durften, selbst gesungen und verlesen. Aus den Kinder- und Narrenfesten die parodistische Literatur des lateinischen Mittelalters abzuleiten, wäre bequem, hieße aber meiner Meinung nach zumal für die älteste Entwicklung der komischen Literatur im Mittelalter die Bedeutung jener vergnügten Tage übertreiben und übersehen, daß der Personalwechsel, die Vermummungen und Umzüge die Hauptsache waren, daß die lateinischen Gebete und Gesänge aber häufig nur eine heitere Note erhielten, ohne eigentlich parodistisch umgestaltet zu werden. In fast allen Fällen haben gerade die älteren Texte, die wir im folgenden zu betrachten haben, mit den rituellen Fröhlichkeiten an Tagen wie dem des heiligen Nikolaus nichts zu tun. Ebenso wie sie gewöhnlich nicht die Repertoirestücke der Komödianten und Gaukler von Beruf gewesen sind, so auch im Anfange selten die von den

Klosterbrüdern, den Subdiakonen u. a. vorgetragenen Spässe und Frivolitäten der kirchlichen Feste. Viele mittelalterliche Parodien sind überhaupt in der Studierstube entstanden und immer nur gelesen, nicht aufgeführt worden; die Vortragsstücke in der parodistischen Literatur verdanken beliebigen Festen, Banketten, Gelagen ihr Dasein, viele sind für die Kneipen verfaßt und höchstens ausnahmsweise und wider Recht und Sitte hier und da in die Kirchen gedrungen. Immerhin ist es wichtig für das Wiederauftauchen der parodistischen Machwerke gewesen, ist es wichtig für unser Verständnis der Parodie, daß es ein mehr oder weniger gern erlaubter Brauch war, ab und an im Kirchenjahr das Oberste zuunterst zu kehren, Weltliches mit Geistlichem zu vermengen.

Ob man nun die Nachwirkung der Antike auf dem Gebiet der mittelalterlichen Komik für stärker oder für noch schwächer hält als ich es tue, ob man die Parodieliteratur fester mit den kirchlichen Kinder- und Narrenfesten verknüpft, der Selbstverständlichkeit hat man sich immer zu erinnern, daß Nachahmen, Nachäffen zu Unterhaltung und Verspottung einfach menschlich sind und die Parodie überall da Boden faßt, wo witzige und kritische Menschen es lernen, ihre Umgebung, ihre Bücher, die irdischen Einrichtungen und vieles sonst mit offenen Augen zu beschauen. Das Mittelalter hat häufiger und zuweilen auch früher als man wohl meint, die Scheuklappen abzustreifen verstanden, mit den Zügeln gespielt, an ihnen gezerrt, sich losgerissen.

Ich lehne es ab, die mittelalterliche Parodie insgesamt und vornehmlich auf den Mimus oder andere künstlerische Vorbilder und Vertreter des Altertums zurückzuführen, trage starke Bedenken, sie in ihren Ursprüngen fest mit klerikalen Belustigungen zu verbinden. Die Anlässe und Möglichkeiten zur Parodie sind von jeher mannigfaltig gewesen, die Schauplätze bald Kirche oder Straße, bald Wirtshaus und Bühne oder Studierstube und Schule. Ja: Schule. Wenn ich von den Anfängen und Ansätzen der Parodie im Mittelalter spreche, darf ich die Schule am allerwenigsten vergessen. Begegnet uns Menschen des 19./20. Jahrhunderts Parodie und Travestie nicht zuerst in der Schule, wo wir mit kindlicher Scharfäugigkeit die tatsächlichen oder angeblichen Mängel, die komischen Eigentümlichkeiten eines Lehrers oder Lehrbuches erkennen und uns an ihrer Karikierung mit Wort und Geste ergötzen? Auch in der mittelalterlichen Schule ist trotz strengster Zucht sicherlich oft parodiert worden. Nur hat uns die Überlieferung nicht eben viel von den Proben jugendlichen Witzes und Übermutes gerettet. Nach der Schule schmeckt aber manches.

Vielleicht ist eine etwa im 7. Jahrhundert entstandene Grammatik eine Schulparodie, freilich nicht eines Schülers, sondern eines sehr gelehrten Mannes. Ich meine den noch immer[1] rätselhaften Virgilius Maro grammaticus[2],

[1] Trotz H. Zimmers (†) Aufsatz in den Sitz.-Ber. der Kgl. Preuß. Akademie d. Wiss. zu Berlin. 1910. S. 1031 ff.

[2] Ausgabe der Werke in der Teubneriana durch J. Huemer, Leipzig 1886. Nachträge bei Stangl, Virgiliana, München 1891 und Tardi, Les epitomae de Virgile de Toulouse, Paris 1928. Vgl. auch meine Erforschung. V (1962) S. 272.

bei dessen Lektüre man sich schon oft gefragt hat: ist er ein Schwindler, der mit Gelehrsamkeit protzt, oder ein gelehrter Narr, der seine Schriften ernst gemeint hat? Möglicherweise war er keines von beiden, sondern ein arger Schalk. Ich stelle zur Diskussion, ob Virgil mit seiner nach altem Muster eingerichteten und dennoch so ganz neuartigen Grammatik nicht über die Spitzfindigkeiten, das Prunken mit Erklärungen und Zitaten, über all die Auswüchse des sprachlichen Unterrichts sich lustig machen wollte, die namentlich am Ende des Altertums in Gallien und anderswo die seltsamsten Blüten trieben. Mich mutet es wie eine Parodie an, wenn er 12 Arten Latein, 4 Wortgeschlechter, 50 Verba ohne Singular unterscheidet, wenn er von Grammatikerfehden über den Inchoativ berichtet, die 15 Tage und Nächte gedauert hätten, von der zweiwöchigen Disputation über den Vokativ von ‚ego‘ etc. Cato, Terenz, Cicero, Horaz, Properz, Quintilian, mindestens drei Lucane und andere bekannte wie unbekannte Schriftsteller werden angeführt, ohne daß die Zitate sich in den erhaltenen Werken finden ließen. Wir gehen nicht näher auf Virgilius Maro grammaticus ein, da er halb noch in der Antike steckt und da er jedenfalls auf die mittelalterliche Nachwelt nicht parodistisch gewirkt, nein, wie ein lauterer Gewährsmann für die Sprache benutzt worden ist. Aber mahnen möchte ich an die Möglichkeit, daß er hauptsächlich spitzfindige, zitatenfrohe Grammatiker parodieren, nicht mit Wissen, an das er glaubte, paradieren wollte.

Im Lehrhaften ans Komische, Parodistische streifend, erscheinen uns die Joca monachorum[1], was man besser durch Mönchsunterhaltungen als durch Klosterwitze übersetzen sollte. Es sind das uralte Gesprächsbüchlein, die dem Abendlande im 6./7. Jahrhundert aus dem griechisch-byzantinischen Osten übermittelt sind, zu Anfang des 8. Jahrhunderts im Frankenreiche bereits in verschiedenen lateinischen Fassungen existieren und in der Hauptsache biblische Katechismen zum Gebrauch für Erholungsstunden vorstellen. Den modernen Menschen muten die Fragen und Antworten oft paradoxer und scherzhafter an, als sie gewollt sind. Aber unbestreitbar belehren sie unterhaltend, unterhalten sie lehrend, ebenso wie die ihnen verwandten Dialoge zwischen dem Kaiser Hadrian und dem klugen Kinde Epictitus[2]. Unbestreitbar zeigen Fragen wie die folgenden ein fast parodistisches Spielen mit der Bibel: ‚Wer ist gestorben, ohne jemals geboren zu sein? Adam.‘ ‚Welche Menschen waren an den Pforten des Paradieses, als Adam daraus vertrieben war? Adam und Eva.‘ Und es liegt ferner auf der Hand, daß die seit dem Frühmittelalter in griechischen, lateinischen, syrischen, koptischen, slawischen, romanischen, irischen, altenglischen Gewändern auftretenden Joca monachorum den Anreiz zu den noch heute beliebten biblischen Scherzfragen: ‚Wer war der früheste schlechteste Kaufmann? Simson. Denn Gott nahm seine Stärke von ihm,

---

[1] Die von Walter Suchier schon vor 1914 angekündigte Ausgabe ist nunmehr in seinem Buch Das mittellateinische Gespräch Adrian und Epictitus, Göttingen 1955, erschienen.

[2] Vgl. Walter Suchier, L'Enfant sage, Dresden 1910.

und Gott gab sie ihm auch wieder'. ,Quomodo vocabatur canis Tobiae?
Quippe. Quippe movebat caudam suam' gegeben und beigetragen haben, die
mittelalterlichen Menschen an den parodistischen Gebrauch von Bibelworten
zu gewöhnen.

Klarer und stärker als bei den Joca monachorum ist die Parodie in den
Gesprächen von Salomo und Marcolf, wo die Bibel geradezu frech behandelt
wird. Leider kennen wir Alter und Urform dieses merkwürdigen Erzeugnisses
nicht. Ob – was wahrscheinlich zu bejahen ist – und in welcher Weise die
schon im Decretum Gelasianum de libris recipiendis et non recipiendis ver-
botene ,Scriptura quae appellatur Contradictio Salomonis' eine Parodie der
Weisheit Salomonis gewesen ist, läßt sich schwer oder gar nicht sagen. Die
uns überlieferten lateinischen Dialoge und Anekdoten ,Salomon et Marcolfus'
dürften in den vorliegenden Fassungen nachkarolingisch sein und werden,
zumal da sie erst seit etwa 1000 sichtbar eine Rolle in der Literatur spielen,
in einem späteren Kapitel von uns behandelt werden.

Einen starken parodistischen Schimmer hatten bereits die im 7. Jahrhun-
dert verfaßten Spottrhythmen auf die Bischöfe Importunus von Paris und
Chrodebert von Tours[1]. Schimpft und spottet der eine über das schlechte
Brotkorn, das ihm der Kollege geliefert hat, und wünscht er ihm in einem
Atem Gutes und Böses, so rächt sich der andere, indem er dem Pariser Bischof
in ähnlichem Ton Unkeuschheit vorwirft. Die Schmähbriefe sind gewisser-
maßen Parodien bischöflicher Korrespondenz, wobei die Schreiber die in den
Kanzleien üblichen Formeln und die im geistlichen Verkehr gebräuchlichen
Formen möglichst wahren, allerdings satirisch verwenden und verändern. In
die frühkarolingische Zeit versetzt uns das Gedicht über den Abt von Angers[2].
Mit scheinbarer Ernsthaftigkeit wird sozusagen ein Panegyricus, ein Grab-
gedicht auf den trinkfesten Abt Adam parodiert.

> Zu Angers, hört' ich, soll ein Pfäfflein leben,
> sein Name der des ersten Menschen ist;
> das trinke, munkeln sie, vom Saft der Reben
> so viel, wie nimmer Jud noch Christ.

> Man sagt, daß niemals Tag und Stund' erscheine,
> da Pfaff' und Fläschchen nicht zusammen sind,
> da er nicht trunken schwankt von süßem Weine,
> als wie das Bäumchen schwankt im Wind.

---

[1] Herausgeg. von K. Zeumer in den MG. Formulae p. 220; freie Übersetzung bei
P. v. Winterfeld, Deutsche Dichter des lat. Mittelalters, München 1913, S. 136 ff.
Die neueste Ausgabe der Spottrhythmen lieferte G. J. Walstra, Les cinq épitres rimées
dans l'appendice des formules de Sens, Leiden 1962.

[2] MG. Poetae IV 591.

Nie wird in Ewigkeit sein Leib vergehen,
zu gut hat er ihn innen ausgepicht,
fürwahr, ein Wunder ist es anzusehen:
so balsamiert kein Balsam nicht.

Ein Weinfaß selber, legt er nicht mit Bechern
wie andre Menschenkinder schüchtern los;
er ist ein Zecher hoch ob allen Zechern
und schlürft aus Kannen extragroß.

Stirbt er, so werden viele Tränen fließen,
und nie verwindet Angers seinen Schmerz:
Kein zweiter wird so viel hinuntergießen.
Sein Ruhm lebt fort in Stein und Erz!

Diese flotte Verdeutschung P. von Winterfelds[1] hat den Refrain fortgelassen, der das Epitaph deutlich zu einem Trinklied macht:

‚Eia, eia, eia laudes
eia laudes dicamus Libero.‘

Der Kehrreim ist nach meiner Auffassung parodistisch. Es wird darin die Aufforderung verkehrt, die in christlichen Hymnen nicht selten ist[2]:

‚Laudes dicamus Domino.‘

Tatsächlich also sind Witz, Wort- und Gedankenspiel, parodierender Zeitvertreib und parodierende Satire selbst der vielfach rohen Zeit des 7. und 8. Jahrhunderts nicht fremd geblieben.

Eine alte christliche Parodie großen Umfanges hat das 9. Jahrhundert geerbt und fröhlich erneuert. Das ist die ‚Cena Cypriani‘. ‚Es war einmal ein König im Osten namens Johel, der zu Chana in Galilaea ein großes Gastmahl geben wollte.‘ Die Anfangsworte erinnern gleich an die Hochzeit von Chana, auf der Jesus Christus Wasser zu Wein verwandelte. Dieser Anklang an die Bibel ist bewußt hervorgerufen, ja er ist nicht der einzige: es tönen noch einige Evangelienstellen hinein, wo auch von irgendwelchen Festen berichtet ist. Und derartige Bibelmischungen durchziehen die ganze Prosaschrift. Von überallher sind aus dem Alten wie Neuen Testament Worte und Züge hervorgeholt und zu einem wunderlichen Ganzen zusammengeleimt, das durch Entlehnung und Nachahmung wirken will und wirkt. – Alle möglichen Personen strömen zusammen. Jeder wählt sich einen Platz, den die Bibel vorzuschreiben schien. Vater Adam plaziert sich in die Mitte, Mutter Eva auf ihr ominöses

---

[1] a.a.O. S. 147.
[2] Z.B. Analecta hymnica XLIII 10; U. Chevalier, Repertorium hymnol. II 30.

Feigenblatt, Kain auf seinen Pflug, Abel auf einen Milchkübel, Noah auf die Arche, Ruth die Ährenleserin auf Werg, Susanna in den Garten, Absalon auf die Zweige, an denen er seinen Tod gefunden, Judas Ischarioth auf seinen Geldkasten, Simson auf die Palastsäulen usw. Und nun wird ein Festmahl gerüstet und gefeiert, das es niemals gegeben hat. Wie die Speisen sind die Getränke jedem nach der Heiligen Schrift angepaßt. Jesus erquickt sich an Sekt, da Wein aus getrockneten Trauben ,Passus' hieß und er die ,Passio' erlitt. Mannigfaltig sind die Wirkungen der Schwelgerei. Adam und andere legen sich schlafen, Noah bekommt natürlich einen Rausch, den Apostel Petrus läßt der krähende Hahn nicht lange ruhen. Nach der Tafel bringt Pilatus, der bekanntlich seine Hände in Unschuld wusch, Wasser zum Spülen der Hände. Martha eilt dienend näher, andere spielen, singen und tanzen. David greift zur Zither, Judas und Herodias tanzen, Mambres zeigt Zauberkünste, Judas, der den Herrn mit einem Kuß verriet, teilt Küsse aus, Pharao eilt dem Volke nach und fällt ins Wasser. Schließlich entläßt der König die Gäste, und diese gehen verschiedenen, durch die Bibel vorgeschriebenen Beschäftigungen nach. Am anderen Tage müssen alle dem Johel Geschenke bringen: Erzvater Abraham, der Hirt, einen Hammel, Rebekka ein Kamel, Simson einen Löwen, der Jäger Esau einen Hirsch, Jesus Christus ein Lamm, Moses zwei Tafeln usw. Doch nun kommt ein Konflikt: Der König hat bemerkt, daß am vorigen Tage allerlei gestohlen ist. Da werden die Gäste gemartert, bis Agar zur Sühne aller getötet und feierlich beerdigt wird.

Lachen, unbändige Lustigkeit und Derbheit klingen uns aus biblischem Material entgegen, so daß man die Ernsthaftigkeit der bewußten Stellen einmal vergißt. Uns mutet das Werk komisch an. Wollte der Verfasser von Anfang an bei seinen Hörern und Lesern Heiterkeitserfolge erzielen? Wie andere vor ihm behauptete der gelehrte Jesuit H. Brewer noch 1904: Nein; die Cena Cypriani hätte ursprünglich Dinge, Namen, Personen der Bibel dem Gedächtnis einprägen wollen, dafür die seltsame Form gewählt, und er wies des weiteren – was 1½ Jahrhunderte vor ihm bereits die Gebrüder Ballerini getan hatten – auf einen Traktat Zenos von Verona hin. Dann suchte Lapôtre die Cena als eine groteske Satire des Spaniers Bachiarius auf ein Bankett des Kaisers Julianus Apostata zu Ehren der Göttin Ceres hinzustellen. Geistvoll und anregend der eine wie der andere, dürfte doch keiner von beiden eine vollbefriedigende Erklärung gefunden haben. Die Annahme des lehrhaften Hauptzweckes war nach K. Streckers und meiner Auffassung ebenso grundfalsch wie die Beziehung auf Julian höchst zweifelhafter Natur. Der Zusammenhang mit Zeno besteht dagegen in der Tat. Der Veroneser Bischof hatte in einer Osterpredigt die Mahnung ergehen lassen, das übliche, oftmals übermäßig fröhliche Taufmahl nach der Feier von Christi Auferstehung nicht in weltlich ausgelassener Weise zu begehen, dafür sich an der Bibel zu sättigen, und hatte das Bild von der biblischen Kost ausgemalt mit Hilfe von Stellen des Alten und Neuen Testaments, wo heilige Männer und Frauen mit Essen

und Trinken in Verbindung gebracht werden. Ein witziger Kopf, mag es nun
irgendein Cyprianus – nicht der bekannte Kirchenvater – oder sonst wer
gewesen sein, griff Zenos Worte auf und parodierte sie, nicht etwa um die
Heilige Schrift, sondern höchstens um ihre Verwertung durch Zeno ins Lächerliche zu ziehen. Vielleicht benutzte er nur zur Belustigung ohne satirisch-
polemische Hintergedanken die sich ihm aufdrängende Gelegenheit, aus der
Bibel eine erheiternde Gastmahlbeschreibung zusammenzuklittern. Gewiß ist,
daß die Entstehungsumstände und die etwa einst vorhandene satirische Tendenz der parodistischen Cena Cypriani allmählich vergessen wurde, und dann
auch das Werk selbst, bis es im 9. Jahrhundert wieder entdeckt ward. Charak-
teristischerweise haben die karolingischen Gelehrten das Werk weder für
töricht gehalten, was moderne Forscher taten, noch für blasphematorisch, was
nicht überraschen würde. Selbst Hrabanus Maurus, der ein dogmentreuer
strengkirchlicher Mann war, hat sich dem humoristischen Reiz des alten Textes nicht entziehen können. Um 855 gab er die Cena verkürzt heraus[1] und
widmete diese Bearbeitung mit einem erhaltenen Briefe[2] König Lothar II.
Daß er irgend etwas religiös Anstößiges darin gefunden hätte, sagt er nicht. Er
unterstreicht das Lehrhafte, Nützliche des Stoffes, ohne den Ausdruck der
Hoffnung zu vergessen, daß die Lektüre dem Herrscher ‚ad iocunditatem'
zur Kurzweil dienen möge. Während Hrabans Text bis zum 15. Jahrhundert
in einem Dutzend Handschriften kopiert wurde, fand die alte Cena eine wenigstens fünfmal so große Verbreitung, – schwerlich als praktisches Hilfsmittel
zur Erwerbung und Befestigung von Bibelkenntnissen, vielmehr der abson-
derlichen, unterhaltenden Zusammenstellung wegen. Wie der französische
Mönch Herveus in der Mitte des 12. Jahrhunderts das Gastmahl aufgefaßt
hat, kann ich noch nicht sagen, da von seinem handschriftlich erhaltenen
Kommentar bisher allzuwenig veröffentlicht ist. Klar ist seit den Unter-
suchungen von F. Novati (in seiner Parodiestudie) von Lapôtre und namentlich seit der gut eingeleiteten und gut fundierten kritischen Ausgabe, die vor
einigen Jahren Karl Strecker geliefert hat[3], daß in der zweiten Hälfte des
9. Jahrhunderts ein römischer Diakon Johannes den alten Volltext zu einer
ausgesprochen heiteren Parodie umgedichtet hat.

Deutlicher noch als in der Prosavorlage erscheint in dieser rhythmischen
Cena die Parodie als burleskes Unterhaltungsstück. Prolog und Epilog, so
dunkel sie im einzelnen sind, überheben uns hinsichtlich der komischen Absicht und der Wirkung über jeden Zweifel. Der Dichter tritt als Bajazzo vor
das Publikum:

---

[1] Im Druck veröffentlicht durch H. Hagen in der Zeitschrift für wissenschaftliche
Theologie XXVII 164ff. mit Nachträgen von Rönsch S. 344ff.

[2] MG. Epp. V 506.

[3] MG. Poetae IV 857 sqq.

‚Quique cupitis saltantem me Johannem cernere,
nunc cantantem auditote, iocantem attendite:
satiram ludam percurrens divino sub plasmate,
quo Codri findatur venter. Vos, amici, plaudite.

Riserat qua Cyprianus post Felicem Mineum,
talamum logiae septem qui dotavit artibus,
sub pampineis vinetis, sub racemis mollibus,
vetera novis commiscens scriba prudentissimus.

Hac ludat papa Romanus in albis pascalibus,
quando venit coronatus scolae prior cornibus,
ut Silenus cum asello derisus cantantibus,
quo sacerdotalis lusus designet misterium.

Hanc exhibeat convivis imperator Karolus,
in miraculis gavisus, prodigus in vestibus,
quando victor coronatur triumphatis gentibus,
ut imperialis iocus instruat exercitum.

Video ridere, certet quam scurra Crescentius,
ut cachinnis dissolvatur, torqueatur rictibus;
sed prius pedens crepabit tussiendo vetulus,
quam regat linguam condensis balbus in nominibus.

Ad cenam venite cuncti Cypriani martiris,
rhetoris et papae clari Libicae Carthaginis,
quam sophista verax lusit divinis miraculis,
non satiricis commentis, non comoedi fabulis.'

Während Lapôtre glaubte, das Gedicht wäre wirklich 876 in Gegenwart
Karls des Kahlen und des Papstes zu Rom beim Schülerfeste rezitiert worden,
scheint mir K. Strecker mit Recht betont zu haben, daß davon in den Versen
nicht die Rede sei. Der Dichter wünscht nur, daß der Papst es sich vortragen
lasse, vergegenwärtigt sich, wie die Cena bei einer Cena des Kaisers verlesen
werden und Karl fast vor Lachen platzen werde, wenn vielleicht ein Mann
wie Crescentius sich stotternd abquäle, die vielen fremdartigen Namen her-
auszubringen. Der leider unvollständig überlieferte Epilog scheint von dem
großen Beifall zu sprechen, den die alte Cena an Karls des Kahlen Hoftafel
gefunden hatte.

Das tolle Spiel, das in der alten Cena mit der Bibel getrieben ward, ist hier
wiederholt und durch die Rhythmen außerordentlich belebt. Ganz begreifen
läßt es sich allein, wenn man Zeile für Zeile mit den Bibelstellen vergleicht.

Dringt man erst einmal etwas in das Textverständnis ein, dann merkt man, daß hier ein guter Bibelkenner gewandt und witzig ein unterhaltendes Literaturstück aufgefrischt hat, eine trotz aller Kühnheiten, ja Obszönitäten und scheinbaren Blasphemien im Grunde harmlose Parodie. Mehrfach abgeschrieben, ist sie später gelegentlich, z. B. von dem Reimser Azelinus, umgearbeitet worden. Daß man in den folgenden Jahrhunderten an solchem komischen Mißbrauch der Bibel Gefallen fand, nimmt den Kenner der geistigen Entwicklung weniger wunder als bei flüchtigem Betrachten die Tatsache, daß schon im 9. Jahrhundert eine derartige Umdichtung entstand. Und man muß sagen: Ohne die Wiederentdeckung der vormittelalterlichen Cena Cypriani wäre Johannes Diaconus kaum zu einer großzügigen Parodie angeregt und ermächtigt worden. Wohin man sonst blickt, sieht man in der karolingischen Zeit nur schüchterne Ansätze zur Parodie.

Ansätze erblicke ich in der Tierfabeldichtung, wo man zwar einstweilen fast immer beim Erzählenden und Frommallegorischen bleibt, Theodulf von Orléans aber schon satirische Töne anschlägt. Ansätze in den ironischen und humoristischen Epitaphien: Sedulius Scottus schließt sein scherzhaft vorgetragenes Gedicht von dem armen Hammel, den die Hunde zerrissen, mit der komisch-ernsten Grabschrift[1]:

‚Tu, bone multo, vale, nivei gregis inclite ductor,
heu, quia nec vivum te meus hortus habet.
Forsan, amice, tibi fieret calidumque lavacrum,
non alia causa, iure sed hospitii;
ipse ministrassem devoto pectore limphas
cornigero capiti, calcibus atque tuis.
Te, fateor, cupii; viduam matremque cupisco,
fratres atque tuos semper amabo. Vale.‘

Mico von St. Riquier[2] schreibt ein Scherzepitaph auf einen Ostiarius, der die Kirchengewänder und -geräte aufbewahrt. Der kühne Ire Johannes Scottus findet den Mut und den Witz, seinem damals noch lebenden Gegner, dem mächtigen Hincmar von Reims, die Verse[3]

‚Hic iacet Hincmarus cleptes vehementer avarus:
Hoc solum gessit nobile, quod periit‘
zu widmen.

Echte Parodien antiker Literaturwerke sind von den höfischen, geistlichen Schriftstellern dieser Epoche nicht oder höchst selten und zaghaft gewagt. Zu einer Gelehrten- und Schülerwelt, die trotz der Weltanschauungsunter-

[1] MG. Poetae III 207.
[2] l. c. 365.
[3] l. c. 553. Vervollständigt in meinen Mitteilungen aus Handschriften. II (1930) S. 19.

schiede voll scheuer Bewunderung zu den großen Alten als den unübertroffenen Formvorbildern, den unerschöpflichen Stoffquellen aufsah, würden leichtfertige, humoristische Verwendungen und Verwandlungen der Klassiker schlecht gepaßt haben. Ermenrich von Ellwangen liefert keine vollständige Ausnahme von der Regel, wiewohl er etwas eigenbrötlerisch ist. Ich wiederhole, aber unterschreibe nicht vorbehaltlos, was P. von Winterfeld über Ermenrichs Brief an Grimald gesagt hat[1]: „Einmal wenigstens, am Schlusse, erhebt sich der trockene Pedant über seine grammatischen und philosophischen Tüfteleien zu einer übermütigtollen Parodie, die wohl geeignet ist, den Leser für die trostlos öden Deduktionen zu entschädigen, die er über sich hat ergehen lassen müssen. Dem Vater Homer ist sein Vegetariertum übel bekommen: ein arges Leibgrimmen zwackt ihn und gemahnt ihn an die Vergänglichkeit alles Irdischen; so macht er sich auf zu seinem Kollegen Virgil, um ihn zum Erben einzusetzen, damit die Tradition nicht abreiße in der ehrsamen Dichterzunft. Aber unterwegs schon ereilt ihn sein Schicksal: Orcus tritt ihm entgegen, auf seines Dreizacks Spitze ein Läuslein gespießt, und ruft ihm entgegen sein schnödes: ‚Bis hierher und nicht weiter!' Dieser possierliche Anblick kuriert den Patienten mit einem Schlage: er bricht in Lachen aus, macht kehrt und schlägt ein Kreuz ob solchem Teufelsspuk; rasch entschlossen wirft er seinen ganzen mythologischen Ballast über Bord, die Ilias, wie sich's gebührt, voran, um nur noch von Gallus zu singen, dem heiligen natürlich, und nicht wie Silen in Virgils sechster Ecloge, die Ermenrich hier im ganzen und im einzelnen parodiert hat, dem augusteischen Dichter." Eine Vergilparodie anzunehmen, ist mehr als gewagt. Es ist richtig, daß Ermenrich Vergil nachahmt, indem er wie in der sechsten Ecloge Sagen- und Dichtungsstoffe aufzählt, v. 41f., 61f., 64, offensichtlich imitiert und am Ende den Dichter von Gallus singen läßt. Aber ich bezweifle und bestreite, daß der Schwabe eben durch die Nachahmung eines bestimmten Werkes des verehrten Klassikers den komischen Erfolg erreichen wollte. Dazu ist die Imitation zu sporadisch und oberflächlich. Was man parodistisch nennen kann, ist nicht durch das Vorbild der Ecloge gegeben, das ist vielmehr die selbständige burleske Behandlung antiker Vorstellungen und besonders des Dichterfürsten Homer. Ebenso geht mir v. Winterfeld, den ich wahrlich hochschätze, zu weit, wenn er Notkers (?) Schwankdichtung vom Wunschbock als Parodie bezeichnet[2]. Eine lustige Geschichte wird gleich einer ernsthaften in getragenem Tone vorgebracht. Das hat jenes Gedicht mit einer Parodie gemein, genügt jedoch schwerlich. Sonst müßten wir zahllose Schwänke und Possen zu den Parodien rechnen.

Parodistische Töne erklingen hier von ferne, erklingen desgleichen in einigen Poesien der anekdotenfreudigeren Zeit, die auf die karolingische Renaissance folgte.

[1] Deutsche Dichter S. 407f.   [2] Deutsche Dichter S. 487.

In der berühmten Cambridger Liederhandschrift haben wir das köstliche
Scherzgedicht[1], wie vor dem Erzbischof Heriger von Mainz (913–927) einer
erscheint, der sich brüstet, in Hölle und Himmel gewesen zu sein. Christus
beim Mahl, von Johannes dem Täufer als Mundschenk, von Petrus als Koch
bedient, will der Schelm gesehen und selbst im Himmel ein Stück Lunge
gestohlen und verzehrt haben, wofür ihn Heriger bestraft. Trotz der Züchtigung und Moralpauke am Schluß denke ich nicht mit Ehrismann[2] an einen
moralistischen Charakter des Gedichtes. Für die Geschichte der Parodie ist
mir das Poem bedeutungsvoll, weil die Erzählung von Christi Mahl im Himmel
ans heilige Abendmahl und die parodistische Cena Cypriani erinnert, weil sie
einen weiteren Beweis dafür gibt, daß man vor lustiger Behandlung des
Himmlischen und Heiligen nicht zurückschreckte. Vielleicht liegt in dem
Herigerliedchen sogar eine Parodie der sich häufenden ernstgemeinten Visionen
vor. Die Ausdrücke Verhöhnen, Verspottung des Wunders und dgl. kann ich
im Gegensatz zu F. v. d. Leyen[3] auf die Geschichte von Heriger und den
Schwank vom Schneekind nicht anwenden. Im Humor verwandt ist das
Fulbert von Chartres († 1029) zugeschriebene launige Gedicht vom Vater
Johann dem Kleinen[4], in derselben Sammlung und einigen anderen Handschriften überliefert, das gegen die Übertreibung monastischer Askese sich
wendet und im Zeitalter der Cluniacenser besonderen Anklang gefunden haben
mag.

Sieht man von der Cena Cypriani ab, wird bis zum 11. Jahrhundert das
Parodistische immer nur angedeutet und gestreift. Die Vergeistlichung der
Literatur war übermächtig gewesen. Das freilich hatte sie nicht zu verhindern
vermocht, daß die Kritik sich hervorwagte, und daß man zu Scherzen an
ernsten und heiligen Werken, Personen oder Stoffen sich erkühnte und so den
Boden befruchtete für die Blüte und Reife der mittelalterlichen Parodie.

[1] The Cambridge songs, edited by Karl Breul, Cambridge 1915, p. 59 u. 85 sq.
[2] Geschichte der deutschen Literatur bis zum Ausgang des Mittelalters. I (München 1918), S. 360.
[3] Germ.-Roman. Monatsschrift. X (1922) S. 132.
[4] The Cambridge songs p. 60 u. 86 sq. Einen Aufsatz über das Gedicht veröffentlichte ich im Neophilologus. VIII (1922) S. 67 u. 140.

ENTFALTUNG DER PARODIE
VOM ELFTEN BIS FÜNFZEHNTEN JAHRHUNDERT

Die allgemeinen Kräfte, die den allzeit vorhandenen, im Mittelalter sich literarisch besonders stark ausprägenden Nachahmungstrieb zur Parodie beflügeln, sind Übermut und Unmut, Lust und Spott, Spiel und Scherz, Sehnsucht nach den Genüssen des Lebens und jubelndes Erinnern an sie, sind der Einblick in die Schwächen der Menschen und menschlichen Einrichtungen, Entsetzen, Empörung über Fehler, Laster und Verbrechen, ist die triumphierende Schadenfreude. Nun hat es Haß und Liebe, Verachtung wie Bewunderung, jauchzendes Verlangen und Genießen stets im mittelalterlichen Menschen gegeben. Dehnt und füllt sich die lateinische Parodie erst seit dem 11./12. Jahrhundert wieder tüchtig aus, so entspricht das dem, daß in den damals das Abendland durchwühlenden Streitigkeiten zwischen geistlicher und weltlicher Gewalt, zumal im Kampfe gegen und um die Vorherrschaft des päpstlichen Roms, bei der erstarkenden Rivalität zwischen Weltklerus und Ordensklerus und den Orden untereinander Zwang und Lust zu geistigen Fehden auch in den gelehrten und lernenden Kreisen, die sich in der karolingischen Epoche vorwiegend ruhiger wissenschaftlicher Arbeit gewidmet hatten, außerordentlich gefördert, daß der Widerspruchsgeist geweckt und angestachelt wurde, daß neben dem Streben und Lechzen nach dem himmlischen Jerusalem, neben den Verzückungen der Mystik, neben der weltabgewandten Grübelei und Askese eine ungebundene Daseinsfreude bei den Laien und den Geistlichen sich mächtig kundgab.

Man könnte es wagen und hat es getan, die Entfaltung der Parodie mit den Vaganten oder Goliarden in Verbindung zu bringen. Es ist historisch bezeugt, daß namentlich seit dem 12. Jahrhundert die Universitäten Frankreichs und Italiens einen hohen Aufschwung nahmen, und daß Tausende von jungen Leuten aller Nationen zu ihnen hinströmten. Wir wissen von dem Fleiß dieser Jugend, wissen aber auch, daß die Studenten, die jungen Clerici, nicht nur arbeiteten, sondern gern das Leben in vollen Zügen genossen. Wie die Universitätsstädte, waren die Landstraßen voll von Studierenden, die auf die hohen Schulen zogen. Daß es da auf der Wanderung oft derb und lustig zuging, daß mancher die in den Schulen gelernte lateinische Verskunst nach seinem Gutdünken ausübte und auf dem Marsche oder bei der Rast am Waldesrande, in den Schenken frohe und freche wie ernste Lieder, die ihm selbst gelungen waren oder die er gehört, gelesen hatte, erschallen ließ, das ist etwas schier Selbstverständliches. Zu der in jedem Menschen steckenden, im Genuß der Natur, im Beschauen und Bewundern fremder Länder und Sitten genährten

Weltlust kam oftmals als Antrieb zu poetischen und prosaischen Vorführungen der bittere Zwang, das Nachtquartier, ein Kleidungsstück, die Mahlzeit, die Reisezehrung und insbesondere einen Schoppen Wein sich irgendwie, doch möglichst angenehm zu verdienen. Mehr als einer, dem das Versemachen und Deklamieren leicht wurde und das Herumziehen wohlbehagte, verlor auf dem Wege von einer Hochschule zur anderen die Lust am Studium ganz, schlug sich singend und schmarotzend durch die Welt, mancher nahm ein ruhmloses Ende, zumal es viel weniger freie Stellen und Pfründen als begehrliche Studenten gab. Die Vagi oder Vagantes wurden schließlich eine Landplage, gegen die die Kirche streng einzuschreiten suchte wie gegen ehrlose Leute, gegen gefährliches Gesindel. Das ist ganz begreiflich. Aber es wäre falsch, in allen Vaganten Lumpen und Landstreicher zu sehen. Viele fanden den richtigen Weg, wurden sehr gescheite und hochachtbare Herren von Rang und Würden. Es wäre falsch, in den Vagantendichtern ausnahmslos verluderte und versoffene Genies zu sehen. Viele Lieder und Traktate sind trotz ihrer Bosheiten, Zoten und dgl. nicht allzu ernst zu nehmende, nicht überstreng zu beurteilende Erzeugnisse ausgelassener Augenblicksstimmungen. Und vor allem die sog. Vagantendichtungen sind durchaus nicht nur von vagierenden Klerikern verfaßt, sondern nicht selten bloß in Stil und Laune der fahrenden Schüler gehalten. Wie man sich im biedern Kloster Benediktbeuern nicht scheute, eine Sammlung solcher Texte aufzubewahren, die von Lebenslust strotzten, unter fernem Himmel, in welschen und deutschen Kneipen bei Spiel und Wein und Weib gesungen waren, die auch Rügelieder enthielt, die mit zündenden Worten den Niedergang Roms malten, so hat gar oft ein braver Klostermann, ein kirchentreuer Pfarrer, ein wohlbestallter Domherr, ein strenger und gelahrter Professor im Zorne oder in froher Stunde zum eigenen Vergnügen, zur Freude und im Auftrage seiner Fürsten, Vorgesetzten und Genossen Poeme verfaßt, die man getrost zur Vagantenpoesie zählen kann. – Der Name Goliarden erfordert weniger, daß man die Begriffsgrenzen erweitert, aber er bedarf mehr der Erklärung. Man schwankt[1], ob man ihn von ‚Gula‘, von der Gierigkeit, ob von Goliath, dem riesenhaften Philister ableiten soll. Sehr gefördert hat die neueste Untersuchung. Filippo Ermini zeigt in ihr, daß bereits die alten Kirchenväter (Augustin u. a.), dann Beda und andere mittelalterliche Kirchenschriftsteller in Goliath den Gegner Christi kat' exochen, den Teufel gesehen und von den ‚falsi fratres‘ als den Söhnen des Teufels gesprochen haben. Die Goliarden sind Satanskerle, die dem Heiligen, Wahren und Rechten widersprechen und entgegenarbeiten. So paßt der Ausdruck nicht übel für viele Parodisten, die immer spotteten und opponierten, die aus Scherz oder mit

---

[1] Vgl. außer den älteren Erörterungen F. Neri, La famiglia di Golia: Atti della Reale accademia delle scienze di Torino. (Rom 1922) p. 169sqq. (1914/15); V. Crescini, Appunti su l'etimologia di goliardo: Atti del Reale Istituto Veneto di scienze, lettere ed arti LXXIX (1920); Fil. Ermini, Il Golia dei goliardi: La cultura I (Rom 1922) p. 169sqq.

einem gewissen Ernst statt der Kirche Christi die Teufelskirche vertraten. Wer die Goliarden eigentlich waren, sagt der Name nicht. Ob man sie so, ob man sie Vaganten nennt, die Satiriker und Polemiker, die Spaßmacher, die Sänger von Lenz und Liebe, von Becherfreuden und Würfelspiel bilden eine Masse verschieden gerichteter, verschieden gestimmter Menschen von mannigfacher Herkunft. So wird mit der Festlegung auf einen Titel nichts als eine Bequemlichkeit für den Augenblick gewonnen. Bedienen wir uns bei unserem Streifzuge durch die Parodien gelegentlich der einen oder der anderen Bezeichnung, so bleiben wir uns ihrer Mängel bewußt.

Um Ordnung in die Parodien und das Parodistische zu bringen, könnten wir die verschiedenen Texte, die man verwandt und verwandelt hat, zu Ausgangspunkten nehmen. In der Hauptsache hat die Bibel die Form geliefert. Voran stehen die Evangelien. Otto von Freising in der Mitte des 12. Jahrhunderts ereifert sich[1] darüber, daß die Mohammedaner ein ‚Inicium evangelii Mahmet filii Dei prophetae altissimi „Lavamini, mundi estote“‘ geschrieben hätten. Der letzte Herausgeber A. Hofmeister (1912) hat angemerkt, daß der Beginn aus Isaias I 16 stammt und der Text nicht in der lateinischen Koranübersetzung Peters von Cluny steht. Eine mohammedanische Evangelienperikope mit lateinischer Überschrift und Anfangsworten aus der lateinischen Vulgata ist etwas sehr Auffälliges. Es ist möglich, daß ein der Kirchensprache und der Kirchentexte kundiger Mohammedaner absichtlich ein mohammedanisches Evangelium in lateinischer Sprache zusammengestellt hatte, um die Christen zu ärgern. Oder sollte Otto auf den vielleicht nur scherzhaft gemeinten Versuch eines Christen hereingefallen sein, der zeigen wollte, daß die Lehren Mohammeds zum größten Teile in der Bibel enthalten wären? Auf jeden Fall scheint Mißbrauch der Bibel und der gottesdienstlichen Formen vorzuliegen[2]. Wie dem aber auch sei, man erzählt, mindestens seit dem 12. Jahrhundert, sehr gern im Stile der Evangelien. Gewöhnlich ist nicht ein bestimmtes Evangelium für die lustigen oder boshaften Geschichten frisiert, sondern der Rahmen irgendeines Kapitels, vornehmlich der Passion Christi, ist angefüllt mit allen möglichen Bibelzitaten, die wenig oder gar nicht im Wortlaut, aber durch die Gruppierung und leichtscheinende Eingriffe im Sinne ganz geändert sind. Außer in den buntscheckigen bibelparodierenden Passiones werden Sprüche der Psalmen, der Bücher Salomos, der paulinischen Briefe mit Vorliebe parodistisch gebraucht. Die Ausbeutung der Bibel zu Spaß und Spott beschränkt sich nicht auf die eigentlichen Vollparodien. Es ließe sich mancher interessante Beleg dafür bringen, daß man trotz der großen Autorität, über die im Mittelalter die Bibel verfügte, viele biblische Sätze in einer Weise anzuführen liebte, die dem ursprünglichen Zusammenhange und der kirchlichen Lehre widersprach. Absichtlichen Mißbrauch bezeugen außer

[1] Chron. lib. VII cap. 7.
[2] In der Literatur habe ich keine Erklärung der seltsamen Stelle getroffen.

den von uns zu besprechenden parodistischen Stücken Walter Map De nugis curialium, Salimbenes Chronik und viele andere. Über die unabsichtlichen Mißverständnisse hat man seit dem Zeitalter von Humanismus und Reformation herzhaft gelacht. Man denke nur daran, wie die Dunkelmännerbriefe den Unsinn auf sinnvolle Spitzen getrieben haben.

Die Parodie der Bibel erfaßt diese als literarischen Text, erfaßt sie ferner als Einlage und Grundlage des kirchlichen Gottesdienstes. Da ist wohl das Auffälligste und Bezeichnendste, daß man nicht vor Gebeten, Hymnen, Litaneien, ja nicht einmal vor den heiligen Handlungen der Messe haltmachte. Marienlieder sind zu wilden Kneipgesängen geworden, die Terminologie der himmlischen Liebe muß zur Schilderung und Begrüßung der irdischen Geliebten herhalten. Spiel- und Saufmessen sind auf uns gekommen. Der Geistlichkeit der ganzen frommen Welt müssen solche Parodien ein Greuel gewesen sein, zumal wenn sie in geistlichen Gewändern und auf geweihtem Boden vorgetragen wurden. Anderseits hat der strenggläubige Klerus sich selbst der Meßparodien als Kampfmittel z.B. gegen die Hussiten und zur Abschreckung in Ermahnungen bedient. Predigten und geistliche Lesestücke lieferten die Form namentlich für scherzende Stücke, die bis in den Bereich des blühenden Blödsinns gingen.

Von den Kirchenvätern sind ab und an einzelne Sätze parodiert worden. Walter Maps Worte[1]: „In tempore sum et de tempore loquor", ait Augustinus et adiecit „nescio quid sit tempus". ‚Ego simili possum admiracione dicere quod in curia sum et de curia loquor et nescio – Deus scit – quid sit curia' nennt James Hinton[2] eine ‚parody on St. Augustine', wie ich glaube, etwas übertreibend, da der humoristische Anstrich der Imitation sehr dünn ist.

Nachahmungen der Ordensregeln spielen in der Tierdichtung und in der Vagantenpoesie eine Rolle. Ebenda werden auch kirchliche Dekrete, päpstliche Bullen parodiert, bald in heiterem Kommerston, bald um über die unselige Macht des Geldes und über die Simonie im besonderen herzuziehen. Desgleichen bieten königliche und überhaupt weltliche Urkunden und Briefe den Stil für Pamphlete gegen Kurie und Kirche, gegen weltliche Machthaber, für Ausgelassenheiten mancherlei Art. Diese Stücke gehören in die umfangreiche Literatur der fingierten Briefe, von denen ein Teil – nicht alle – humoristisch oder satirisch ist.

Parodien aus dem Schulunterricht und Schulleben sind mir wider Erwarten selten begegnet. Ob der spätmittelalterliche Novus Cornutus Ottos von Lüneburg den Cornutus Johanns von Garlandia und die ganze Unterrichtsmethode ins Lächerliche ziehen wollte[3], ist bisher noch zweifelhaft. Öfter als die Schule im Lichte der Parodie sieht man beliebiges anderes – Mönchtum, Bauern, Liebe etc. – parodistisch durch Texte und Termini der Schule beleuchtet.

---

[1] De nugis curialium, ed. James p. 1.
[2] Publications of the modern language association of America XXXII no. 1 (1917) p. 94.
[3] Vgl. E. Habel, Der deutsche Cornutus. II (Berlin 1909) S. 9.

Berühmte Stücke der weltlichen Poesie sind namentlich in den Zech- und Spielliedern verdreht worden.

Rezepte wurden entweder zu witziger Unterhaltung oder um die Geldgier der römischen Beamten zu geißeln parodiert. Es wird an Rezeptparodien gegen die Ärzte und Apotheker und ihre Methoden nicht gefehlt haben.

Unter den vielen Epitaphien, die uns das Mittelalter in Büchern hinterlassen hat, befinden sich nicht wenige scherzhafte, nicht wenige ironische und satirische[1], die durch die komische Handhabung der Sprache und Versform echter ernster Grabschriften wirken.

Epitaphien solcher Art sind beliebte parodistische Einlagen der Tierdichtung. Es gibt in dieser noch mehr Parodistisches und Halbparodistisches, Nachahmungen, zumal von Gebeten, Benediktionen, Litaneien, Gesängen u. dgl. Ja, man kann sagen: die Tierdichtungen des Mittelalters sind Parodien der Helden- und Abenteuerdichtung[2], sind Parodien auf das ganze menschliche Leben, indem die Tiere wie Menschen sprechen und schreiben, sich kleiden, handeln und behandelt werden. Wir wollen jedoch nicht übers Ziel hinausschießen, müssen unterscheiden zwischen rein parodistischen Einzelheiten, den parodistischen Einlagen, wo Textliches, Sachliches, Menschliches wirklich komisch verzerrt ist, und denjenigen Stücken, die allein durch die Zuweisung an die Tiere parodieähnlich sind, und vor allem, wir müssen uns bescheiden. Wie in der Tierpoesie teils in lehrhafter und satirischer, teils in rein humoristischer, unterhaltender Absicht Worte, Sitten und Gebräuche der weltlichen und geistlichen Stände, tatsächliche und erdachte, typische und besondere Vorgänge und Leute mit komischem Effekt wiedergegeben oder geschildert sind, das kann hier nicht durch die sämtlichen Werke der mittellateinischen Literatur verfolgt werden; wir hätten denn weit mehr Platz oder schrieben eine Geschichte der bis ins Altertum zurückreichenden, in die verschiedensten Literaturen Europas und Asiens führenden Tierfabeln, Tierdichtungen, Tierbriefe. Ganz durften diese Vorbemerkungen eines Hinweises auf das Parodistische der Tierpoesie nicht entbehren, zumal da in der alten Gewohnheit, kleine und kleinliche Dinge des Alltags der Tiere im Pathos des heroischen Lebens zu berichten und Tiere Wahrheiten, oft bittere, sprechen und zeigen zu lassen, eine – nicht die einzige – Erklärung dafür liegt, daß der mittelalterliche Schriftsteller tendenziös und zur Unterhaltung zu parodieren wagte, ohne große Furcht vor dem Vorwurfe der Entwürdigung, Entheiligung verehrter Literaturwerke, Menschen, Institutionen und Gewohnheiten.

---

[1] Über Spottepitaphien gedenkt H. Walther (Göttingen) zu handeln.

[2] K. Burdachs Kennzeichnung des Brunellus als einer „satirischen Allegorie, die sich nicht bloß gegen kirchliche und soziale Zustände richtet, sondern auch die biographischen Romane vom Schlage des Ruodlieb parodiert" (Vom Mittelalter zur Reformation. III[1], Berlin 1917, S. 282), ist in ihrem letzten Teile wenig glücklich, da gerade der köstliche Ruodlieb überaus geringe oder gar keine Verbreitung im Mittelalter gefunden hat, also kein Beispiel wirksamer biographischer Romane ist.

Die Parodien, die nicht eine bestimmte Literaturgattung nachahmen oder bestimmten Texten folgen, karikieren verschiedenartig Personen, Verhältnisse, Ereignisse, Einrichtungen, besonders des kirchlich politischen Lebens. Z. B. werden Konzilien und Provinzialsynoden erfunden und in freier Form, sei es innerhalb der Tierepen, sei es in Texten für sich lustig und spottend dargestellt.

Die Einteilung und Behandlung meines Stoffes nach den Formen (Evangelium, Messe, Hymnus usw.) habe ich verworfen, da sie leicht zu langweiligen Wiederholungen geführt hätte und die Parodien mit den gleichen oder verwandten Formen im Inhalt z. T. grundverschieden sind. So ging es auch nicht an, nach Novatis Vorbilde die Parodia sacra und etwa die Parodia mundana für sich zu erörtern. Nur äußerlich ist die Parodie vielfach geistlich, innerlich geht Kirchliches und Weltliches häufig durcheinander. Ich zog es vor, Tendenz und Inhalt der Parodien zu Ordnungsprinzipien zu wählen und erst einmal die streitende und triumphierende Parodie, bei der die Satire der Hauptzweck, das Komische Mittel zum Zweck ist, von der humoristischen, der heiteren und erheiternden Parodie zu sondern, wobei ich wohl weiß, daß auch sie Satire enthält und daß man bei der Unterscheidung zwischen satirischer und humoristischer Parodie zuweilen schwanken kann.

ARTEN DER PARODIE

I. DIE KRITISIERENDE, STREITENDE UND TRIUMPHIERENDE PARODIE

1. Gegen die römische Kurie und die hohe Geistlichkeit

Radix Omnium Malorum Avaritia

Fragt man Kenner nach einer mittellateinischen Parodie, so wird man in der Antwort gewöhnlich zuerst das aus Schmellers Veröffentlichung der Carmina Burana bekannte ‚Evangelium secundum marcas argenti' vernehmen. Ja, das ist ein bezeichnendes, ein besonders einflußreiches und ein recht altes Stück. Das Silbermarkenevangelium führt uns mitten hinein in die Streit- und Spottliteratur, die üppig um Rom emporgewuchert ist. Wider die Bestechlichkeit der Kurialen, wider die Simonie, wider die Herrschaft des Geldes ist es gerichtet. Wir wissen nicht, wann und wo das Evangelium entstanden ist und verschieben die Erörterung der Datierungsmöglichkeiten noch etwas. Fest steht schon jetzt, daß man sich parodierender Satiren in der von glühendem Haß und kaltem Hohn erfüllten, die sprachlichen literarischen Formen außerordentlich meisternden kirchenpolitischen Publizistik seit dem Investiturstreit mit leidenschaftlicher Erregung und Beweglichkeit zu bedienen gewußt hat.

Als Motto jener Evangelienparodie und anderer Pamphlete des 11./12. Jahrhunderts könnte man an Stelle des Romakrostichons ein Distichon voransetzen, das uns bald einzeln in Handschriften, bald in Chroniken eingefügt, bald in Moralkompendien (so bei dem des Geremia da Montagnone, saec. XIV in.) im Mittelalter gar oft begegnet[1]:

> Martyris Albini seu martyris ossa Rufini
> Romae si quis habet, vertere cuncta valet.

Schon zum Jahre 1076 sagt Landulf in seiner Mailänder Chronik von der Markgräfin Mathilde, Gregor VII. ihren Parteigängern[2]: ‚Haec enim cum totius fere Tusciae et usque Romam comitatus sui potestatem sola exerceret, pacto secretissimo cum Oldeprando qui tunc diaconi apicem Romanae eccle-

---

[1] Vgl. neben anderen Stellen: Anzeiger f. Kunde der deutschen Vorzeit XX 101; Neues Archiv XVIII 518, XXIII 205; Notices et extraits. XXXI 1 q. 122; Sitz.-Ber. d. Kaiserl. Akad. d. Wiss. zu Wien. Philos.-hist. Kl. Bd. LIV (1866) S. 314; Hauréau, Notices et extraits II 354; Sigebotos Vitae Paulinae, ed. P. Mitzschke, Gotha 1889, S. 94; MG. SS. X 119; XXXII 227; Libelli de lite II 424 u. 702. Die Textvarianten der Verse zu notieren, würde hier zu weit führen. Vgl. auch meine Erforschung. IV (1961) S. 185f., 213.

[2] MG. SS. VIII 98 u. 100.

siae regebat necnon qui plurimis Romanis ossibus Albini et Rufini sparsis,
quatenus sine consensu imperatoris in pontificatu Romano eligeretur et con-
secraretur, operam dedit', und zum Jahre 1084 von Robert Guiscard: ,Igitur
gente coadunata inmensa et Saracenis omnibus quos habere potuit in paucis
diebus Romam veterem, Romanis sese ac filios ac uxores minime tuentibus,
Rufini et Albini reliquiis deficientibus armata manu Robertus intravit.' Sehr
bald sind Albinus und Rufinus ständige Figuren, namentlich der antisimonistischen, antikurialen Satire gewesen. Das ,Evangelium de nummo ubi idem
sancti citantur tanquam Romae efficacissimi' kenne ich allerdings nicht[1], kann
jedoch außer auf die weite Verbreitung des obigen Distichons auf die Verse[2]

> quidam colunt Albinum
> et diligunt Rufinum

des Gedichtes ,In huius mundi patria', auf die bisher übersehene Stelle in der
,Hierapigra ad purgandos praelatos' des Aegidius von Corbeil (1140–1224)
lib. III 37 sqq.[3]:

> quod si Rufinus vultu rutilante peroret
> assit et Albini presentia, primo rebellis
> dura, severa, rudis, non exorabilis ante
> laxatur facies, iacet et tranquilla quiescit,

auf die Verse von Nigelli Speculum stultorum[4]:

> Praesul enim victus precibus meritisque
> Rufini vota censuit esse rata,

und andere Anführungen verweisen.

Selbstverständlich meinte man mit Albinus und Rufinus keine echten Blut-
zeugen des Christentums, deren Gebeine wunderkräftig gewesen wären, sondern das besonders im mittelalterlichen Rom allmächtige Gold und Silber.

1099 entsteht der merkwürdige Tractatus Garsiae Toletani[5], worin die
Völlerei, die Geldgier, die Käuflichkeit der Umgebung Urbans II. an den
Pranger gestellt wird. Angriffe auf die Kurie wegen ihrer Verderbtheit hatte es
schon vorher gegeben. Hier kam eine Polemik besonderer Art zum Vorschein.
Der spanische Verfasser bereicherte die Hagiographie und Wunderliteratur
durch einen Bericht von der Reise des Erzbischofs Bernhard von Toledo, der
angeblich dem Papste Reliquien des Albinus und des Rufinus bringen, in
Wahrheit durch Geld die Verleihung der Legatio Aquitaniae erkaufen will.

---

[1] Wattenbach und Bethmann in MG. SS. VIII 98 n. 38 geben bedauerlicherweise
ihre Quelle nicht an.
[2] Carmina Burana p. 15.
[3] C. Vieillard, Gilles de Corbeil, Paris 1909, p. 397.   [4] ed. Wright p. 56.
[5] her. von E. Sackur in MG. Libelli de lite. II 424 sqq. Vgl. dazu C. Mirbt, Die
Publizistik im Zeitalter Gregors VII., Leipzig 1894, S. 69; Schneegans, Geschichte der
grotesken Satire, S. 69 ff.; G. Meyer von Knonau, Jahrbücher des Deutschen Reiches
nnter Heinrich IV. und V., Bd. V 85 ff.

,Damals, als Papst Urban in Rom Pontifex war, fand Grimoardus, der Erzbischof von Toledo, einige Reliquien der herrlichen Märtyrer Albinus und Rufinus, und gewiß, daß sie dem Papste gefallen würden – denn er kannte die Zerknirschung, die Seelenstimmung des Mannes –, machte er sich mit ihnen nach Rom auf. Der Toletaner lechzte nämlich nach der aquitanischen Legat- schaft, die auf Grund der Verleihung Gregors des Großen und dank der Be- stätigung durch Privilegien von alters her dem Metropoliten von Toledo zuge- fallen war. Deshalb hielt er es für Schwäche, Schmach und Schande, wenn solch gewichtige, fette und runde, solch delikate Person wie er der Würde seiner Vorgänger beraubt wäre. Übrigens, wenn er auch Behagen an vollen Bechern fand – er war nämlich ein starker Weintrinker und sein Bauch mächtig aufgedunsen, wie er ja einen ganzen Salm bei einem Frühstück in sich zu begraben pflegte', so beginnt die eine Handschrift des ,Tractatus Garsie Thole- tante ecclesie canonici de reliquiis preciosorum martirum Albini atque Rufini, ideoque de nomine eius intitulatur libellus iste et vocatur Garsuinus'. Die andere zeigt schon in den ersten Zeilen gewisse Abweichungen und sie schildert den Erzbischof mit größerer Ausführlichkeit folgendermaßen: ,Übrigens wenn er auch Gefallen an vollen Bechern fand – er war nämlich ein starker Wein- trinker –, wenn er auch Tag und Nacht schnarchte – denn wachen konnte er nicht –, wenn er auch einen Bauch wie der Papst hatte – er war nämlich mächtig aufgedunsen, wie er ja einen ganzen Salm bei einem Frühstück in sich zu begraben pflegte –, wenn er auch den Unschuldigen ächtete, den Ge- rechten verfolgte, den Armen betrog, die Waisen um ihr Erbe prellte, in allen Lügen ein Meister war, so daß er sich schämte, falls er einmal die Wahrheit sagte, wenn er auch in den vorgenannten und anderen Tugenden sich hervor- tat, durch die derzeit die feistesten Bischöfe in die Höhe kamen, würde er dennoch nicht Legat der römischen Kirche werden, wenn er nicht die wert- vollen Reliquien jener Märtyrer dem römischen Pontifex darbot.' Nun geht die Erzählung in beiden Zweigen der Überlieferung ziemlich gleichmäßig vor: Der Bischof zieht mit seinen Reliquien nach Rom, betet in der Kirche des Apostelfürsten Petrus, klopft an den Pforten des Lateran an und empfängt vom Türhüter die Antwort: „Wer zum Papst eintreten will, kann es getrost, wenn Albinus ihn geleitet." So kommt Grimoard hinein und erblickt das Oberhaupt der Kirche beim Gelage. ,Vier feiste Kardinäle geben dem Papste, der in Purpur eingehüllt auf einem marmornen Sessel thront, aus einem schwe- ren goldenen Pokal, der vom besten Weine übersprudelt, zu trinken. Seine Heiligkeit ist ungeheuer durstig. – – – So trinkt er denn auf die Loskaufung der Seelen, auf die Kranken, auf eine gute Ernte, auf den Frieden, auf die Wanderer, auf die Seefahrer, auf das Heil der römischen Kirche, und wenn auch sein Magen kaum noch etwas zu fassen vermag, so ermahnen ihn die Kardinäle, es doch immer wieder zu versuchen, und erst als es ihm ganz un- möglich ist, da leeren die Kardinäle selber den Pokal. – – – Gregor von Pavia sitzt zu den Füßen des Papstes und hält in der Hand ein Buch – den Anticato

–, aus dem er eine begeisterte Lobrede auf die Heiligen Albinus und Rufinus
vorliest – – –: Die herrlichen Märtyrer Rufinus und Albinus vermögen alles
und jedes. Wer ihre Reliquien besitzt, dem werden alle Sünden vergeben; ist
er auch noch so gottlos, er wird doch unschuldig. – – – Wer nur etwas auf dem
Gewissen hat, wird sofort freigesprochen, wenn er dem Papst die Reliquien
bringt; denn diese Märtyrer sind die mächtigsten Herren der Welt. Keiner
kann Widerstand leisten, wo Albinus eingreift; keiner kann widersprechen, wo
Albinus bittet; keiner kann etwas verweigern, wo Rufinus befiehlt. Sie sind
die Herren der Könige, der Kaiser, der Herzöge, der Fürsten, der Regenten,
der Bischöfe, der Kardinäle, Erzbischöfe, Äbte, Dekane, Prioren, Leviten,
Priester, Unterdiakone, ja sogar des Papstes. Sie haben die größten Helden-
taten vollbracht; sie sind die Herren der ganzen Welt. Ihnen verschließt sich
nichts, vielmehr öffnet sich alles vor ihnen; sie haben die Macht, zu binden
und zu lösen. Und nun wird die Satire persönlich und fällt über den Papst
Urban her, den frömmsten Papst, den wärmsten und begeistertsten Anhänger
dieser Heiligen, ihn, der in Gold und Purpur lebt, in Reichtum und Ruhm-
sucht, der nur Sinn hat für gute Weine und gutes Essen. – – – In beredter
Sprache wird der nie versiegende Durst des Papstes nach Erlangung dieser
Märtyrer geschildert. – – – Bringt mir her, was ihr findet, ,de renibus Albini,
de visceribus Rufini, de ventre, de stomachi, de lumbis, de ungue, de humeris,
de pectore, de costis, de cervice, de cruribus, de bracchiis, de collo, quid plura?
De omnibus membris duorum martirum'! Erst dann werde ich erkennen, ob
ihr meine Söhne seid, wenn ihr mir kostbare Reliquien gebt. Bringt alles, was
ihr habt, und behaltet nichts für euch; denn diesen Reliquien verdankt Urbanus alle seine politischen Erfolge. Besser ist es, ihnen zu vertrauen, als den
Menschen; denn sie vermögen die großartigsten und wunderbarsten Dinge zu
vollführen, sie, denen das Reich und die Herrlichkeit gehört in aller Ewigkeit.
Ein solches Lob der Heiligen Rufinus und Albinus kann natürlich für den Erzbischof von Toledo, der ihre Reliquien bringt, nur ermunternd sein, und so
bricht er denn sofort in die Rufe aus: „Heiliger Albinus, bet für uns! Heiliger
Rufinus, bet für uns!" Und sogleich ist die ganze Versammlung Feuer und
Flamme für den Ankömmling. „Das war ein guter Anfang; das ist ein wahrer
Sohn der römischen Kirche; Christus spricht aus seinem Munde." Und die
Kardinäle erheben sich und gehen auf ihn zu, und der Papst steht auf und
küßt ihn, und als er die Reliquien, die der Erzbischof ihm bringt, in Empfang
genommen hat, und unter großen Zeremonien im römischen Schatze nieder-
gelegt hat, da kennt sich der gute Urbanus nicht mehr vor Freude. – – – Urbanus berauscht sich immer mehr in seinen eigenen Worten. Seine Macht ersteigt
in seiner Einbildungskraft schon ganz gewaltige Höhen. Er erhebt sich über
alles, was kanonisch, was himmlisch, was katholisch, was gesetzlich ist. Schon
sieht er, wie er die Finsternis in Licht verwandelt, wie er das Schlechte zum
Guten kehrt – – –. „Vorbei, vorbei ist der Tag des Zornes, der Bitterkeit, des
Sturmes und der Schmerzen, als uns zu trauern oblag, als der römische Stuhl

Urban verweigert wurde, als der Senat nicht unser war, als wir vor Heinrich flohen, als der Ketzer Guibert glücklich auf dem Petersstuhle saß. Nun gelangten wir durch die Gunst der heiligen Märtyrer Albinus und Rufinus vom Schiffbruch in den Hafen, von der Verbannung ins Vaterland. Und darum, meine Kardinäle, laßt uns diese Tage in Freude und Lust verbringen; denn nun sind wir gesichert, nun sind wir im Hafen! Die ganze Welt lächelt uns zu! Drum wollen wir trinken, den sinnlichen Lüsten nachgehen, für unser Fleisch und Blut sorgen. – – –" Der Erzbischof von Toledo, welcher dem römischen Stuhle soviel Gutes getan, verdient belohnt zu werden. Der Papst läßt ihn deshalb zu seiner Rechten sitzen; „denn diejenigen, die seinen Willen tun, das sind seine Freunde, die sieht er als Bruder, Schwester und Mutter an." Aber bei solchen platonischen Liebesbezeugungen bleibt man am päpstlichen Hofe nicht stehen. Schon das äußere Aussehen des Erzbischofes verlangt kräftigere Liebesbezeugungen. Genügen doch kaum die Epitheta, um sein feistes Aussehen zu beschreiben. Als Johannes von Cadix ihn sieht –, da erhebt er sich sofort vor Papst und Kardinälen und bricht in den Ruf aus: „Der da verdient wohl drei Pokale!" Und der Bischof zeigt sich den Kardinälen gewachsen. Im Nu hat er die drei Pokale bis auf den Grund ausgeleert und zur größten Verwunderung der Kardinäle, die doch auch ihren Mann zu stehen wissen – – –, trinkt er hernach sogar noch einen vierten Pokal aus. Nach einer solchen Leistung ist alles für ihn gewonnen. Er wird von allen hochgeachtet, und nun darf er auch Legat von Aquitanien werden; denn ‚per multas potationes intrandum est in legationem Aquitaniae‘.

Ich habe von Seite 27 an einen Auszug aus der Paraphrase von Schneegans gegeben. Man kann sie verbessern, kann die Satire auch übersetzen. Aber wäre die Paraphrase oder die Übertragung noch so gut, vermiede sie es überall, die besten Pointen zu töten, alles, was man geben kann, ist nur ein kümmerlicher Ersatz des lateinischen Originals, das ein Meister der Satire geschrieben hat. Der guten Ausgabe E. Sackurs sind recht viele Leser zu wünschen. Was sie dabei beobachten müssen, ist, daß die große Satire parodistisch ist, insofern sie ironisch von der Übertragung und der Wunderkraft der ‚Reliquien‘ berichtet, parodistisch, insofern sehr viele ihrer Sätze komische Verdrehungen der Bibel, liturgischer Formeln u.a. sind, parodistisch, indem sie die Personen und Zeremonien, das Leben der Kurie komisch darstellt. Weder Schneegans noch Sackur haben den Nachahmungscharakter genügend aufgedeckt. Ob ein bestimmter Translationsbericht der Hagiographie zum Muster genommen ist oder nicht, sicher ist mir, daß der Versuch gemacht und gelungen ist, den hagiographischen Erzählungsstil und in der Sententia des Gregor von Pavia eine Heiligenhomilie zu imitieren. Im einzelnen hat der schlaue und gelehrte Parodist sehr viel mehr Schriftstellen um- und eingeflochten als von Sackur u.a. erkannt sind. Unter Benutzung der Konkordanzen und in gemeinsamer Lektüre mit Herrn P. Robert von Nostitz-Rieneck, S.J. (Regensburg) habe ich noch viele dem letzten Herausgeber entgangene Bibelparodien im Garsiastraktat feststellen können.

Garsias kann ein Pseudonym, kann der wahre Name des Verfassers sein. Mirbt und Sackur glaubten das Werk von einem Spanier aus dem Bekanntenkreise des Erzbischofs von Toledo geschrieben. Wiederum nur eine Vermutung, eine Möglichkeit, keine Gewißheit. In den sachlichen und literarischen Kenntnissen, die der Satiriker verrät, kann ich keine Stützen für jene Annahme sehen. So außerordentlich ist weder die Sachkenntnis noch die Belesenheit, daß wir sie nicht z. B. auch einem deutschen, einem belgischen oder sonst einem Gegner Urbans zutrauen dürften.

„Eine so witzige Satire konnte natürlich nicht verfehlen, großen Eindruck zu machen und Nachahmungen hervorzurufen. Eine solche, wenn auch sehr abgeblaßte und an Grotesken lange nicht so reiche Satire ist das sog. Silbermarkenevangelium." Über den mit diesen Worten von Schneegans behaupteten starken Eindruck weiß man recht wenig. Es sind nur zwei mittelalterliche Handschriften (saec. XII und XIII) bekannt geworden, die freilich dadurch, daß sie verschiedene Textformen repräsentieren, Beschäftigung mit dem Traktat bekunden. Nachahmungen? Es ist sehr fraglich, ob man das Geldevangelium als Nachahmung anführen darf. Die Tendenz ist ja dieselbe wie bei Garsias: Bloßstellung der Kurie, Schilderung ihrer Habsucht und Üppigkeit. Beide malen mit grellen Farben, beide schildern, wie ein Reicher wegen seiner Geschenke Zutritt und Gehör beim Papste findet, beide berühren sich gelegentlich auch in Einzelheiten der Wortgebung. Auf der anderen Seite fehlt es nicht an Trennendem, und das Gemeinsame findet man bei vielen, die in ähnlicher Stimmung tausendfach und laut in Poesie und Prosa gegen die Kirche und vornehmlich gegen die kirchlichen Spitzen gewettert haben.

Die folgenden Seiten werden es hinlänglich belegen, daß Satiren auf das geldgierige Rom vom 11. Jahrhundert an etwas Gebräuchliches sind und sich oftmals dieselben Gedanken, nicht selten ähnliche Worte wiederholen. Und diese Belege wären leicht zu verdoppeln und zu verdreifachen. Vorerst sei nur in Anknüpfung an den Satz des Tractatus Garsiae (p. 426): ‚Cum vero clamaret ad hostium, hoc a ianitore responsum accepit' und ‚Si quis ingredi habet ad papam Albino introducente securus adest' durch einige Zitate gezeigt, daß die unwürdige Rolle, die das Silbermarkenevangelium die päpstlichen Türhüter spielen läßt, daß der mit Geld gepflasterte Weg zu Papst und Kardinälen mit Vorliebe von manchen behandelt ist, ohne daß man deshalb textliche Abhängigkeit des einen vom anderen annehmen dürfte.

Der um 1100 lebende Dichter von ‚Gens Romanorum subdola' bringt die Verse[1]:

> „Non intras, si nil dederis.
> Illi firmatur ianua
> qui venit manu vacua,"
> Clamat avarus ianitor.

---

[1] MG. Libelli de lite III 706.

Et porte clause venditor:
„Qui vult intrare cameram,
non agat mecum perperam,
det mihi prius munera,
et mox patebit camera.
Si das, intrabis protinus,
si non das, stabis eminus."

Aus derselben Zeit stammen die ‚Versus de Romana avaricia‘[1]:

‚Ecclesiastica Roma negotia cum moderetur,
questio partibus omnis ab omnibus hic recitetur.
Sola pecunia perficit omnia, nec tibi claudit
ianitor ostia, dona sequentia si prius audit.‘

Wir hören[2]:

‚Mos est Romanis in causis cottidianis:
Si sonat ante fores bona vita, scientia, mores
non exauditur. Si nummus, mox aperitur.
Audito nummo, quasi viso principe summo,
dissiliunt valvae, nihil auditur nisi ‚Salve‘.
Accurrunt turbae, tota fit plausus in urbe,
papa simul plaudit, quia nemo libencius audit.
Nummus procedit, loquitur, pater audit, oboedit,
omnia concedit, sine testibus omnia credit,
quicquid vult praestat‘ etc.

In dem berühmten Klage- und Anklageliede ‚Propter Sion non tacebo‘
heißt es in Str. 19[3]:

‚Qui sunt cautes? Janitores,
per quos, licet saeviores
tigribus et beluis,
intrat dives auro plenus;
pauper autem et egenus
pellitur a ianuis.‘

Ein anderes Gedicht nennt die ‚Pape ianitores, Cerbero surdiores‘; selbst
Orpheus würde sie nicht rühren, mit silbernem Hammer müsse man an die
Pforten schlagen[4]. Nicht nur, aber doch besonders auf Rom sind die Verse
bezogen[5]:

---

[1] L. c. III 701.
[2] Vgl. Jakob Werner im Neuen Archiv XV 409, vgl. auch XXIII 205 f. und Zeitschr.
für deutsches Altertum VI 302.
[3] Carmina Burana p. 18.   [4] L. c. p. 52.
[5] The Latin poems commonly attributed to Walter Mapes, ed. Th. Wright, London
1841, p. 168 sq.

,Cum ante divitem pauper ingreditur,
eius petitio nulla recipitur,
si moram fecerit, foras expellitur
et ei ianua post tergum clauditur.
Si pauper veniat ad aulam divitum,
crudelis Cerberus negat introitum.
Si talem crederem Plutonis aditum,
nimis accederem tutus ad obitum.
Cum videt pauperem venire ianitor
et intus residet sacrorum cenditor,
quasi cur veniat praesagus cognitor.
„En", inquit, „optimus venit hic institor".
Hoc nequam Cerberus dicit ironice
et tracto ianuam obfirmat obice;
si pauper aditum temptat vel modice,
percusso saucius recedit vertice.'

Sprichwörtlich geworden ist:

,Curia Romana non petit ovem sine lana,
nam dantes exaudit, non dantibus ostia claudit.'

Noch das ‚Onus ecclesiae‘ des Chiemseer Bischofs Berthold Pürstinger
(† 1543) führt es (cap. 19 § 13) an. ‚Nullus quasi pauper hodie ad papam
intrare potest; clamat et non auditur, quia non habet quid solvat‘, ruft
zweihundert Jahre vorher Alvarus Pelagius, De planctu ecclesiae lib. II art.
XV aus. Schließlich noch das kurze Zwiegespräch „Janitor"[1]: ‚Intus quis „Tu
quis?" „Ego sum." „Quid queris?" „Ut intrem." „Fers aliquid?" „Non."
„Esto foris!" „Fero." „Quid?" „Satis." „Intra!"'

Auf die Schilderungen in dem großen ‚Carmen de statu curiae Romanae‘
des Meisters Heinrich vom Würzburger Neumünsterstift und auf Abschnitte
der satirischen Dichtung eines Petrus kommen wir später zu sprechen. Als
sie in der zweiten Hälfte des 13. Jahrhunderts verfaßt wurden, lag das Geldevangelium bereits vor: die Benediktbeurer Handschrift, jetzt als cod. lat.
4660 ein Juwel der Staatsbibliothek zu München, ist etwa 50 Jahre älter als
das letztgenannte Poem.

Der Benediktbeuern-Münchener Text hat wohl am meisten die Augen der
Forscher auf sich gezogen, seit 1803 Freiherr Chr. von Aretin[2] 1843 E. Du
Meril[3] und vor allem seit 1847 J. A. Schmeller in seiner wiederholt nach-
gedruckten, aber nie im ganzen überholten Ausgabe der Carmina Burana[4]

[1] Vgl. H. Hagen, Carmina medii aevi, Bern 1877, S. 213; F. Novati, Carmina medii
aevi, Florenz 1883, S. 46; Joh. Hus, De antichristo cap. 43.
[2] Beiträge zur Geschichte und Literatur usw. I (München 1803) 5. Stück S. 78f.
[3] Poésies populaires latines antérieures au douzième siècle, Paris 1843, p. 407sq.
[4] no. XXI.

ihn veröffentlicht hatten. Doch war die Parodie aus einem Leipziger Codex schon 1697 durch H. von der Hardt[1], 1788 aus einem nunmehr verschollenen Breslauer Manuskript abgedruckt[2]. Die Erstausgabe liegt aber noch viel weiter zurück: 1544 erschienen zu Freiburg i. B. zwei von dem Italiener Caelius Secundus Curio zusammengestellte Bändchen Pasquillen und darin[3] ein ‚Evangelium Pasquilli olim Romani iam peregrini‘, das nichts anderes als das Geldevangelium ist. Eine Übersetzung ins Deutsche folgte alsbald[4]. Einen modernen deutschen Text haben wir in Paul von Winterfelds Deutschen Dichtern des lateinischen Mittelalters[5]. Den einzigen nennenswerten Versuch einer kritischen Ausgabe der lateinischen Texte verdankt man E. Dümmler[6]. Er hat drei Handschriften herangezogen, W. Gundlach[7] bei seinem Abdruck den Breslauer Wortlaut zugrunde gelegt. Von einer genügenden Verarbeitung, ja von der bloßen Darbietung des Materials zu erschöpfender Behandlung ist selbst E. Dümmler noch weit entfernt. Die Überlieferung ist sehr reichhaltig: ich kenne den Text von zehn erhaltenen Handschriften in Bésançon, Leipzig, London, Lübeck, München, Paris, Rom, Schlägl und Wien, weiß von weiteren drei in Ivrea und Venedig und suche noch drei, nämlich die Vorlage des Freiburger Druckes, ein Breslauer und ein Frankfurter[8] Manuskript. Daß im Laufe der Zeit noch andere Textzeugen bekannt werden, ist höchstwahrscheinlich, da die Parodie manchmal ziemlich versteckt in den Handschriften steht. Ob die sehr zu wünschende Vermehrung der Zeugen Klarheit über den zeitlichen und örtlichen Ursprung sowie über den Originaltext bringen wird, halte ich für sehr zweifelhaft. Bisher hat mir jeder neuauftauchende neue beachtenswerte Lesarten geliefert, neue Schwierigkeiten geschaffen. Einen durchweg glaubwürdigen Text mit einem Variantenapparat wird auch der größte Textkritiker nicht aus allen machen können und nicht dürfen, da es sich um verschiedene Bearbeitungen handelt, von denen zum mindesten mehrere Reiz und Wert haben. In der Sammlung der Carmina Burana steht das kürzeste Geldevangelium, mit dem man sich im Mittelalter am wenigsten befaßt zu haben scheint. Ich habe versucht, die beliebteste Fassung zu rekonstruieren, und stelle daneben die unveröffentlichte längste, anscheinend deutsche Redaktion einer Lübecker Handschrift.

Das Geldevangelium führt uns zuerst den Nachfolger Petri im Kreise der Kurialen vor. Der Papst beginnt mit Sätzen aus den Evangelien Matth. XXV,

---

[1] Magnum concilium Constantiense I. 498 sq.

[2] Von Schlesien vor und nach dem Jahr 1740. II (Freiburg 1788) S. 483 ff.

[3] tom. II 302 sqq.

[4] Wiederholt bei O. Schade, Satiren und Pasquille aus der Reformationszeit. II (Hannover 1856) p. 105–107, der lat. Text S. 310 ff.

[5] S. 224 ff.

[6] Neues Archiv. XXIII (1898) S. 208 ff.

[7] Heldenlieder der deutschen Kaiserzeit. III (Innsbruck 1899) S. 796 ff.

[8] Von J. C. von Fichard in seinem Frankfurtischen Archiv für ältere deutsche Literatur und Geschichte. III (1815) S. 215 ff. zugrunde gelegt.

31, XXVI 50; Luk. XI 8; Matth. XXV 30: ‚Wenn des Menschen Sohn kommt
zum Sitze der Majestät, dann soll ihn der Türhüter fragen: „Freund, wozu
kommst Du"? und wenn er beharrlich anklopft, aber nichts gibt, dann werft
ihn in die äußerste Finsternis, wo Heulen und Zähneklappern sein wird.‘ Die
Kardinäle entstellen mit ihrer Frage: „Herr, was sollen wir tun, daß wir
Geld erwerben?" das Wort des Schriftgelehrten bei Lukas: ‚Meister, was soll
ich tun, auf daß ich das ewige Leben erringe.‘ Des Papstes Antwort stammt
aus demselben 10. Lukaskapitel, scheut sich nicht zu lehren: „Liebe Gold und
Silber von ganzem Herzen und von ganzer Seele und den Reichen wie ich
dich selbst", statt mit Christus Gottes- und Nächstenliebe zu predigen.

Da heischt ein armer, von seinem Bischof bedrückter Geistlicher Einlaß.
Doch die päpstlichen Türhüter schlagen ihn, wie Christus von dem Hohen-
priester geschlagen ward, und sie verwünschen ihn mit einem Wort aus Markus,
wo aber ‚quoniam non sapis quae Dei sunt‘ steht, während der Parodist den
Nummus für Deus einsetzt. Der arme Bittsteller fleht mit Worten Hiobs und
wird abgewiesen mit einer Verwünschung des Geldes, die Petrus in der Apostel-
geschichte gebraucht hat, und mit einer Drohung aus der Bergpredigt. Der
Satz, daß nun der Kleriker fortgeht und alle seine Habe verkauft, ist aus
einem Gleichnis des Matthäusevangeliums geholt. Die Kurialen verschmähen
das so gewonnene Geld mit dem verächtlichen ‚Sed haec quid sunt inter tantos‘, was Wort für Wort bei Johannes in der Erzählung von der Speisung der
5000 steht. Da zieht der Arme ab und weint draußen bitterlich nach Petri
Vorbild, da er Jesus Christus verleugnet hatte.

Nun tritt eine neue Person auf, ein feister simonistischer Bischof, der gleich
dem Barrabas des Evangeliums Mord und Totschlag auf seinem Gewissen hat
und sehr reich ist. Begehrlich begrüßen ihn die Kardinäle: „Gelobt sei, der
da kommt im Namen von Gold und Silber," statt den biblischen Gruß:
‚Benedictus qui venit in nomine Domini‘ zu gebrauchen. Nachdem der Bischof
seine Schatzkästen geöffnet hat wie die hl. drei Könige vor dem Jesusknäblein,
werden reichlich Geschenke an die Kurialen verteilt, und doch sind der Camerarius und der Cancellarius enttäuscht. Auf sie wird das Wort des Matthäusevangeliums cap. XX angewendet: ‚Arbitrati sunt quod plus essent accepturi.‘

Der Papst aber, so heißt es mit Worten des zweiten Paulusbriefes an die
Philipper weiter, war krank bis auf den Tod. Da schickt ihm der Bischof Gold
und Silber als Medizin, und sofort wird der Kranke geheilt, als ob Christi
Hand ihn berührt hätte. Indem der Autor fortfährt ‚et dedit gloriam auro et
argento‘ offenbart er durch die Verbindung des biblischen ‚gloriam dare‘ mit
Gold und Silber wieder, wes Geistes Kind er ist. Kraß erscheint uns, daß er
danach mit fast denselben Worten, die bei Matthäus über den Verrat des Judas
im Garten Gethsemane stehen, der Papst den Bischof küssen und willkommen
heißen läßt. Der Ausruf der Kardinäle ‚Vere iste homo iustus est‘ ist dem
Hauptmann an des Herren Kreuz aus dem Munde genommen. Der Papst

erwidert mit einem Herrenworte des Johannesevangeliums. – Damit hätte geschlossen werden können. Von dem petitionierenden Bischof ist fernerhin keine Rede mehr. Doch nun ergreift der Papst von seinem Thron aus, der mit dem Richtstuhl des Pilatus und Habsucht, das ist Schädelstätte, verglichen wird, von neuem das Wort zu lauten Seligpreisungen, die denen der Bergpredigt vollkommen entgegengesetzt sind. Die Reichen werden in verschiedenen Tonarten gepriesen. Folgerichtig setzt der Papst ein ‚Wehe dem Armen‘ hinzu. Er wendet auf ihn Matthäus XVIII 6 an. Nochmals werden die Kardinäle gewarnt und angewiesen, nur die einzulassen, die mit vollen Händen geben wollen. Die hohen Herren schmunzeln, Markus folgend, in stolzer Demut: ‚Meister, das haben wir alles von Jugend an getan.‘ Da lobt sie der Papst, wie Christus den Hauptmann von Kapernaum lobte, erfrecht sich, aus der Abendmahlserzählung das ‚Hoc facite in meam commemorationem‘ zu nehmen, und schließt mit Joh. XIII 15.

Die Überschriften sind denen der Evangelienperikopen für das Officium des katholischen Gottesdienstes nachgebildet. Am nächsten stehen den liturgischen Bezeichnungen die Titel ‚Initium s. evangelii secundum marcas argenti‘ im Benediktbeurer Codex, ‚Inicium s. evangelii secundum marcam auri et argenti‘ in einer oben nicht mitgezählten, unten in der II. Abteilung zu besprechenden studentischen Variation des Codex von Bésançon, und ‚Lectio evangelii secundum marcham argenti‘ im Ottobonianus. Auch ‚Sequentia cur ⟨r⟩ entis evangelii secundum marcham argenti‘ in einer Handschrift Hartmann Schedels, jetzt in München, und ‚Sequencia veri evangelii secundum marcham argenti‘ in Ivrea halten die Fiktion eines kirchlichen Lesestückes noch aufrecht. Die Aufschriften ‚Frequentia falsi ewangelii secundum marcham argenti‘ in Schlägl, ‚Frequentia falsi ewangelii secundum archam auri et argenti‘ im Freiburger Druck, ‚Sequencia falsi evangelii secundum marcham argenti‘ in der Benediktbeurer Spielermesse deuten die Parodie bereits kräftig an. Greifbar ist die Ironie in Titeln wie ‚Passio domini pape sec. marcam auri et argenti‘, ‚Justitia domini pape sec. marcham argenti‘ usw. Der Liturgie gemäß wird als Eingangsformel entweder ‚In illo tempore‘ oder dies entstellend ‚In illo turbine‘ gebraucht. Außerdem tauchen in einzelnen Handschriften zu Beginn und am Schluß die Worte ‚Dolus vobiscum et cum gemitu tuo‘, ‚Gloria tibi auro‘, ‚Laus tibi auro‘ oder ähnlicher Parodierungen gottesdienstlicher Wendungen auf. Diese zwar schwachen, aber unbestreitbaren Anklänge an die Liturgie und die Tatsache, daß eine Parodie mit der Überschrift ‚Sequentia falsi evangelii sec. marcam argenti‘, die bereits einen wesentlich anderen Inhalt hat als das gewöhnliche Geldevangelium, nämlich die ausgelassene Verherrlichung des Würfelspiels, im Rahmen einer komplizierten Nachäffung des Offiziums steht; diese Tatsachen legen die Vermutung nahe, daß anfangs eine ganze Geldmesse verfaßt, in der Überlieferung aber die Evangelienperikope allein übriggeblieben sei. Angesichts der handschriftlichen Bezeugung sind Zweifel gegen die Richtigkeit der Vermutung am Platze.

Vielleicht aber ist die ‚Missa secundum simoniacos', die H. Finke[1] vor Jahren
allzu kurz erwähnt hat, das gesuchte Stück gewesen, von dem das Geldevangelium nur einen Teil bildete.

Keiner unserer Texte bringt ausschließlich oder vorzugsweise Stellen des
Markusevangeliums. Gleichwohl ist es immer derselbe Evangelist, dessen Name
in den Überschriften verzerrt erscheint. Nun, die Spielerei mit ‚Marcus' und
‚marca' lag ja so nahe und ist in der satirischen Literatur des 12. und 13. Jahrhunderts immer von neuem gesucht, oftmals in gleiche oder ähnliche Wort-
umgebung gebracht worden. Anonym stehen nicht selten in mittelalterlichen
Codices die Verse[2]:

> ‚Omnipotens Marcus Romanos conterat arcus,
> adveniente Luca fiunt decreta caduca.'

Ähnliche Verse und dabei auch den Satz ‚Marcum vincit marca' hat der
Baron de Reiffenberg aus einem Brüsseler Manuskript veröffentlicht[3]. Weiter,
die Apokalypse des Golias sagt[4]:

> ‚Est Leo pontifex summus qui devorat,
> qui libras sitiens libros impignorat,
> marcam respiciens Marcum dedecorat,
> in summis navigans in nummis anchorat.'

Ein ebenfalls sehr bekannt gewordenes Gedicht gegen die Verderbtheit der
römischen Kurie, das z. B. in den Carmina Burana steht und mit den Worten
‚Utar contra vitia carmine rebelli' beginnt, hat als 11. Strophe[5]:

> ‚Solam avaritiam Rome nevit Parca:
> parcit danti munera, parco non est parca,
> nummus est pro numine et pro Marco marca,
> et est minus celebris ara quam sit arca.'

---

[1] Bilder vom Konstanzer Konzil, Heidelberg 1903, S. 85.

[2] Vgl. z.B. Neues Archiv XVIII 517, XXIII 205; in der Handschrift Cambrai 536 s.
XIII fol. 141 V.

[3] Bulletins de l'académie royale des sciences et belles lettres de Bruxelles. IX 1
(1842) p. 148 sq.

[4] The latin poems attrib. to Walter Mapes p. 7; Notices et extraits. XXIX 2 p. 281.
Neuherausgegeben von K. Strecker in den Texten zur Kulturgeschichte des Mittelalters, her. von Fedor Schneider, Heft 5 (Rom 1928).

[5] ed. Schmeller p. 20. Neue Ausgabe von A. Hilka u. O. Schumann. I (Heidelberg
1930) no. 42.

Anderwärts heißt es[1]:

> „Jamque nummum venerantur
> hunc adorant, hunc precantur,
> illi cultus solvitur.
> Quorum deus est in archa,
> non in Marco, sed in marca
> horum deus legitur',

woran gelegentlich noch einige andere Hexameter angeschlossen sind. Aus dem gegen Ende des 12. Jahrhunderts entstandenen Speculum stultorum des Nigellus Wireker[2], eines englischen Mönches, sind die Verse anzuführen:

> „Praesul amat marcam plus quam distinguere Marcum,
> plus et amat lucrum quam facit ipse Lucam.'

Ähnlich sagt ein politisches Gedicht, gleichfalls englischen Ursprungs, im 13. Jahrhundert[3]:

> „Sic lucrum Lucam superat,
> Marco marcam praeponderat
> et librae librum subicit.'

Der englische Zisterzienser, der in seinen „Distinctiones monasticae et morales' vom Anfang des 13. Jahrhunderts bezeichnende Vertrautheit mit der Poesie seiner Zeit offenbart, zitiert[4]:

> „Marcus non marca monachi servetur in arca.
> Non venit a luce lucrum postponere Luce.'

Eine englisch-lateinische Satire gegen die Habgierigen und Geizigen[5]:

> „Coram cardinalibus, coram patriarcha
> libra libros, reos res, Marcum vincit marca.
> Tantumque dat gratiae lex non parco parca,
> quantum quisque sua nummorum servat in arca.'

---

[1] Anzeiger für Kunde der deutschen Vorzeit N. F. XVIII (1871) S. 203.

[2] ed. Th. Wright p. 106.

[3] The political songs ed. Th. Wright p. 6 sq.

[4] Pitra, Spicilegium Solesmense. III 211. – Vgl. jetzt in meiner „Erforschung", IV 317 ff.

[5] L. c. p. 31. Die ähnliche Strophe „Vis decanus fieri, praesul patriarcha, auri multa tibi sit et argenti marcha. Tantum habet fidei teste manu parca quantum quisque sua nummorum servat in arca' in „Missus sum in vineam' (Walter Mapes ed. Wright p. 155) und in „Satis vobis notum est' (M. Flacius Ill., Varia doctorum usw. de corrupto ecclesiae statu poemata, 1754, p. 103).

Dazu paßt, daß Alanus de Insulis in der zweiten Hälfte des 12. Jahrhunderts, die Lektüre des Markusevangeliums und die Liebe zu einer irdischen Martha kontrastierend, klagt[1]. ‚Clerici nostri temporis potius sequuntur scholas antichristi quam Christi, potius dediti gulae quam glossae, potius colligunt libras quam legant libros, libentius intuentur Martham quam Marcum, malunt legere in salmone quam in Salomone.‘

König Ludwig IX. von Frankreich klagt[2] in einem Schreiben an die Kardinäle: ‚Marcum desiderans plus quam Marcum, dum salmonem legens despicit Salomonem.‘ Und noch hundert Jahre nach Alanus erklingen in den ‚Lamentationes‘ des Matheolus von Boulogne die Verse[3]:

> ‚– – – – – – intitulantur
> libre quam libri, marche quam Marchus amantur
> frustaque salmonis plus quam sermo Salomonis
> sepeque propter equum damnat clerus tuus aequum.‘

Aus der Unzahl der Textvarianten ist interessant, daß verschiedentlich in einigen Codices des Geldevangeliums mit dem Titel Cardinales gespielt wird. Bald heißen sie ‚carpinales‘, bald ‚carpidinares‘. ‚Carpere‘ ist die Haupttätigkeit der Kardinäle; gierige Raffer sind sie nach der Meinung des Parodisten. Die Verdrehung findet sich seit dem 13. Jahrhundert mehrfach. Fra Salimbene erzählt, daß zwischen 1244 und 1251 der Minoritenprovinzial Hugo von Bariola in Lyon vor Papst Innozenz IV. im Konsistorium die anwesenden Kardinäle getadelt habe; unter anderem mit den Worten[4]: ‚melius denominavit vos abbas Joachim de ordine Floris carpinales nominando, quia re vera optime scitis carpere et emungere et exhaurire marsupia plurimorum‘; bei Pseudo-Joachim in der Expositio onerum Isaiae findet sich wirklich der Ausdruck ‚generalis ecclesiae cardinales vel potius ex avaritiae ambitu carpinales‘. Lange nachher, im Jahre 1408, schimpfte man die Kardinäle Gregors XII. ‚carpidanares, carpedanarii, carpidinales, carpitinales‘, so in dem Satansbrief an Johannes Dominici[5], so in dem ein himmlisches Generalkonsistorium schildernden Pamphlet[6], so in den Versen[7]:

---

[1] Migne, Patrol. lat. CCX 180.

[2] Histoire littéraire de la France XXV 253.

[3] Bibliothèque de l'École des Hautes-Études. fasc. 95 p. 178 v. 2592 sqq.

[4] MG. SS. XXXII 228.

[5] Vgl. z.B. Analecta Franciscana II 230 und hier unten S. 63 f.

[6] Vgl. Martène et Durand, Veterum Scriptorum amplissima collectio tom. VII (1733) col. 836 und hier unten S. 65.

[7] Vgl. G. Leidinger in den Quellen und Erörterungen zur bayer. und deutschen Geschichte N. F. I (1903) S. 174 f.; M. Denis, Codices mss. theol. bibl. Pal. Vindob. lat. I 1407.

,Ioannes Ragusinus, frater Gabriel Gabadeus
quatuor inequales inutiles carpitinales
Henricus ridens, Tudertinus male videns,
consors Laudensis Christi quos iudicat ensis.
Sunt ypocrite, fraticelli, sodomite,
nequam latrones periurii buzerones.'

Einige Handschriften des Geldevangeliums sprechen zu Anfang statt einfach
vom ,papa' oder ,papa Romanus' vom ,papa rapax'. So ließe sich wohl noch
manches herausheben. Namentlich in der zweiten Hälfte der Parodie zeigt
die Überlieferung große Textunterschiede, Folgen und Symptome des An-
klangs, die sie jahrhundertelang stets von neuem gefunden hat.

Zweimal hat man für das Geldevangelium einen ganz anderen Schauplatz
als Rom, andere Erlebnisse als die der Bittsteller, Pfründensucher bei der
Kurie gewählt. Die ,Sequentia falsi evangelii secundum marcam argenti' des
Benediktbeurer Officium lusorum führt uns in den Kreis würfelnder Zecher,
nach Paris zu leichtlebigen Studenten in Geldnöten ein anderes Stück. Für
mich ist es wahrscheinlich, daß beide Texte Variationen derselben uns bekannten Parodie sind. Ohne allen Zweifel ist das Geldevangelium der Pariser
Universität gegen Ende des Mittelalters von dem antirömischen Geldevangelium ausgegangen. Man hat sie in einer Handschrift vereinigt, hat ihnen denselben Titel gegeben, hat den Wortlaut des neuen Stückes vielfach aus dem
des alten übernommen. Ruft der arme Kleriker in Rom aus ,Miseremini,
miseremini mei saltem vos, hostiarii domini pape, quia manus paupertatis
tetigit me', so der Studiosus: ,Miseremini ergo mei saltem vos, amici mei,
quia bursa vacua tetigit me'.

Dieses Pariser Evangelium des Codex von Bésançon ist ein wertvolles Zeugnis für die große Wirkung der einen antisimonistischen Parodie. Nach meinem
Eindruck, meiner festen Überzeugung hat überhaupt das Geldevangelium
Schule gemacht und großen Einfluß auf die Entwicklung der streitbaren wie
der unterhaltenden Parodie ausgeübt.

Wo das Evangelium secundum marcas auri et argenti zum ersten Male
erschollen und gelesen, aus wessen Feder es geflossen ist, hat niemand mit
voller Bestimmtheit zu sagen vermocht. Man hat wohl vor allem an einen
romkundigen Franzosen zu denken. Bald nach der Entstehung ist der Text
Gemeingut des Abendlandes geworden und geblieben. Franzosen und Deutsche, Engländer und Italiener haben es stets gern abgeschrieben.

Der Zeit des Ursprungs können wir nahekommen. Die älteste zur Zeit bekannte Handschrift, die Benediktbeurer in München, ist um 1230 geschrieben
und bringt, wie schon bemerkt, den kürzesten Text. Die anderen, zumeist
viel umfangreicheren Zeugen stammen aus dem 14.–16. Jahrhundert. Nach
Dümmlers Meinung steht die ,Benediktbeurer' Fassung dem Original am
nächsten, O. Hubatsch und W. Gundlach bevorzugen indessen die längere

‚Breslauer' Redaktion und halten die Benediktbeurer für nachträglich zusammengezogen. Mag auch hier und da von dem westdeutschen Sammler der
Benediktbeurer Anthologie das eine und andere ursprüngliche Wort fortgelassen oder durch ein anderes ersetzt sein, die Annahme, daß der Benediktbeurer Text im ganzen sekundär sei, ist deswegen nicht zwingend. Gundlach
stützt seine Behauptung so gut wie gar nicht, Hubatsch legt besonders Wert
auf folgendes: Ziemlich zu Anfang fehlten im Evangelium der Carmina Burana einige Wörter. Da sagt Hubatsch, „das ‚et pulsaverit ad hostium' lassen
sie ganz weg, obwohl es notwendig ist, da sonst das folgende ‚et perseveraverit
pulsans' nicht verständlich ist". Meines Erachtens konnte das erste Anklopfen
als etwas bei der ganzen Situation ziemlich Selbstverständliches verschwiegen
werden. Es steht ja auch nicht in dem Gleichnis Luk. XI, woraus der Parodist
die Worte ‚et si perseveraverit pulsans' genommen, und fehlt in allen Hss.,
außer der einen verschollenen und offenbar jungen Breslauer, die mehr als
einen Zusatz bietet. Daß ferner die C. B. des Papstes Unterricht, wie man sich
zu Gold und Silber zu verhalten habe, nicht bringen, kann ursprünglich sein.
Auch das Plus der Breslauer Fassung, das ein Gespräch zwischen dem armen
Geistlichen und dem päpstlichen Türhüter vorführt, beweist nicht, wie Hubatsch meinte, daß hier das Breslauer Evangelium das Ursprüngliche erhalten,
welches die Benediktbeurer Hss. schon fortgelassen habe. Denn dieses Plus
hat sonst nur noch der späte, überall stark interpolierte Lübecker Text. Und
das ‚saltem', das in allen Hss., auch der Breslauer, bei dem Weheruf ‚Miseremini
mei' steht, konnte in den C. B. von Anfang an dem Ostiarius in den Mund
gelegt werden, da es auch an der parodierten Bibelstelle zu finden ist. Kurzum:
bisher darf man daran festhalten, daß der Benediktbeurer Text, von kleinen
Trübungen und Verwischungen abgesehen, im ganzen die Urfassung gut widerspiegelt. Wann hat man zum ersten Male das Geldevangelium gewagt?
Gundlach plädiert für das 12. Jahrhundert mit dem Argument, daß die bereits
sekundäre Fassung, die im Harleianus vorliege, gegen Papst Alexander III.
(1159–1181) gerichtet sei. Denn sie habe am Schluß die Worte: „Herr ist Gold
und Silber, dem sei Preis und Ehre an der Kurie zu Rom und Anagni in Ewigkeit, Amen", die am besten auf jenen gern in Anagni residierenden Papst
paßten. Ich beziehe die Datierung auf Bonifaz VIII. (1294–1303), der aus
Anagni gebürtig war, unter dem die Kurie oft in Anagni gewesen ist. Beachtenswert ist auch, daß die Parodie in dem Harleianus, der italienischen Ursprungs ist, in Schrift von etwa 1300 hinter einer Ghibellinischen Chronik
steht. Einer der vielen Gegner Bonifaz VIII. mag die alte Schmähschrift im
Kampfe gegen diesen Papst neu belebt haben. Lehne ich Gundlachs Datierungsgründe und seine Bevorzugung der Breslauer Überlieferung ab, so
schließe ich mich doch aus anderen Überlegungen seiner Ansicht an, daß das
Evangelium schon im 12. Jahrhundert entstanden sei. Wenn wir beobachten,
daß in der Benediktbeurer Handschrift, die um 1230 angelegt ist, eine Umgestaltung des Geldevangeliums für eine Spielermesse steht, müssen wir uns

vor einem späten zeitlichen Ansatz des Originals hüten. Da nun Innocenz III., der von 1198–1216 die Geschicke der Kirche lenkte, in den ersten Jahren seiner Regierung die Zahl der Janitores et ostiarii verminderte und bestimmte, daß Kleriker wie Laien leichter Audienz beim Papste erhielten, dürfen wir annehmen, daß gegen Ende des 12. Jahrhunderts das Unwesen der Bestechung unter jenen Kurialbeamten großmächtig war, und können vermuten, daß unsere Parodie schon in der zweiten Hälfte des 12. Jahrhunderts entstanden ist. Höher hinauf wage ich einstweilen nicht zu gehen.

Daß die im Garsiastraktat und im Geldevangelium erhobenen Vorwürfe gegen Rom am Ende des 12. Jahrhunderts zeitgemäß waren, bezeugt z. B. Walter Map in seinem ironiegespickten Buche ‚De nugis curialium'[1]. Der Satiriker erzählt (p. 33): ‚Als Reginald von Bath gewaltsam seine Wahl durchgesetzt hatte, jedoch beim Erzbischof von Canterbury die Konsekration nicht erreichen konnte und sich bei seinem Vater Jocelin von Salisbury beklagte, da antwortete dieser: „Du dummer Kerl, mach' dich doch schleunigst auf, eile ohne Zögern noch Bedenken zum Papst, zahl' ihm aus voller Börse ein gutes Trinkgeld und er wird sich neigen, wohin du willst." Da ging er und bestach, jener aber neigte sich. Der Papst fiel, der Bischof stieg in die Höhe und schrieb sofort Lügen gegen Gott am Anfang aller seiner Briefe. Denn wo er hätte schreiben müssen „Von der Börse Gnaden", sagte er „Von Gottes Gnaden", und was er wollte, tat er.' Bei Map wird (p. 34) von der Herrin Börse und ihrer Macht unter Alexander III. gesagt: ‚que cum non sit amor, vincit tamen omnia Rome' (Vergil, Ecl. X 69), bei ihm (p. 82): ‚nomen Roma ex avaricie sueque diffinicionis formatur principiis; fit enim ex R et O et M et A et diffinicio cum ipsa „Radix Omnium Malorum Avaricia" (1. Tim. VI 10). Der deutsche Chronist Propst Burkhard von Ursberg schreibt gegen 1230 über den Zustand nach der Wahl Philipps von Schwaben und Ottos IV. a. 1198 und über den Mammonismus Roms[2]: ‚Vix enim remansit aliquis episcopatus sive dignitas ecclesiastica vel etiam parrochialis ecclesia, que non fieret litigiosa et Romam deduceretur ipsa causa, sed non manu vacua', und dann in gehobener, die Bibel benutzender Sprache: ‚Gaude mater nostra Roma, quoniam aperiuntur kataracte (vgl. Gen. VII 11) thesaurorum in terra, ut ad te confluant rivi et aggeres nummorum in magna copia! Letare super iniquitate filiorum hominum, quoniam in recompensationem tantorum malorum datur tibi precium! Jocundare super adiutrice tua Discordia, quia erupit do puteo infernalis abyssi (vgl. Apoc. IX 1 f.), ut accumulentur tibi multa pecuniarum premia! Habes quod semper sitisti, decanta canticum (vgl. Deut. XXXI 19), quia per malitiam hominum, non per tuam religionem orbem vicisti! Ad te trahit homines non ipsorum devotio ant pura conscientia, sed scelerum multiplicium perpetratio et litium decisio precio comparata.'

[1] Ausgabe von M. Rh. James in den Anecdota Oxoniensia. Mediaeval and modern Series. Part. XIV (Oxford 1914).
[2] Burchardi Ursperg. chronicon, ed. Holder-Egger, Hannover und Leipzig 1916, p. 82.

Dauernden Erfolg hatte Innocenz III. mit seinen Reformbestrebungen nicht und konnte ihn in den leidenschaftlichen Kämpfen, den blutigen Wehen des 13. Jahrhunderts nicht haben. Nach wie vor war es für hohe und niedrige Geistliche eine brennende Frage, wie sie sich Gehör an der Kurie verschaffen könnten, nach wie vor tönte ihnen aus der Evangelienparodie und aus zahllosen Vers- und Prosasatiren als Antwort: ‚Geld, Geld und nochmals Geld‘ entgegen. In der großen Dichtung des Würzburger Meisters Heinrich heißt es v. 77 sqq.[1]

> „Fers aliquid?" Ganfredus ait. – „Fero" subdidit alter.
> „Sit licet exiguum, non tamen ere vaco.
> Rumor enim loquitur, quod curia sacra requirat
> munus et absque illo litus aretur ibi,"

worauf Ganfredus v. 83 sqq. antwortet:

> „Frater amice, tibi res hec narrata sinistre est
> Falleris et non sic erudiendus eras.
> Peccat Romane quisquis sic derogat urbi" usw.
> Und v. 887 (Aprilis) sqq.[2]:
> „Audivi quod sepe viros intrare volentes
> a foribus removent verbera iuncta minis,
> quodque sacros postes predura repagula firment,
> sitque per angustum transitus ille locum.
> Quis mihi consilium vel opem prestabit amicus,
> ut sine fuste queat porta patere mihi?
> Expediensne putas, si caute munera mecum
> illis, qui servant hostia sacra, feram?
> Munere nonne dato vaccas Jove natus abegit?
> vivit adhuc idem Bachus ubique senex?"

Und wiederum sucht Ganfredus die Kurie rein zu waschen, als fleckenlos hinzustellen. Aber wer von den Zeitgenossen wird darin eine wirksame Verteidigung gesehen haben? Der allgemeinen Stimmung entsprachen vielmehr die Verse[3], in denen um 1280 ein Petrus nach bissigen Schilderungen der schwelgerischen Prälaten verschiedene Beispiele dafür gab, daß arm und reich

---

[1] Vgl. die große Abhandlung und Ausgabe von H. v. Grauert in den Abhandl. der Kgl. Bayer. Akad. d. Wiss. Philos.-philol. u. hist. Kl. XXVII 1 u. 2 (München 1912) S. 68.

[2] a.a.O. S. 100f.

[3] Auszugsweise herausgegeben von Ch. V. Langlois in der Revue historique. L (1892) S. 281 ff., vollständige Abschrift mir freundlich von H. Walther zur Verfügung gestellt, der in seinem Buch Das Streitgedicht in der lat. Literatur des Mittelalters, München 1920, S. 119f. auf das wenig beachtete Werk hingewiesen hat.

sehr unterschiedlich von den Kurialen behandelt wurden. Im Anhange seien einige bezeichnende Stellen mitgeteilt. Es ist wohl möglich, daß sowohl Heinrich wie besonders Petrus[1] das Geldevangelium vorgeschwebt hat, als sie das Wort ergriffen. Bitterer, erregter hat neben anderen Guiot von Provins in seiner ‚Bible‘ über Rom gesprochen, geschrien[2]:

‚Du tötest noch welchen Menschenstrom?
Ihr mordet hin uns alle Zeit.
Im Rückgang ist die Christenheit,
verderbt, zerstampft all' gute Saat,
seitdem die Kardinäle genaht,
die hergekommen allesamt,
von schnöder Habsucht heiß entflammt.
Sie kommen von Simonie erfüllt,
in Sündenleben eingehüllt,
von Glauben und Vernunft entblößt,
von Gottesfurcht ganz losgelöst,
bieten Gott uns deine Mutter feil,
verraten des Vaters und unser Heil.
Zertreten, verschlingen alles in Graus.
Zu lang – ha! – bleiben die Zeichen aus,
die unser Herr verkündet,
wenn die Welt sich ihrem Ende naht.
– Wie sie Gold und Silber zusammenraffen
und es jenseits über die Berge schaffen. – – –
Verzweiflung will das Volk erdrücken.
Fort schleppt die Habe der Legat,
der voll von Lug und von Verrat.
Alles verheeren sie; niemand kann seh'n.
O, Hof von Rom, kannst du besteh'n
so ganz in Missetat und Sünden,
das schlimmer nirgend ist zu finden? – – –
Rom verschlingt uns, saugt uns aus,
Rom mordet, plündert Land und Haus.
Kloake der Bosheit, das ist Rom,
ausspeiend aller Laster Strom,
ein Sumpf, der von Gewürmen strotzt.
Gott und der heil'gen Schrift ja trotzt
jed' ihrer Taten. – – –

[1] Bereits Langlois hat die Verwandtschaft empfunden.
[2] Übersetzung entnommen San Marte, Parcival-Studien. I (Halle 1861) S. 51 ff.

Das Geldevangelium ist in dem Chorus der Kläger und Spötter nicht verstummt und überhört, weil es in schlichter Raffiniertheit sich vornehmlich auf ein Thema beschränkte und weil es parodistisch war, Parodie der stets gehörten Bibel, des wahren Evangeliums.

Der kritische Betrachter der Geschichte, den Politik und Konfession nicht verblendet haben, kann und muß sagen[1]: Die Romsatiren haben oft entsetzlich verzeichnet, manchem hat die Unlust, berechtigte Gebühren und Steuern zu zahlen, den Griffel geführt, die Aussaugungen und Erpressungen, die niemand ganz bestreiten wird, sind übertrieben dargestellt und fallen überhaupt nicht immer den Päpsten, sondern häufig ihren Kardinälen, vor allem aber den Unterbeamten zur Last. Auch ich glaube nicht alles, was in den antikurialen Schmähbriefen, Kampfgedichten, Spottversen usw. gesagt ist. Aber – ich schreibe hier keine allgemeine und keine kirchliche Geschichte des Mittelalters und will weder für noch gegen das Papsttum wegen einstiger Auswüchse Stellung nehmen. Mich zieht hauptsächlich des Literarischen wegen die Ausdrucksfülle an, die die Stimmung gegen Rom in der lateinischen Parodie des Mittelalters gefunden hat.

Es ließe sich ein dickes Buch über die Romsatiren schreiben, und das wird einmal geschehen, wenn die mittellateinische Philologie weiter ist. Selbst bei der dieses Mal von uns gewollten Beschränkung auf das Parodistische läßt sich nur ein Teil der auftauchenden Probleme lösen, nur ein Teil des reizvollen Stoffes vorführen.

Das Geldevangelium enthält laute Seligpreisungen des Reichen, dem sich alle Pforten in Rom öffnen. Die Dichter haben sich dieses Motiv nicht an ihren Ohren vorübergehen lassen. In Liedersammlungen des 13. Jahrhunderts (in Oxford Bodl. Add. A 44, fol. 128[V] und Florenz Laur.-Med. XXIX 1, fol. 424[V]–425[R]), die sich mehrfach mit den Carmina Burana decken, stehen die folgenden beiden, wohl zusammengehörenden Strophen[2]:

> I. ‚Qui seminant in loculis
>   per dandi frequens mutuum
>   redituum
>   gaudebunt de manipulis.
> 5   Nummus numquam examinat
>   quos ordinat;
>   non enim servit numini,
>   sed homini.
>   Nummus claudit et aperit
> 10 et quod non seminaverit
>   metit in agro Domini.

---

[1] Vgl. die maßvollen Bemerkungen bei A. Hauck, Kirchengeschichte Deutschlands. V (1920) S. 558 ff., 630.

[2] Aus dem Mediceus herausgegeben in den Analecta hymnica XXI 152. Über den Bodleianus Kingsford in The English historical review. V (1890) p. 311 sqq.

II.   Beati qui esuriunt
      et accessito Symone
      pro mammone
      quaestum, praebendas rapiunt.
    5 Qui dat est potens omnium
      per medium.
      Et quia mundus eligit
      qui porrigit,
      cur exclamare dubitem
   10 super plenum et divitem:
      „Beatus qui intelligit.“

Es kommen vornehmlich folgende Bibelstellen in Betracht: Für Strophe I
Psalm. CXXV 5f.: ‚Qui seminant in lacrimis in exultatione metent. Euntes
ibant et flebant, mittentes semina sua. Venientes autem venient cum exultatione, portantes manipulos suos‘; Apoc. III 7 ‚haec dicit sanctus et verus‘.
„Qui aperit et nemo claudit, claudit et nemo aperit,“ Luk. XIX 21 ‚metis
quod non seminasti‘ oder Gal. VI 8 ‚quae – – – seminaverit homo, haec et
metet‘. Für Strophe II Matth. V 6, ‚Beati qui esuriunt et sitiunt iustitiam‘;
Psalm. XL 1f., ‚Beatus qui intelligit super egenum et pauperem, in die mala
liberabit eum Dominus.‘ Die Verdrehung, die bisher niemand aufgedeckt hat,
wird noch augenfälliger, wenn man zwei Hymnen betrachtet, die sich in echter
Frömmigkeit an die Heilige Schrift anschließen und ebenfalls im Mediceus
stehen[1]:

I* ‚Qui seminant in lacrimis
      et azimis
      sincerae conscientiae,
      fermentum culpae veteris
    5 permutant et malitiae
      hi gratiae
      se praeparant, qua lateris
      luto proiecti soliti
      emeriti
   10 maniplos portent gloriae.

II* Beati mundo corde
      quos peccati tersa sorde
      vitium non inquinat,
      scelus non examinat
    5 nec arguat peccata,
      qui Domini mandata

[1] L. c. p. 119.

> custodiunt et sitiunt.
> Beati qui esuriunt
> et confidunt in Domino
> 10 nec cogitant de crastino,
> beati qui non implicant
> securis temporalibus,
> qui talentum multiplicant
> et verbum Dei predicant
> 15 omissis secularibus.'

Vielleicht haben diese religiösen Lieder dem Parodisten Anstoß gegeben, sein Machwerk vorzubringen. Es werden z. T. dieselben Bibelworte verwendet, statt die Verse

> ‚vitium non inquinat
> scelus non examinat'

wird mit ähnlichem Klange gesagt

> ‚nummus numquam examinat
> quos ordinat',

und, was nicht übersehen werden darf, die Parodie hat fast dieselbe dichterische Form wie die Hymnen. Natürlich kannte der Zerrdichter überdies die Bibelstellen selbst, und er fügte denen der religiösen Gesänge einige aus seinem Wissen hinzu, mit treffendem Witz am Schluß, wo er ausruft:

> ‚Cur exclamare dubitem
> super plenum et divitem
> „Beatus qui intelligit!“'

Die antisimonistische Satire fand noch andere Wege der Parodie. Sie ersann Dekrete, die man vergeblich in den Sammlungen des kanonischen Rechts suchen wird.

> ‚Sua Simon dat decreta:
> Quod si bursa sit repleta,
> fiet presul vel propheta
> Davus, Birria vel Geta.
> Non attendit probitatem
> neque mores nec etatem.
> Simon facit hunc primatem,
> hunc priorem, hunc abbatem.
> Ad hoc pauper non accedit,
> accepturum nil se credit,

nil habebat, nichil dedit,
nec in sancta sede sedit.
Simon facit hos maiores,
hos abbates, hos priores.
Nummos quaerit et non mores,
et nummatis dat honores.
Venter nimis incrassatus
qualiscumque, sed nummatus
apud omnes inflammatus,
quem plus inquinat reatus,
si offerre sit paratus,
fiet presul et prelatus.
Ut in sede collocatur
miser, a quo magis datur,
tunc superbit, tunc inflatur,
nil de Deo meditatur;'

beginnt um 1100 ein nordfranzösisches Gedicht[1] das in der überliefernden Handschrift der Vatikanischen Bibliothek die Überschrift

,Incipiunt decreta Simonis'

führt. Die letzten zwei Drittel sind offen moralisierend und polemisierend, nicht ironisch und parodistisch. In dem vielgelesenen ,Utar contra vitia carmine rebelli'[2], wo mit den heftigsten Worten gegen die Raffgier der römischen Kurie zu Felde gezogen wird, heißt es:

,Romani capitulum habent in decretis,
ut petentes audiant manibus repletis.
Si das, tibi dabitur, petunt, quando petis.
Qua mensura seminas, hac eadem metis.'

Das Gedicht mit dem Anfang ,Frigescentis caritatis in terris igniculo' berichtet[3]:

,Hoc sancivit mos Romanus,
hoc decretum legitur
,,Non sit presul vel decanus
is a quo nil dabitur."'

Nicht weniger als vier parodistische Dekrete führt uns die Satire ,Qui potest capere quod loquor capiat' vor[4]:

[1] her. von H. Boehmer in den MG. Libelli de lite III 697f.
[2] Gedruckt z.B. Carmina Burana, ed. Schmeller no. XIX; Analecta hymnica IV 252. Vgl. auch oben S. 36.
[3] Vgl. Hauréau, Notices et extraits. VI 140.
[4] Walter Mapes, ed. Th. Wright p. 169.

,Decretum ergo do pauper pauperibus,
ut, si non affici volunt verberibus,
non unquam habeant in ianitoribus
ullam fiduciam sine muneribus.
Decretum etiam secundum facio:
Cum papa sederit in consistorio
de quovis divitum tractans negotio,
tunc nulla pauperis detur petitio.
De cancellaria donatur tertium:
Si pauper habeat intus negotium
non eat vacuus ad hostiarium;
sed si vult ingredi, solvat marsupium.
Decretum etiam quartum constitui
mederi Theutonum volens derisui:
Cum intrant curiam vel mitras ablui
vel caput faciant immunis exui.'

Nach verschiedenen Ratschlägen für die gen Rom ziehenden Geistlichen
kommt noch eine von uns zu berücksichtigende Strophe:

,Si plumbum aliquis Romanum emerit
non dans pro vendito plus quam valuerit
in suis subprior decretis asserit
esse falsarium qui sic evaserit.'

Hinter diesen Pseudodekreten steht der Zwiespalt zwischen der Theorie
und der Praxis. In der Praxis: Zusammenströmen der Pfründensucher vor
den Schreibstuben und Palästen der Kurialen, ein Erschleichen und Erkaufen
der Audienzen und der Gunst, ein Feilschen um die Geschenke und Gebühren
und – Hineinfallen auf teuere, gefälschte Bullen. Auf der anderen Seite die
Theorie, die von alters her, mit besonderem Nachdruck seit dem 11. Jahrhundert, im kanonischen Recht die Unentgeltlichkeit, die Unkäuflichkeit der
geistlichen Güter, Würden und Ämter betonte, freilich auch mit der Erlaubnis
freiwilliger Gaben Hintertüren öffnete. Von Innozenz III. weiß man z. B.[1],
daß eine seiner ersten Regierungshandlungen war, den Beamten außer den
Skriptoren und Bullatoren strengstens die Forderung von Vergütungen zu
untersagen, daß er für das Schreiben und Bullieren feste Taxen vorschrieb,
daß er gegen die Werkstätten, in denen falsche Bullen verfertigt wurden, ein-
schritt, die Zahl der Hostiarii zu vermindern sich bemühte, daß er jedoch die
Annahme ungeforderter Geschenke zuließ.

Es muß sich tatsächlich der eine und andere kritische und witzige Kopf im
12. (spätestens im 13.) Jahrhundert erlaubt haben, boshafte Vorschriften zu
erdichten, denen der Deckmantel päpstlicher Dekrete leicht übergeworfen

---

[1] Vgl. A. Hauck, Kirchengeschichte Deutschlands IV 714.

war. Reflexe solcher Pseudodekrete leuchten auch in Gedichten auf, die uns das Vagantenleben vorführen und deshalb in einem späteren Abschnitte zu erörtern sind. Da erfahren wir, daß der Satiriker oder einer der Spötter, dem die Dekrete zu verdanken sind, ein Subprior Walter, also ein Mann mit derselben Würde gewesen, die in dem soeben angeführten Verse ‚in suis subprior decretis asserit' erscheint, oder Primas, der französische Primas der mittellateinischen Poeten Magister Hugo von Orléans (um 1140). Ist wirklich, wie ich glaube, Primas an den Dekretdichtungen beteiligt, dann stehen wir bei den oben wiedergegebenen Strophen vor den Trümmern eines Parodiegebäudes, das wir schon seines genialen Meisters wegen ganz erhalten sehen oder aus den Umbauten und Ruinen wiederherstellen können möchten.

Der Ingrimm über die Bevorzugung des Reichen bei der Audienzenerteilung, Präbendenverleihung und Rechtsprechung in Rom hat sich seltsamer Wortspielereien, Wortwitze bedient, die z. T. ins Gebiet der Parodie fallen. Es ist hier von derartigen Absonderlichkeiten nicht deshalb von neuem[1] die Rede, weil ich oder unsere Zeit Geschmack an ihnen hätte und haben sollte, sondern weil sie in der Literatur ein zähes Leben bis zu Abraham a Santa Clara geführt haben und bezeichnend sind für den in Unmut und Übermut oft schülerhaften und schulmeisterlichen Sinn des Mittelalters. Zur Unterhaltung wie zu scharfem Spott und Tadel haben Termini der Grammatik, namentlich die Kasusbezeichnungen herhalten müssen. Das möge gleich ein meines Wissens zum ersten Male von mir veröffentlichter Text eines Codex des 14. Jahrhunderts, der in Amiens[2] liegt, illustrieren.

> ‚Sex statuit casus Donatus in arte tenendos.
>   4 expulsis Roma duobus eget.
> Accusativus Romam regit atque dativus,
>   atque per hos casus pars gravis ingreditur.
> Accusativi domus est tua, papa, dativi
>   causa sit egra, per hos sospes ⟨erit⟩ dominus.
> Accusativo patet aula patetque dativo,
>   sed non lege pari Cesaris urbe sedent.
> Accusativum vult Roma tenetque dativum,
>   sed plerumque cadit spes violata secus.
> Accusative tibi fraus, tibi lausque dative.
> Viribus absque pari contracta, dative, facis.
> Accusativo socio testeque dativo
>   Quodlibet excisum restituetur opus.

---

[1] Vgl. oben S. 59 ff. Beispiele mannigfacher Art auch bei Siegfried Jaffé, Die Vaganten und ihre Lieder, Berlin (Wissenschaftl. Beilage zum Jahresbericht des Lessing-Gymnasiums) 1908, S. 17 f.; C. Vieillard, Gilles de Corbeil p. 136 sq., 433 sq.

[2] Bibl. publique, Fonds Lescalopier 10 (378), Abschrift durch Dom A. Wilmart, O. S. B., vermittelt.

Ipse vocativus deberet habere secundum
urbe locum. Nichil est. Namque dativus obest.
Ergo dativus habet pulso decus omne sodali,
per se stare potest et sine teste loqui!'

Was der Versemacher bezweckte, ist ohne weiteres klar: Romsatire. In der
ewigen Stadt herrschen nur zwei Casus, der Accusativus und der Dativus,
der Ankläger und der Geldgeber. Prozesse über Prozesse um Ämter, Pfründen,
Rechte, Straffälle usw. beschäftigen und nähren die Kurie. Der Kläger (Acc.)
betrügt, der Reiche sagt falsch aus, besticht (Dat.) und gewinnt auf diese
Weise. – Die doppelsinnige Verwendung der Fachausdrücke geht mindestens bis
ins 12. Jahrhundert zurück. Kurz und bündig hat der Dichter des vor oder
um 1200 gedichteten ‚Utar contra vitia', das die Rügen mit Spaß vorzutragen
versteht, 4 Casusnamen in eine vielleicht unechte Strophe zusammengefaßt
(Carmina Burana p. 19):

‚Si te forte traxerit Romam vocativus,
et si te deponere vult accusativus,
qui te restituere possit ablativus,
vide quod [ibi] fideliter praesens sit dativus.'

Es handelt sich um einen Pfründenstreit an der Kurie. Vocativus ist der
Vorlader, Accusativus die klagende Partei, die den Gegner der Pfründe be-
rauben (deponere) will, Ablativus der bestechliche Richter, der den Parteien
das Geld abnimmt[1] und den Verdrängten wieder einsetzen (restituere) kann.
Daß Dativus der bestechende Angeklagte wäre, ist W. Meyer nicht zu glauben.
Es muß an dieser Stelle eine andere Person als der angeredete Verklagte gemeint sein. Möglicherweise spielt der Dichter nebenbei mit dem in Rom üblichen Namen der Gerichtsbeisitzer und Advokaten[2], die die Bestechung er-
möglichten. Im allgemeinen und in der Hauptsache ist unter den Dativen
nicht eine bestimmte Beamtenklasse, sondern es sind die geldleihenden und
bestechenden Personen schlechthin zu verstehen. Nimmt man noch hinzu, daß,
wie Frantzen ausgeführt hat, die Bezeichnungen bald die handelnden Personen, bald die Handlungen des Vorladens, Klagens, Nehmens, Bestechens zu
bedeuten scheinen, und daß auch der Genitivus auftritt, meist = coitor und
coitus, gelegentlich = genitale, so wird man die meisten dazu in Frage kom-
menden Verse und Sätze verstehen. Sagt die Goliasapokalypse v. 177 ff.:

[1] ‚ruffer', ‚kleger', ‚abnemmer' bei L. Dieffenbach, Glossarium Latino-Germanicum
mediae et infimae aetatis, Frankfurt a. M. 1857, s. v. – Nachdem O. Hubatsch, J. Werner, W. Meyer einige Casusparodien besprochen hatten, leitete kürzlich der Utrechter
Germanist J. J. A. A. Frantzen in der Zeitschrift Neophilologus, vgl. Bd. V 69, 180 f.,
357 f., VI 88 f., 134 ff., eine neue Diskussion ein. Ich bringe oben mehrere von ihm
übersehene Belege.
[2] Vgl. über diese ‚Dativi' Th. Hirschfeld im Archiv für Urkundenforschung IV (1912)
S. 460, 467 ff., 473, 493 ff., 515.

,Decano praecipit, quod, si presbiteri
per genitivos scit dativos fieri,
accusans faciat vocatum conteri,
ablatis fratribus a porta inferi',

so heißt das nach Frantzen und van Poppel[1], der Dekan solle sich tüchtig
dafür bezahlen lassen, daß der Priester, vorgeladen und angeklagt wegen
seiner geschlechtlichen Sünden (genitivus hier = coitus), frei ausgeht. Das
von W. Meyer wiederhergestellte erste Gedicht der Carmina Burana[2] schließt
mit folgenden Strophen:

V. „Date, vobis dabitur" talis est auctoritas,
sancti pie loquitur impiorum pietas,
sed adverse premitur pauperum adversitas,
quo vult ducit frena cuius bursa plena.
Sancta dat crumena, sancta fit amena.

VI. Hec est causa curie quam daturus perficit,
defectu pecunie causa Codri[3] deficit,
tale fedus hodie defedat et inficit,
nostros ablativos, qui absorbent vivos;
moti per dativos movent genitivos.'

Zu Strophe V will ich nur im Vorbeigehen sagen, daß sie mit einem Mißbrauch[4] des Bibelwortes (Luc. VI 38) ,Date et dabitur vobis' beginnt. In den
letzten Versen sind die Ablativi die ungerechten Richter, die sich durch Gaben
bestechen lassen und den Sündenlohn dann für geschlechtliche Akte, zur Befriedigung ihrer Lüste verwenden.

Matthaeus von Vendôme hat, nach dem Zeugnis des Jeremias de Montagnone, in seiner vor 1923 nur unvollständig veröffentlichten Poetik gesagt[5]:
,Aurum Roma sitit, dantes amat absque datore accusativis Roma favere ne-

---

[1] Neophilologus. V 180.

[2] Nachrichten der K. Gesellschaft d. Wissenschaften zu Göttingen. Philologisch-hist.
Klasse. 1908, S. 189 ff. Dazu van Poppel u. Frantzen, Neophilologus. V 180 f.

[3] Seltsam, daß Meyer zweifeln konnte, ob mit Codrus der arme Poet bei Juvenal
Sat. III 203 gemeint wäre? In der satirischen Literatur des 12./13. Jahrhunderts kommt
Codrus gewaltig oft vor, hat selbst zu sprachlichen Neubildungen wie ,codrior', ,codri-
zare' Anlaß gegeben.

[4] Meyer hat das wohl erkannt, jedoch zu sparsam interpungiert. Auch hinter ,auc-
toritas' oder gar hinter ,sancti' (wenn damit ,sancti evangelii' gemeint ist) müssen
Gänsefüßchen stehen. „Gebet so wird Euch gegeben", lehret das ,Evangelium', so sagt
scheinfromm die Frömmigkeit des Gottlosen.

[5] In der Thèse L. Bourgain, Matthaei Vindocinensis ars versificatoria, Paris 1879,
fehlt nach gütiger Feststellung von Dr. F. Schillmann (Berlin) die Stelle ganz.

gat.' Matthaeus hat in der 2. Hälfte des 12. Jahrhunderts geschrieben. Seit
dem 12. Jahrhundert werden oftmals diese Sprüche so und ähnlich weiter
gegeben[1], in denen Dativus das Geschenk selbst ist. In der Vorauer Handschrift 12 saec. XII liest man[2]:

> ,Roma manus rodit, si rodere non valet, odit.
> Dantes exaudit, nil dantibus hostia claudit,
> Accusativus si venerit ante tribunal,
> aut accuseris aut accusaberis ipse,
> proficit in neutro, si venerit absque dativo.'

Der Minoritenprovinzial Hugo de Bariola schleudert laut Salimbene das
Wort den Kardinälen mit einem ,bene quidam trutannus de vobis dixit' ins
Gesicht[3].

Verwandt, aber dativus gleich Schenker, Bestecher setzend, sind in einem
Streitgedicht zwischen Liebe und Geld im Tegernseer Codex saec. XII
München lat. 19488 die Verse des Nummus[4]:

> ,Accusativus si non erit ipse dativus
> et si me non fert, Romae fore nil sibi confert.'

Keine Kasusspielerei mehr liegt in dem Distichon einer Basler Spruch-
sammlung vor[5]:

> ,Palma sacerdotum nil dans, retinet sibi totum,
> est adiectiva numquam vel raro dativa.'

Doch sind wir mit den Kasus längst nicht fertig. Ganz allgemein von den
Prälaten wird in dem Gedichte ,Captivata largitas longe relegatur' gesagt[6]:

> ,Fuerunt antiquitus presules dativi
> omnes pene penitus nunc sunt ablativi,'

---

[1] Vgl. Zingerle in den Sitzungsber. der Kaiserl. Akad. d. Wiss. Philos.-hist. Kl. LIV
(Wien 1867) S. 315; W. Wattenbach im Anzeiger f. Kunde d. deutschen Vorzeit. N. F.
XX (1873) S. 102; H. Grauert, Magister Heinrich der Poet, München 1912, S. 106 u.
243. ,Proficis in nichilo, dum veneris absque dativo' am Schluß eines Geldevangelium-
textes, Frankfurtisches Archiv für ältere deutsche Literatur und Geschichte. III (1815)
S. 217.

[2] Neues Archiv II 401. – Das Gedicht, jetzt bei E. Faral, Les arts poétiques du XIIe
et XIIIe siècle, Paris 1924 (Neudruck 1958).

[3] MG. SS. XXXII 227.

[4] Vgl. W. Wattenbach in den Sitz.-Ber. d. Bayer. Akad. d. Wiss. III (München 1873)
S. 705.

[5] Vgl. Jakob Werner, Latein. Sprichwörter und Sinnsprüche des Mittelalters, Heidelberg 1912, S. 68.

[6] Mapes ed. Th. Wright p. 151; J. Werner, Beiträge S. 133.

Dagegen wird in einer anderen Invektive wieder dem Papste zugesetzt.

> ‚Papa pavor pauperum est ⟨–⟩ diffinitus,
> in eo grammatice perturbatur ritus.
> Nam qui fore debuit gratie dativus
> factus est ecclesie rerum ablativus.'

Diese Verse stammen[1] aus einem ‚Pater fili spiritus sancte septiformis' anhebenden ‚Carmen episcopi Brunonis'. Ich habe noch nicht ermitteln können, welcher Bruno damit gemeint ist; mit Bischof B. von Würzburg (1034–1045) hat es vielleicht, freilich kaum mit Recht, der Prüfeninger Anonymus de viris ill. c. 84 in Verbindung gebracht. Der M. Flacius Illyrius (1556) zu verdankende Erstdruck ‚ex antiquo codice' weist Abweichungen, zumeist fehlerhafte, von der Sterzinger Miscellanhandschrift aus, aus der das Gedicht im 19. Jahrhundert bekanntgemacht ist. Z. B. ist durch die Formulierung ‚Papa pater pauperum' die in ‚Papa pavor pauperum' Schrecken der Armen zutage getretene bewußte Parodierung des Ehrennamens Vater der Armen wieder verlorengegangen. Beispielsweise war dieser Titel dem Markgrafen Erich von Friaul († 799) in der ergreifenden Totenklage des Paulinus von Aquileja, in der Pfingstsequenz ‚Veni, sancte spiritus et emitte coelitus' von Papst Innozenz III. dem Heiligen Geiste selbst, weiter vermutlich auch manchem Papste gegeben.

Über die Anwendung der Kasusterminologie in der Erotik und Kneipliteratur wird unten zu sprechen sein. Es sei vorweg bemerkt, daß mancher ohne satirische Absicht die Ausdrücke der Grammatik in der wunderlichsten Weise gebraucht, daß man mit den Ketten der Schule gespielt hat aus Freude am Rasseln und Reimen, Anknüpfen und Anspielen. Schon in den Carmina Burana erscheint in einem Gedicht ein Casus ablativus und ein dativus, die nichts mit parodistischem Spott oder Scherz zu tun haben[2]:

> ‚Plange regem Anglia nuda patrocinio,
> fulcimento Gallia, virtus domicilio,
> probitas praeconio, praeside militia,
> opum abundantia hoc casu ablativo (oder: dativo),
> duces amicitia, pauperes dativo (oder: pauper vocativo).'

Ein spätmittelalterliches Sommerlied[3] nennt den alten Adam ‚genitivus morbi nocualis' Urheber der Erbsünde, erwähnt ‚dativi necis corporum' Bringer leiblichen Todes, ‚accusativi' falsche Ankläger, ‚Vocativi' Maria und Karl den Großen Fürsprecher, ‚Stygis ablativi' Befreier vom Tod. In den folgenden

---

[1] Vgl. Zingerle in den Wiener Sitz.-Ber. LIV 313.
[2] ed. Schmeller p. 48, Nr. 122 Schumann.
[3] Vgl. Frantzen im Neophilologus. VI (1921) S. 134ff.

Strophen treffen wir Kunststückchen mit den Namen der Verbalmodi. v. 23 sind ‚vocativi‘ nicht Fürsprecher oder Rufer, Vorlader, sondern Berufene, also ‚vocati‘. ‚Nominativus‘ in der Bedeutung gleich ‚nominatus‘: namhaft, berühmt hat schon Ducange belegt. Und in der politischen Prophetie, die um 1370 John of Bridlington verfaßte, kommen alle sechs Kasusbezeichnungen hintereinander so vor[1], daß man annehmen muß: der englische Dichter hat, wo es ihm paßte, ‚nominativus‘, ‚vocativus‘ und ‚accusativus‘ für ‚nominatus‘, ‚vocatus‘, ‚accusatus‘ verwendet. Daß ‚dativus‘ = ‚datus, qui datur vel assignatur‘ ein alter Ausdruck des Juristenlateins ist für den eigens durch Testament eingesetzten Vormund, im Mittelalter für den Rechtsbeistand und den Gerichtsbeisitzer in Rom, sei zum Schluß dieser Erörterungen verzeichnet, denn der Dichter des ‚Utar contra vitia‘ gehört vielleicht zu denjenigen, die absichtlich verschiedene Möglichkeiten des Verstehens offen ließen. Damit könnten wir auf Rom und den Mammon zurückkommen, und wir müssen es, merken aber gleich an, daß der Nummus, der so oft im Mittelalter besungen wird, überall herrscht, bei Päpsten, Kardinälen, Kaisern und Königen, Erzbischöfen bis zum Bauern und Bauernknecht durch alle Stände hindurch.

Der Parodist behandelt den Nummus in der Form eines grammatikalischen Katechismus (vgl. Textanhang), er besingt[2] die ‚Crux denarii‘ wie Christi Kreuz und Christus selbst in Hymnen gefeiert wurden. Der Moralist, der ausruft

> ‚Quicunque vult salvus esse,
> ut contempnat, est necesse,
> crimen avaricie‘[3]

und so den Anfang des Symbolum Athanasianum nachahmt: ‚Quicunque vult salvus esse, ante omnia opus est, ut teneat catholicam fidem‘, legt dem Avarus parodiegefüllte Worte in den Mund, um ihn dann zu widerlegen und zu bekämpfen.

> ‚Nos oportet gloriari
> in cruce nummi domini.
> Dum tu tantis rebus eges
> que sunt tibi laus homini‘

verzerrt die Paulusstelle, Gal. VI 14: ‚Mihi autem absit gloriari nisi in cruce Domini nostri Jesu Christi.‘ Die Antwort des Moralisten:

---

[1] Political poems and songs relating to English history, ed. Th. Wright. I (1859) p. 141 sq.

[2] Vgl. z. B. Walter Mapes ed. Wright p. 223 sqq.

[3] Von W. Wattenbach veröffentlichtes Gedicht aus einer Münchner Handschrift 15. Jahrhunderts Berliner Ursprungs, Anzeiger f. Kunde der deutschen Vorzeit. N. F. XVIII (1871) S. 130 f.

,Dona gratis, ut sis gratus
felix eris et beatus
et te Deus diliget.
Nam hylarem donatorem
largientem more morem
Deus sibi eliget'

gebraucht das Wort zum fröhlichen Geber (2. Kor. X 7), das sonst auch zuweilen parodiert wird[1], richtig. Wenn der Geldgierige fortfährt:

,Sperne factum huiusmodi
dixit Cato: rem custodi,
dilige denarium.
Nam qui sua sic consumit,
aliena quando sumit,
vertitur in odium',

so macht er sich die Catonischen Disticha mundgerecht. Bei Cato in der alten Fassung v. 13: rem tuam custodi; III 21:

Utere quaesitis, sed ne videaris abuti:
qui sua consumunt, cum dest, aliena secuntur;

IV 4   Dilige olens nardum, sed parce; defuge odorem
quem nemo sanctus nec honestus captat habere.'

In der neuen Ausgabe der Disticha Catonis von M. Boas, Amsterdam 1952, IV 4:

,Dilige denarium, sed parce dilige forman,
quam nemo santus nec honestus captat habere.'

Die Nachahmung von IV wird durch die Beobachtung gesichert, daß, während ,Dilige olens nardum' eine Konjektur von Baehrens ist, sowohl die Handschriften der alten Fassung wie der Cato rhythmicus, wie der Cato interpolatus ,Dilige denarium' haben und Zarnckes Cato novus ,Dilige nummum'. Auch ,vertitur in odium' dürfte entlehnt oder angelehnt sein, denn ähnliche Wendungen sind in der mittellateinischen Poesie häufig im Anschluß an das ,vertere' und ,convertere in gaudium' der Bibel. Mit der prahlerischen Strophe

,O quam felix, quam amena
opulenta fit crumena,
et nummorum copia!
Ubi nummus ibi census,
ubi amor ibi sensus,
ibi pax et gloria!'

[1] Vgl. The political songs of England, ed. Wright (1839) p. 32: ,Diligit episcopus hilarem datorem.'

stimmt der Panegyriker des Geldes Töne an, die wir vor allem aus Marien-
liedern gewöhnt sind. ‚O quam felix‘ ist ein überhaupt beliebter Anfang von
Hymnen und Hymnenstrophen. Dem Dichter mögen die weitverbreiteten
Mariensequenzen ‚Dies ista celebretur‘ und ‚Ave spes mundi Maria‘ vorgeschwebt haben. In der einen[1] beginnt die 7. Strophe:

> ‚O quam felix et praeclara
> mundo grata, Deo cara‘;

in der anderen[2] die 13.:

> ‚O quam sancta, quam serena,
> quam benigna, quam amena
> esse virgo creditur.‘

In diesen Zusammenhang gerückt, werden auch die Verse 24 f.

> ‚quo vult ducit frena, cuius bursa plena,
> sancta dat crumena, sancta fit amena‘

des ersten Gedichtes der Carmina Burana lichtvoller[3]. Es preist da einer das
Geld selig, ähnlich wie Maria gepriesen ward und wird, ähnlich dem Avarus,
der die ‚crumena‘, den Geldsack, feierte. Auf Einwürfe des Moralisten antwortet der Geizhals dann z. B. noch:

> ‚Opes donant quodvis donum,
> nummus solus summum bonum
> et perfecta caritas.
> Nam quantitas quantitatum
> et potestas potestatum
> sola nummi quantitas‘,

er macht also in greifbarer Parodie und Blasphemie des Christenglaubens den
Nummus zum höchsten Gut, zur vollendeten Liebe, zur größten Menge, zur
mächtigsten Macht.

Das Geld ist Gott.

---

[1] Analecta hymnica. LIV 278.
[2] L. c. 188.
[3] In der oben S. 51 zitierten Abhandlung bemerkte W. Meyer zu v. 25 „vielleicht
‚sancta et amena‘, doch ist der Hiat bedenklich“. Ich möchte die Lesung ‚sancta fit crumena, sancta fit amena‘ vorschlagen.

,Vere, Roma, nimis est; eris sitibunda,
vorax, irreplebilis, inferis secunda.
Non et est? Praeposterat lucri spe iocunda,
probos censet reprobos et inmundat munda.

Dudum terras domuit domina terrarum,
colla premens plebium, tribuum, linguarum;
Nunc his colla subiicit spe pecuniarum,
aeris fit idolatra dux christicolarum.

Romae, si tu reus es, vis absolvi? prome
aes, ut sumas veniam, in os eius vome.
Prece sancti Nummuli perorante pro me,
si blasphemus fuero, mox placebo Romae.

Si te Roma reputat parricidam, moechum,
Symonis apostatae cor habeto caecum.
Fer argenti lilia, rosas auri tecum:
hi di sacrant reprobos, scelus reddunt aequum.

Res est et non fabula, rata res, non vana:
Furum est venabulum curia Romana,
reis vendit veniam, approbans profana,
ut in forum venditur lutum sine lana.'

Mit diesen am Ende des 12. Jahrhunderts gedichteten Versen[1] wiederholen wir noch einmal die parodistischen Schilderungen von Roms Entartung, die namentlich in der mittellateinischen Poesie des 11.–13. Jahrhunderts begegnen. Das Geld regiert die Welt, regiert Rom.

Andere sagen deutlich, der Teufel und seine Scharen beherrschen die Menschheit. Ja, der Papst ist der Sohn des Teufels. Der im 1. Kapitel des Matthaeusevangeliums vorgeführte Stammbaum Christi wird schließlich parodiert zu einer Genealogie des Antichrists:

,Liber generationis antichristi filii diaboli. Diabolus genuit papam, papa vero genuit bullam, bulla vero genuit ceram, deinde cera genuit plumbum, plumbum vero indulgentiam usw. Invidia vero genuit tumultum rusticorum in quo revelatus est filius iniquitatis qui vocatur antichristus.' Dieses Stück (vgl. Anhang) kann nachmittelalterlich sein – der Herausgeber[2] hat seine Quelle verschwiegen, – und unter dem ,tumultus rusticorum' kann auf den deutschen Bauernkrieg des 16. Jahrhunderts, kann aber ebensogut auf frühere Revolten in England, Frankreich usw. angespielt sein. Gleichviel, Papst und die ganze Kirche, namentlich die Orden, werden schon während des Mittelalters von den Satirikern und Polemikern mit der Hölle in Verbindung gesetzt.

---

[1] her. von Du Méril, Poésies populaires, Paris 1847, p. 89 sq.

[2] Delepierre, La parodie p. 47. Vgl. die Parodie im Anzeiger für Kunde der deutschen Vorzeit. N. F. XXI (1874) S. 146.

„Mit dem Beginn des großen Schismas treten die Angriffe auf die allgemeinen und auf die kirchlichen Zustände immer heftiger auf. Eine der heftigsten Invektiven ist der sog. Teufelsbrief, der sich durch mehr als zwei Jahrhunderte einer beispiellosen Beliebtheit erfreut hat und allem Anschein nach
den hervorragendsten Platz in der satirischen Literatur des späteren Mittelalters in Anspruch nehmen darf", sagte Ottokar Lorenz[1]. Die Höllenbriefe
sind parodistische Satiren, die sich der bei päpstlichen und kaiserlichen
Schreiben mannigfacher Art vorgeschriebenen Formen bedienen, bekannte
autoritative Sätze mißbräuchlich anwenden oder karrikieren, Flugschriften,
die unter dem Schutze der Anonymität im Bunde mit der Komik angreifen.
Eine erschöpfende Geschichte der Teufelsbriefe würde den Rahmen dieses
Buches sprengen. Verhältnismäßig Weniges muß genügen und wird hoffentlich
den Anlaß zu umfassenderem Zusammensuchen und Untersuchen der im einzelnen schon frühzeitig von den Gelehrten beachteten Literatur[2] dieser wie
anderer fingierter Briefe und Urkunden anregen.

Die Spaltung der römischen Kirche im 14./15. Jahrhundert hat die Teufelsbriefe zu einer beliebten Gattung gemacht. Indessen unterschätzt man ihr
Alter, selbst wenn man mit Lorenz sagt: „Die Grundzüge der Invektive, vielleicht sogar eine ältere Fassung derselben, waren allerdings schon seit dem
13. Jahrhundert vorhanden." Die frühesten Zeugnisse hat der genannte Hi-
storiker bei Vinzenz von Beauvais, Thomas von Chantimpré und Salimbene
gefunden. Die Sache ist aber etwas anders zurechtzulegen als es bisher geschehen ist: Bereits von der Mitte des 12. Jahrhunderts, vielleicht sogar schon
im 11. Jahrhundert hat ein Teufelsbrief existiert. Ihn führt um 1142 Wilhelm
von Malmesbury in seinen ,Gesta regum Anglorum' an, als er von einem
Geistlichen von Nantes berichtet[3], der in der Zeit Kaiser Heinrichs IV.
(1056–1106) aus der Hölle seinem noch lebenden Freunde erschienen sei:
,simul cum dicto manum expandit tetricis notis inscriptam, in quibus Sathanas et omne satellitium gratias omni ecclesiastico coetui de tartaro emittebant,
quod, cum ipsi in nullo suis voluptatibus deessent, tum tantum numerum sub-
ditarum animarum paterentur ad inferna descendere praedicationis incuria,
quantum nunquam retroacta viderunt saecula.' Diese Geschichte ist wortwört-
lich in das Speculum historiale des französischen Dominikaners Vinzenz von
Beauvais (lib. XXV, cap. 89) übernommen mit der freilich nicht jedem sofort
verständlichen Quellenangabe ,Guillerinus' oder ,Guillermus'. Vinzenz hat
man als Zeugen für die Teufelsbriefe ziemlich oft angeführt und ist doch
meines Wissens nie auf seinen 100 Jahre früheren Gewährsmann, den englischen Geschichtsschreiber, gekommen! Die Höllenbotschaft ,Princeps tene-

---

[1] Deutschlands Geschichtsquellen im Mittelalter seit der Mitte des 13. Jahrhunderts.
II (Berlin 1887) S. 398.
[2] Vgl. Köhler, Himmels- und Teufelsbriefe: Die Religion in Geschichte und Gegenwart. III (Tübingen 1912) Sp. 29–35.
[3] ed. W. Stubbs, London 1889, vol. II 297; Migne, Patrol. lat. CLXXIX 1227 sq.

brarum principibus ecclesiarum salutem. Quia quot vobis commissi, tot nobis'
die der englische Prediger Odo von Cheriton († 1247) in seinen Parabeln[1]
bringt, stimmt im Wortlaut mit der in einer Predigt Jakobs von Vitry[2] und
in den Memoiren Fra Salimbenes überlieferten[3] fast ganz überein, was Holder-Egger richtig festgestellt hat. Nur ist sie bei beiden etwas länger: ,Princi-
pes tenebrarum prelatis (principibus Jac.) ecclesiarum. Gratias vobis referimus copiosas (fehlt Jac.) quia quot sunt vobis commissi, tot sunt nobis transmissi' (missi Jac.) und laut Jakob sizilianischen Prälaten, laut Salimbene mitten in eine Synode geschickt, während Odo sagte: ,Dyabolus in specie hominis
per quendam laycum misit cuidam archiepiscopo.' Thomas erzählt das Ähnliche wieder etwas anders[4]: Ein Geistlicher, der auf einer Synode zu predigen
hatte, wußte nicht, was er vor den hohen Herren der Versammlung sagen
sollte. Da erschien ihm der Teufel und sagte: ,Hab' nur keine Angst, verkünde
ihnen dieses „Principes infernalium tenebrarum principes ecclesiae salutant.
Laeti omnes gratias eisdem referimus – – –." Haec eodem anno ab incarnatione Domini MCCXLVIII fuerunt Parisiis coram omni clero et populo solem-
niter recitata.' Durch die Verlegung des Vorfalls auf eine Synode und die
Dankesworte des Höllenfürsten am Beginn stehen sich der Franziskaner Salimbene und der Dominikaner Thomas einigermaßen nahe. Im übrigen sind
so viele Abweichungen vorhanden, daß ein direkter Zusammenhang zwischen
(Odo), Salimbene und Thomas hier wohl nicht besteht. Noch leichtsinniger
wäre es, mit Lorenz von einer Übereinstimmung Salimbenes mit Vinzenz (und
Thomas) zu sprechen. Die Situationen, in denen die Teufelsbotschaften gebracht werden, sind ganz verschiedene. Der Grundton der Botschaft, die
Freude und der Dank des Teufels, daß die Geistlichen der Erde seine Scharen
so vermehrt haben, ist freilich in allen Zeugnissen gleich. Es fragt sich nun,
ob den genannten Männern des 12. und 13. Jahrhunderts der Wortlaut eines
vollständigen Briefes vorgelegen hat. Mir scheint mit einem bestimmten Ja
geantwortet werden zu müssen, und wir haben den Text in dem Beelzebub-
schreiben, das hinter echten Briefen und der vermutlich fingierten Korrespondenz zwischen Kaiser Friedrich I., Papst Hadrian IV. und Erzbischof Hillin
auf dem letzten Blatt eines Windberger Kodex (München lat. 22201) in Schrift
vom Ende des 12. Jahrhunderts überliefert und durch W. Wattenbach veröffentlicht ist[5]. Für das Fortleben dieses Schreibens haben wir noch einen
anderen, bisher übersehenen Beweis: Der Verfasser des im 15. Jahrhundert
entstandenen, von Tausenden gelesenen ,Lavacrum conscientiae omnium

[1] L. Hervieux, Les fabulistes Latins. IV 289 sq.
[2] The exempla etc. of Jaques de Vitry, ed. by Th. F. Crane, London 1890, p. 1.
Vgl. auch Goswin Frenken, Die Exempla des Jakob von Vitry, München 1914, S. 42,
wo aber nicht alles in Ordnung ist; ferner Hampe im Neuen Archiv XXIII 643.
[3] MG. SS. XXXII 419.
[4] Bonum universale de apibus, lib. I cap. 20 no. 8.
[5] Anzeiger für Kunde der deutschen Vorzeit. N. F. XXIX (1882) S. 336.

sacerdotum'[1], vielleicht der Karthäuser Jakob von Jüterbogk, hat cap. 4 den
ganzen Brief in die durch Vinzenz vermittelte, auf Wilhelm von Malmesbury
zurückgehende Anekdote eingeschoben. Da die Anfangsworte bei Odo, Jakob, Thomas und Salimbene unter sich ähnlich, aber anders als die des Beelze-
bubschreibens sind, halte ich es für annehmbar, daß vor 1250 bereits ein
zweiter Teufelsbrief kursierte. Insofern sind sie beide „harmlos" zu nennen,
als sie anscheinend nicht als Kampfschriften in die Welt geschickt sind. Immerhin sind sie nicht einfach Scherzepisteln, sondern Fiktionen mit deutlichen
Spitzen gegen die hohe und höchste Geistlichkeit. Es dauerte nicht lange, da
war die Satire die Hauptsache geworden.

Dank W. Wattenbach[2] ist eine ziemlich häufig abgeschriebene Korrespondenz zwischen Teufel und Papst gedruckt, die offensichtlich nicht so sehr
belustigen wie höhnen und angreifen sollte. Der Fürst der Hölle schickt allen
Prälaten und Klerikern Grüße und gibt seiner außerordentlichen Freude darüber Ausdruck, daß sie nach seinem Muster vorgingen. Sie huldigten und
opferten der Venus, nicht minder dem Mammon und dienten so dem Teufel.
Schon sei fast die ganze Geistlichkeit gewonnen. Noch verfolgten zwar die
sich durch Gelehrsamkeit auszeichnenden Dominikaner die teuflischen Ge-
meinden, die Minoriten aber bereiteten ihm viele Freude. Die Zisterzienser
jagten Geld und Gut nach und könnten ihren Hunger nach Reichtümern gar
nicht sättigen. Die Augustinereremiten, die sich neulich zu einem Orden vereinigt hätten, wären ganz sein. Aus der Einsamkeit strömten sie in die Städte,
in Wahrheit Urbaniten, nicht Eremiten. Ungelehrt und ungebildet, maßten
sie sich das Predigtamt an und verwirrten zum Triumphe des Teufels die
Gläubigen. Nur der Predigerorden gehorche noch nicht recht, er müsse deshalb mit allen Mitteln verfolgt werden. Zum Schluß befiehlt der Höllenfürst,
sein Mandat überall auf Erden zu verlesen.

Der ganze knapp gehaltene, eindrucksvolle Text ahmt die Form eines könig-
lichen Schreibens nach und parodiert mehrere Bibelstellen, nicht bloß die
zwei, die Wattenbach notiert hat. Parodistisch ist z. B. gleich der Anfang
‚Superhabundamus gaudio, karissimi, in operibus vestris‘, der 2 Kor. VII 4
‚Superabundo gaudio in omni tribulatione nostra‘ nachgebildet ist. Der Diplo-
matiker wird Redewendungen aus dem Stil der fürstlichen Kanzleien in satirischer Verwendung entdecken. In einem langen Schreiben antwortet dem
Beelzebub der sich überheblich ‚magnus mundi monarcha, cristicolarum ca-
lipha‘ nennende Papst von seinem Palast in Viterbo aus, den Gaumen mit
Malvasierwein befeuchtet, ‚ad perpetuam geste rei memoriam de plenitudine

---

[1] Z. B. Leipzig 1496 erschienen, vgl. Hain 9959. Vgl. Ludger Meier, Die Werke des
Erfurter Kartäusers Jakob von Jüterbog, Münster 1955.
[2] Sitz.-Ber. der Kgl. Preuß. Akad. d. Wiss. 1892. I S. 104 ff. Textzeugen – nicht alle
Wattenbach bekannt – Magdeburg Domgymn. Ms. 190 saec. XV, Oxford Digby 166
saec. XIII ex., Reims 1275 (nicht 1043) saec. XIII ex., Rom Pal. lat. 692 saec. XV,
Wien 11799 (Theol. 110) saec. XVI, u. a.

potestatis'. Scheinbar ist das eine päpstliche Bulle, scheinbar verwahrt sich der Papst gegen die Sätze Beelzebubs. Tatsächlich unterstreicht und erweitert er sie aber nur noch, indem er die Vorwürfe der Wollust, Schlemmerei, Trunksucht, Geldgier, Dummheit mit größerer Ausführlichkeit vorbringt und absichtlich schwach entkräftet. An Verdrehungen von Bibelstellen u. dgl. ist kein Mangel. Der Verfasser war ein Dominikaner der zweiten Hälfte des 13. Jahrhunderts[1]. Die römische Kurie und ihr Oberhaupt sind zwar mit Seitenhieben bedacht und dadurch in die Satire hineingezogen, daß die Pseudoverteidigung dem Papste in den Mund gelegt ist, in der Hauptsache aber hat der Parodist es auf gewisse Orden abgesehen.

Auch der zeitlich folgende Teufelsbrief richtet sich nicht gegen Rom selbst, sondern gegen die Mönche. Englische Benediktiner werden von einem Franziskaner an den Pranger gestellt in einem Erlaß, den ‚Belial apostatarum prepositus et magister invidie, abbas claustri superbie, prior gule, custos et dominus Acherontis' 1305 auf einem höllischen Generalkonzil feierlichst gegeben haben soll[2]. Belial kennt die zeitgenössische Urkundensprache, kennt die Bibel vortrefflich und plündert sie weidlich, kennt die Entartung der Benediktiner, die nach weltlicher Macht und irdischen Schätzen streben, Luxus treiben, saufen und fressen, allen möglichen sexuellen und sonstigen Lastern frönen. Die Richtigkeit, d. h. die Aufrichtigkeit der Datierung auf 1305 bestreite ich, da in solchen Pamphleten gern das Erdichtete in eine andere Zeit gerückt wird und da das Belialschreiben nach meiner Überzeugung ein Vorbild vom Jahre 1351 hat. Die in den Beispielen gegebene Textgegenüberstellung wird als neues Faktum zeigen, daß der Belialbrief und der berühmte Teufelsbrief von 1351 so viele und so starke Ähnlichkeiten haben, daß der eine vom andern abhängig sein muß. Ich halte das Belialstück für das abhängige jüngere Erzeugnis wegen seiner großen Seltenheit und seiner Bezugnahme auf die speziellen Verhältnisse eines Ordens in einem Lande, wegen der Inkonsequenz, mit der Belial seine Rolle durchführt, bald teuflisch seine Freude über das Gebaren der englischen Benediktiner offenbarend, bald als Sittenprediger auftretend.

Nach den Berichten des Matteo Villani[3] und eines Fortsetzers des Matthias von Neuenburg[4] fand man 1351 an der Kurie zu Avignon einen Brief, in dem sich Luzifer, der Fürst der Unterwelt, feierlichst an den Papst Klemens VI. und seine Kardinäle wandte und sie mit lebhaftem Lob anfeuerte, den Teufel bei seinem Kampf gegen Christus zu unterstützen. In einigem wichen die Chronisten voneinander ab; so sagte der Italiener, das Schreiben wäre im Konsistorium beim Prozeß gegen den Mailänder Kardinalerzbischof entdeckt und auf Anordnung des Papstes in der Sitzung verlesen worden; nach dem

---

[1] Wattenbach vermutete anfangs, daß die Briefe 1266–68, später im Neuen Archiv XVIII 495, daß sie unter Martin IV. (1281–85) entstanden wären.
[2] Wattenbach in den Berliner Sitz.-Ber. 1892. I. S. 116–122.
[3] Muratori, SS. rer. Ital. XIV 137.   [4] Boehmer, Fontes. IV 280.

anderen wäre es eines Tages an der Tür des Kardinals angeheftet gewesen. Die Angaben von Ort und Zeit des Überreichens oder Vorfindens, Avignon 1351, sind glaubwürdig, wenn auch nur ein Teil der Handschriften – nachträglich – dieses Jahr nennt, zuweilen sich andere Datierungen finden. Strittig dagegen ist und bleibt einstweilen der Verfasser. Die Zuweisung an den Hessen Heinrich von Langenstein ist heute fast allgemein aufgegeben, meistens zugunsten von Nikolaus Oresme. Jedoch bedarf es noch gründlicher Untersuchung, bis das Problem gelöst ist. Die Zahl der (noch nicht zusammengestellten) Textzeugen ist gewaltig groß. Es sind über 100 Handschriften erhalten. Luzifer nennt sich in der Adresse pompös wie damals die römischen Kaiser deutscher Nation[1]. Die Unterschrift ‚Beelzebub vester specialis amicus‘ ist wohl nicht ursprünglich. Bestimmte Päpste, Klemens VI. und VII., Urban IV., Gregor XI. u. a., werden selten direkt genannt, in der Regel ist das satirische Lob, das bald mit rhetorischen Floskeln des Kanzleistils, bald mit Bibelzitaten prunkt, an alle Kirchenoberen gerichtet. So konnte der Brief zu beliebigen Zeiten als Streitschrift fungieren. Drucke wurden bereits zu Beginn des 16. Jahrhunderts in Frankreich, in Deutschland, in Italien veranstaltet. Flacius hat sogar zwei verschiedene lateinische Fassungen zur Verfügung[2] gehabt, die längere lateinisch und deutsch herausgegeben. Die Erstredaktion von 1351 ist m. E. gleich der kürzeren, am häufigsten abgeschriebenen und gedruckten[3].

[1] München Univ.-Bibl. Ms. 4º 134 saec. XV fol. 177V–179R überschreibt den Brief fälschlich als ‚Bulla Luciferi‘ und beginnt dementsprechend ‚Lucifer servus servorum‘.

[2] Catalogus testium veritatis, Basel 1556, p. 947 sqq.

[3] Eine fehlerfreie Bibliographie fehlt. Die beiden Fassungen werden oft durcheinander geworfen, selbst bei A. Potthast, Bibliotheca historica medii aevi I (1895) p. 747. Ob die Erstausgabe wirklich in Paris 1507 erschienen ist, wie man seit dem 16. Jahrh. behauptet, und wenn, ob sie existiert, ist noch fraglich. Ich kenne kein Exemplar von ihr, auch nicht von der laut M. Flacius Ill., Catalogus testium veritatis, Basel 1556, p. 948 zusammen mit ‚Giulelmus Parisiensis episcopus de beneficiorum collatione‘ erschienenen, auch nicht von der ‚Epistola de non apostolicis quorundam moribus‘, die Ernst Münch, Hutteni opera VI (Leipzig 1827) p. 466 erwähnt und wohl bei Joh. Wolf Lect. memor. nachgedruckt ist. Die mir bekannten ältesten Ausgaben der kurzen Redaktion, beide ohne Jahres- und Ortsangabe zu Anfang des 16. Jahrhunderts in Deutschland gedruckt, haben die Titel ‚Epistola Luciferi ad malos principes ecclesiasticos Parisiis impressa ubi est fons optimorum studiorum‘ usw. (München Staatsbibl. 4º P. lat. 47 u. 12) und ‚Epistola Luciferi ad regentes ecclesiasticos Parisiis primum impressa una cum tractatu processus Sathane infernalis contra genus humanum‘ (München Univ.-Bibl. 4º Jus can 2508); einen alten italienischen Druck beschreibt F. Novati in Giornale storico della letteratura Italiana I (1883) p. 243. Eine deutsche Übersetzung von etwa 1520 ist betitelt ‚Ain grosser preiss so der fürst der hellen genannt Lucifer yetzt den gaistlichen als bapst, bischoff, cardinel und dergleychen zuweysst und enpeut‘ (München Staatsbibl. 4º Polem. 2457 u. 8). Ferner nenne ich aus der großen Zahl der Ausgaben: Joh. Wolfii Lectionum memorabilium reconditarum centenarii. I (Lauingen 1600) p. 654 sq.; Jo. Andreas Schmid, De libris et epistolis coelo et inferno delatis, Helmstadt 1704, p. 37 sqq.; Chr. G. F. Walchius, Monimenta medii aevi. I 3 (Göttingen 1759) p. 247 sqq.; O. Schade, Satiren und Pasquille der Reformationszeit. II (Hannover 1863) p. 80–84; F. Novati im genannten Giornale I 419 sqq.

Der sehr bald weithin bekannte Luciferbrief wirkte vorbildlich, als durch das große Schisma die Verwirrung in der abendländischen Kirche wucherte und wuchs. Peter von Ailli schickte eine Epistola diaboli Leviathan aus, wieder eine königliche Botschaft aus dem Reiche der Finsternis, worin allen Vasallen Leviathans, d. i. den falschen Prälaten, Unfriede und Erhaltung des Schismas eindringlich mit vielen frevelhaft verzerrten Stellen aus dem Alten und Neuen Testament gepredigt wird. P. Tschackert[1] setzte die satirische Parodie, die z. B. in Codices von Bern, Cambrai, Karlsruhe, Paris und Wien überliefert ist, um 1381 an. Gegen diese Datierung hat A. Kneer[2] Bedenken erhoben. Sicher scheint zu sein, daß Peter 1381/82 die falschen Hirten unter dem Namen Ezechiels geißelte. Diese Satire kann man nicht eine Parodie nennen, da sie sich ganz ernsthaft der Worte des alttestamentlichen Propheten bedient[3].

Die Invektiven häuften sich mit der Dauer des Schismas. Der alte Luciferbrief behielt seine Berechtigung und Beliebtheit. Eine Nachahmung erregte 1408 die Gemüter der Christenheit. Als Papst Gregor XII. zögerte, klar und deutlich abzudanken und die Unionsverhandlungen ehrlich aufzunehmen, tatkräftig zu führen, da beschuldigten die Zeitgenossen vor allem den Dominikaner Giovanni Dominici, der gerade zum Erzbischof von Ragusa ernannt und Kardinal zu werden im Begriffe war. Der bittere Haß ergoß sich in einem Satansbrief, den vielleicht der Notar Pegaletti erdacht und Ende März veröffentlicht hat. ‚Satanas regnorum Acherontis imperator, tenebrarum rex et profundissimae ditionis dux, superbiae princeps et aeternus damnatorum omnium cruciator, fidelissimo nostro Johanni Dominici o. praedicatorum, nostrorum operum cultori archiepiscopo Ragusino salutem et superbiam sempiternam.‘ Schon diese Intitulatio, Inscriptio und Salutatio sowie die Datierungszeilen: ‚Datum in horribilissima civitate nostrae ditionis apud portam infimam centri retro in horrendo nostro palatio infinita multitudine daemonum tunc praesente sub charactere ad perpetuam rei memoriam aeternarum daemonum furiarum‘ weisen auf die stilistische Abhängigkeit vom Luziferbrief des Jahres 1351 hin. Der Text der Mandatsparodie selbst bestätigt die Annahme des Zusammenhanges. Man vergleiche etwa die Stellen, wo der Satan vom ‚adversarius noster Jesus Christus‘, von seinen lieben Töchtern Hoffart, Geldgier, Üppigkeit und besonders von seinem Lieblingskinde, der Simonie redet. Der Inhalt des Briefes ist kurz: Dank für die Unterstützung der Hölle durch Laster und Verbrechen, vor allem bei dem Zwiespalt in der Kirche, Ermunterung, das Schisma ja aufrechtzuerhalten, Gregor XII., der ‚dilectissimus noster‘ und ‚periurus publicus‘ genannt wird, an der Cession zu verhindern, Ermunterung für Johann, sein ausschweifendes und bosheitsvolles

---

[1] Peter von Ailli, Gotha 1877, S. 52 f., App. V. Vgl. auch N. Valois, La France et le grand schisme d'occident I (Paris 1896) p. 358 sqq.
[2] Die Entstehung der konziliaren Theorie, Rom 1893, S. 28.
[3] Tschackert, a. a. O. S. 56 ff., App. IV.

Leben fortzusetzen, weiterhin Witwen und Waisen zu plündern, den Tafel-
freuden sich ungebunden hinzugeben, Versprechen, dem Kardinal außer irdischen Ehren zum Lohn den heißesten Platz im ewigen Feuer zwischen Arius
und Mohammed zu erteilen. Zwei nichtparodistische Gegenstreitschriften sind
bekannt geworden, von denen die eine sich als Brief des Erzengels Michael
ausgibt. Den Satansbrief haben Dietrich von Nieheim in sein ‚Nemus unionis'
und der Minorit Nicolaus Glaßberger in seine Chronik aufgenommen, Dietrich auch die eine Antwort. Das nach 1450 zusammengestellte ‚Magnum
chronicon Belgicum' zitiert das Satansschreiben ‚Epistola blasphemia plena
scripta in pergameni pelle hirsuta ab una parte.' Der Chronist oder sein Gewährsmann scheint ein loses, einseitig beschriebenes Pergamentblatt nach
Urkundenart vor sich gehabt zu haben. Die bis auf unsere Zeit gerettete
Überlieferung fließt in Büchern, in jenen Geschichtswerken und in Codices[1].

Handschriftlich erhalten[2] sind Ioannis Dominici imo diabolici abusiones
cum glossis, eine Gregor als Beelzebub, den Kardinal als Teufelsdiener hin-
stellende Gegenschrift gegen die ‚Rationes Ioannis Dominici', durch die dieser
hatte beweisen wollen, Gregor hätte die Union der Kirche gewollt und erstrebe
sie noch.

Bei Dietrich von Nieheim (lib. VI cap. 41) und im Concilium Constantiense
des Andreas von Regensburg[3] sowie für sich in Handschriften von Danzig,
Eichstätt, Wien und anderen Orten steht ferner ein parodistisches Pamphlet,
das am 17. Juni 1408 in Lucca an verschiedenen Stellen angeschlagen war
als Antwort auf den tags vorher öffentlich bekanntgegebenen Zitationsbefehl
Papst Gregors gegen die Parteigänger der abgefallenen Kardinäle[4]. „Wir, von
Gottes Gnaden Officiale der römischen Kurie, Hohepriester der Küche,
Höflinge des Marstalls und alle Fürsten des Fußvolks" beginnt die an Spott
über Gregor und seine Kardinäle reiche Einladung zum Strafgericht. Im
Hochsommer desselben Jahres erschien, ausdrücklich auf das eben erwähnte
Spottschreiben sich beziehend, eine Polemik gegen einen der mächtigsten und
bestgehaßten Gregorianer, den deutschen Prokurator und apostolischen Cubi-
cularius Rother Balhorn. Der Verfasser nennt sich Quarkemboldus, Vizekanz-
ler der Armen, und ist kein Deutscher, sondern vielleicht der Italiener Pegaletti gewesen. Nach O. Günther[5] hat derselbe Mann den Satansbrief, die
Epistola delusoria officialium curiae, das Quarkemboldschreiben und noch

---

[1] Ausgaben und die moderne wissenschaftliche Literatur verzeichnet A. Potthast,
Bibliotheca historica medii aevi. II[2] 1052.

[2] Rom Vat. lat. 4192, vgl. Rattinger im Historischen Jahrbuch. V 168.

[3] Ausgabe von G. Leidinger, München 1903 (Quellen und Erörterungen zur bayer.
und deutschen Geschichte. N. F. I) S. 170ff., LX sqq.

[4] Vgl. jetzt besonders O. Günther im Neuen Archiv. XL (1918) S. 649 und in seinem
Buch: Die Handschriften der Kirchenbibliothek von St. Marien in Danzig, D. 1921,
S. 272 u. 328.

[5] Neues Archiv XL 649ff., wo Ordnung in die Texte gebracht ist.

ein parodistisches Pamphlet geschrieben, das früher fälschlich[1] unter Quarkembolds Namen ging, in der besseren Danziger Überlieferung die Unterschrift ‚N. Plodricius scriptor‘ trägt. Die Satire des Plodricius, deren Autor Pegaletti gewesen sein kann, nicht aber der Westfale Dietrich von Nieheim[2], ist ein groteskes Schreiben, das im Namen der kurz vorher aus dem Leben geschiedenen Kardinäle Johannes Aegidii, weiland Propst von Lüttich, und Angelo Acciaiolo, weiland Erzbischof von Florenz, durch den Erzengel Michael auf die Erde gebracht ist. Oben im Himmel habe unter Christi Präsidium ein Generalkonsistorium stattgefunden, der Gegenstand der Gerichtsverhandlungen sei das kirchliche Schisma gewesen und Errorius Gregor XII. mit seinen Kardinälen usw. verklagt worden. Der Prokurator habe von den Prononotarii Markus und Lukas sein Instrument erbeten, das Richterkollegium, Christus und die Apostel, sich dann zur Beratung zurückgezogen! Das alles wird in ebenso witziger wie boshafter Weise unter Anlehnung an die Gebräuche der Zeit und fortwährenden Angriffen auf die historischen Persönlichkeiten ausgeführt. Den Höhepunkt jedoch bildet die folgende Vision der Höllenstrafen für Gregorius und seine Anhänger. Michael dürfte deshalb vom Parodisten zum Überbringer des Schreibens ausersehen sein, weil ein Gegner den Erzengel auf den Satansbrief hatte antworten lassen. (Vgl. oben S. 64.) Daß der Papst als ‚Errorius hypocrita pater patrum haereticorum omnium‘ erscheint, daß mit seinem Namen und seinen Ehrentiteln grimmiger Spaß getrieben wird, befremdet, wenn man die Schärfe und die wortspielerische Art der kirchenpolitischen Streitschriften des Mittelalters gefühlt und beobachtet hat, nicht mehr. Die Namensverdrehungen gehen bis ins 11. Jahrhundert zurück, mögen z. T. noch älter sein. Benzo heißt[3] Rudolf von Schwaben, den Gegenkönig Heinrichs IV., ‚Merdulfus‘, Gottfried von Lothringen ‚Cornefredus‘ und ‚Grugnefredus‘, die Normannen ‚Nullimanni‘, schimpft Hildebrand-Gregor VII. ‚Prandellus, Folleprandus, Folleprandellus, Stercorentius, Stercutius‘, den Lucchesen Anselm-Alexander II. ‚Asinander, Asinandrellus, Asinelmus‘. Andere nennen Klemens III. ‚Demens‘[4], Urban II. und Urban III. ‚Turbanus‘[5]. Im 14. und 15. Jahrhundert tauchen dann ‚Errorius, Turbanus, Benefictus, Maledictus‘ besonders häufig auf.

Das Konzil von Pisa hatte die Hoffnungen der Kirchenfreunde nicht erfüllt, nein das Schisma verschlimmert. Denn zu den Päpsten Gregor XII. und Benedikt XIII. war ein dritter, Alexander V., hinzugekommen. Zwar starb er schon am 3. Mai 1410, aber er fand einen Nachfolger in Johann XXIII. Und was für einen! Mit ihm stieg die Entwürdigung und der Wirrwarr auf

---

[1] Seit der Ausgabe von E. Martène und U. Durand in der Veterum SS. amplissima collectio. VII (1733) col. 826–840.

[2] Trotz Th. Lindner in der Zeitschrift für allgemeine Geschichte. II (1885) S. 414.

[3] Vgl. MG. SS. XI an vielen Stellen.   [4] MG. Libelli de lite. II 330, III 704.

[5] a. a. O. II 375, 399, 408–411, 413, 415 f., 421; Burchardi praepos. Ursperg. chronicon, edd. Holder-Egger et B. von Simson (1916) p. 59.

den Gipfel[1]. Ohne Zweifel war Johann ein ungewöhnlich lasterhafter Mann.
Sittenlose Genußsucht, Grausamkeit, unmäßiger Ehrgeiz und Herrschgier erscheinen auf seinem Charakterbilde in der grellsten Beleuchtung. Ein solcher
Mensch auf solchem Platz forderte gerade zur Satire, zur Parodie heraus.

Anscheinend noch ehe Johann im Mai Papst wurde, richtete ein Unbekannter 1410 gegen ihn und seinen Kreis einen Luziferbrief. Ihn hat 1549 Matthias
Flacius Illyricus aus einem Codex des Magdeburger Barfüßerklosters lateinisch[2], 1550 verdeutscht herausgegeben. Eine stark erweiterte Fassung des
Pamphlets von 1351 bringend, die zumal in Norddeutschland während des
15. Jahrhunderts mehrmals abgeschrieben wurde (Handschriften z. B. in Göttingen, Wolfenbüttel und Wien), überbietet und verallgemeinert diese Satire
alle früheren Angriffe auf die Klerisei.

,Lucifer / Fürst der finsternis / regierer der tiefen trawrigkeit / keiser des
Hellischen Spuls / Hertzog des Schwebelwassers / König des abgrunds / Verwalter des Hellischen fewrs' richtet seine Worte an alle Mitgenossen seines
Reiches und weist im Eingang wie in dem alten Sendschreiben auf die zeitweilige Verringerung des Zulaufes zur Hölle hin. ,Als nu die rasende wuetigkeit unsers hertzen solchs vermarckte / besorgten auch / wir moechten durch
obgenannte stathalter Cristi noch weiter beschweret werden / da wolten noch
konten wir solche beschwernis nicht lenger dulden oder leiden / sondern berufften / solchen unrath und gefahr forthin vorzukommen ein generalconcilium
mit unsern verwandten – – – und haben also nach derselben rath an euch /
die ihr itziger zeit verweser der kirche seid / appelliret.' Daß Luzifer von einem
allgemeinen Konzil der Teufelskirche spricht, ist zu beachten. Wir stehen mit
dieser Bearbeitung des alten Stückes mitten in der Zeit der großen Reformkonzilien. Bemerkenswert ist ferner die ätzende Schärfe des parodistischen
Spottes. Einige wenige Stellen seien herausgehoben und im alten deutschen
Wortlaut dargeboten:

O ihr allerliebsten / auserwelten zuckermuendlein / ihr Prelaten und Herrn
der Kirche / thut ihr doch nach ewrem hoechsten vermoegen / alles was fuer
unsern augen gefellig und angenem ist. Darumb wollen wir auch / ewrer uberschwencklichen bosheit halben / das ir den obgemelten unsern widdersachern /
den Aposteln und ihren nachfolgern / vorgezogen / und die oebersten in der
kirche sein sollet. Denn ihr begert der Kirche vorzustehen / nicht zu ihrem
nutz / sondern zu ihrem schaden / und wiewol ihr der Leute heil nicht achtet /
so wolt ir doch das sie euch auffs aller eusserst unterworffen sein sollen / und
handelt hierinne als die ehrgeitzigen buben. Denn die Wirde darin ihr sitzt /
macht euch nicht wirdig / sondern zeigt viel mer an / das ihr diebe / reuber /
trunckenbold / und unwirdige lauren seid. – – – Vorzeiten wurden die obge-

---

[1] Vgl. Blumenthal in der Zeitschrift für Kirchengeschichte. XXI (1901) S. 490.

[2] Daß Joh. Wolf in seinen ,Lectiones memorabiles' die längere Fassung abgedruckt
hätte, behauptet Chr. W. F. Walch, Monimenta medii aevi. III (Göttingen 1759) p.
XXXXII mit Unrecht, Wolf hat den kurzen Text von 1351.

melten unsere widdersacher / nemlich / die Merterer / Propheten / Aposteln / Confessorn / Jungfrawen und dergleichen / den Fuersten dieser welt in zeitlichen sachen unterworffen / und begaben sich in tod fuer die gerechtigkeit / Ihr aber / die ihr euch teglich in bancketirn / fressen und sauffen weltzet / und one unterlas ewren hals durchschwemmet / sagt / ‚O quanta patimur pro ecclesia Dei' / O wie große not leiden wir fuer die Kirche / Ja fuer den ewigen Tod. Frest nur weidlich / saufft / und lebt nach all ewrem wolgefallen / Denn ewer verdamnis wird euch schnel uberfallen. – – – Ein armer der euch nichts bringt / wird nicht allein veracht und nicht gehort / sonder wird widder die warheit mit gewalt untergedruckt und uberrumpelt. Denn so er koempt / und euch seiner gerechtigkeit und rechts halben zu fus felt / so hoert ihr ihm etwa ein wenig zu. Wenn er aber ihm und seinem rechten zu gut / die rechte und gesetz / herfuer zeucht / so sagt ihr / Halts Maul du grober filtz / du weist nicht was du widder die gewonheit und proces unsers Pallasts und Roemischen hofes plauderst. So er aber die gewonheiten und proceß ewers hofes anzeucht / Antwortet ihr / Troll dich / was wiltu machen? wie darffstu so kuen sein / und dich widder die gesetze und Canones auflenen? Also wies ein armer mann angreifft / so begegnet ihr ihm allezeit uberzwerch. – – – Wir wollen aber euch Seelsorgern / als / euch Bischoffen / Ertzdiacon / Dechenden / Priorn / Pfarrherrn / diese unsere meinung auch nicht verhalten. Denn ihr seid die ienigen / die bey uns bleiben inn der not. Darumb verordnen wir euch ewre wonung / wie sie euch denn von ewigkeit zugericht und verordnet ist / im grunde der Helle. Denn ihr richtet alle schand und laster an / darin ir uns ein sonderlichen gefallen erzeigt. Ihr seid blinde und Blindenleiter / Ligt des nachts in unflettiger stinckender hurerey / und geht des morgens auff dem altar umb mit dem son der Jungfrawen. Habt euch gar auff freßen und sauffen ergeben / seid noch nicht halb nuechtern / groeltzt und speiet zuvor ein mal / darnach geht ihr hin Meß zu halten / und kueßet mit ewrem garstigen stinckenden maul den / fuer welches angesicht ihr nicht werd seid das ihr stehen sollet. – – – Wir hetten aber schier eins vergeßen / Ihr seid uns vor allen dingen auch darumb sonderlich lieb / das ihr euch inn unehrliche / boshafftige und sonderlich in frembde spiel menget / als da sind / bretspiel und wuerffelspiel / darauf ihr so geitzig seid / das ihr ewer ampt gar drueber ligen laßet / fuercht euch auch nicht fuer ewren Decreten – – – Denn in den spielen werden zehnerley suende begangen. Erstlich ist da verlangen nach unehrlichem gewinst / Sihe da / da hastu unsere Tochter die Begierligkeit – – – Unsere neunde tochter aber / fraw Unzucht / vertrawen wir allen inn gemein / denn wir wollen das sie one unterscheid bey allen sein sol / aber sonderlich bey den geystlichen. So wollen wir nu / alles / was ihr unsern obgemelten toechtern sampt ihren schwestern und gespielen thun werdet dermaßen von euch annemen und erkennen / gleich als were es uns selbs geschehen / verheißen euch auch widderumb zu dienen zur ewigen verdamnis / das solt ihr euch on allen zweiffel zu uns versehen.

Geben / mitten inn der erde / in unserm finstern Pallast / da keine ordnung /
sondern ewig heulen und zeenklappen wonet. Da ist unaussprechliche kelte /
unausleschlich fewr / unleidlicher gestanck / der unsterbliche wurm / finsternis
die man greifen kan / geisseln der Peiniger / Teuffels gesichte / Eine menge
suender unternander vermischt / und ewige verzweifelung / daneben viel
hundert tausend regiment teuffel, sonderlich zu unserm schmerzlichen Richt-
stul requirirt und erfordert / das sie neben unserm hie angehengten siegel
zeugen sein sollen / das alles also gewislich ergehen sol / wie wir alhie geschrieben haben. Gehabt euch wol und habt so viel glueck als wir euch wuend-
schen und ewiglich geben wollen / Amen.

Am ende dieses brieffs stund also geschrieben. Anno Domini 1410 indictione
septima den fuenfften tag Aprilis / ist dieser brieff zu Florenz / dem Herrn
Joann / des Babsts Joannis dieses namens / Referendario uberantwort worden
durch einen Cortisanen / welcher bald nach uberantwortung dieses brieffs /
entrunnen ist.'

Unter den vielen Schmäh- und Spottschriften, die während des Konzils von
Konstanz verbreitet worden sind, haben auch Parodien Platz gefunden. Zu-
meist treffen wir in den Codices der Konzilsteilnehmer alte Bekannte, so das
Geldevangelium und die Teufelsbriefe. Neu und eigenartig ist das kurze Re-
zept zu einer Radikalkur[1]. Diese Anweisung, die Kirche durch Ersäufen der
Kardinäle, Erzbischöfe, recht vieler Römlinge im Rheine zu heilen, möge das
Kapitel über die gegen die Nachfolger Petri, ihre Vertreter, ihre Beamten,
gegen die verderbte Geistlichkeit im allgemeinen gerichteten mittellateinischen
Parodien beschließen.

,Receptum pro stomacho s. Petri et reformatione totali eiusdem, datum in
concilio Constantiensi.

Recipe XXIV cardinales, centum (oder trecentos) archiepiscopos et prelatos, totidem de qualibet natione et de curialibus quantum habere potes.
Immergantur in aqua Rheni et ibidem submersi per triduum maneant (oder
permaneant) eritque (oder et erit) bonum pro stomacho s. Petri et totali eius
corruptione removenda.'

2. Gegen Klöster, Mönche und Mönchsorden

Morum Oppressor, Nequitiae Amator,
Cultor Haeresis, Ueritatis Spoliator.

In Rom sah bis zu den Tagen Martin Luthers das ganze christliche Abendland die größte Macht der Welt. Von Rom kam aller Segen; von Rom kam
alles Unheil.

---

[1] Vgl. H. v. d. Hardt, Magnum Constantiense concilium. I 499; H. Finke, Forschungen und Quellen zur Geschichte des Konstanzer Konzils. I (Paderborn 1889) S. 153
und in der Zeitschrift f. d. Geschichte des Oberrheins. 1916 S. 269.

Das bedeutet natürlich nicht, daß die satirische Parodie einzig und allein Roms Habsucht, Macht- und Geldgier, die Fülle seiner Verbrechen verspotten und züchtigen wollte. Die antikurialen Parodien sind gern als Angriffe auf alle möglichen Kirchenoberen und die Geistlichen überhaupt angelegt worden oder dazu erweitert. Zuweilen hat man auch die Landesbischöfe für sich beschimpft, so in dem von B. Hauréau[1] herausgegebenen, jedoch nicht ganz richtig verstandenen Gedichte ‚Cum ex rapto vivere' über eine Synode zu Reims. Die Versammlung ist erfunden. Synodalberatungen und -beschlüsse im allgemeinen parodierend, erhebt ein unbekannter Verfasser des 12./13. Jahrhunderts laute Klage über die Bedrückung und Aussaugung durch die Bischöfe des Reimser Erzsprengels. Von größerer geschichtlicher und literarischer Bedeutung sind aber die wirkungsvollen Pamphlete, in denen man die Mönche und Mönchsorden schlimm gezeichnet hat. Die Teufelsbriefe lieferten uns soeben mehrere Beispiele, auf die wir kurz zurückkommen müssen.

Da wird in dem Schreiben[2] ‚Superabundamus gaudio' Freude und Genugtuung deswegen geäußert, weil die Minoriten der Hölle opferten, die Zisterzienser unersättlich nach Geld und Gut trachteten, die übrigen Mönche egoistisch nicht für das Allgemeinwohl sorgten und weil sie, vom Wein erhitzt, sich mit des Teufels Geiste anfüllten, wird besondere Befriedigung darüber ausgedrückt, daß die neue Kongregation der Augustinereremiten die Städte, die sie fliehen sollten, bevölkerte, ohne Bildung das Predigtamt ausübte und überall Glaubensverwirrung anstiftete, daß auch die Sarrabaiten, die falschen Mönche, fester Besitz der Unterwelt wären. Einzig und allein die Dominikaner müßten leider noch ausgenommen werden. Zu ihrer Verfolgung wird das Sendschreiben erlassen. In der Antwort des Kalifen, des Papstes, wird die Sündhaftigkeit der Orden weiter ausgemalt: Die Minoriten schlemmen, fressen und saufen; bei den Zisterziensern tun sich die Konversen durch infernalische Schlechtigkeit hervor. Die Eremiten, die Kanoniker, die Benediktiner werden in Schutz genommen. Sie bedürften des Reichtums, weil sie der Vornehmen Gunst gewinnen, deren Hände „salben" müßten. Selbst Ehebruch und schlimme Gewalttaten bei Trunkenheit werden beschönigt. Dann werden dem Teufel überliefert die Sarrabaiten, die Sackträger, Karmeliten, Rethabiten, Karthäuser, Vallombrosaner, Serviten, Nepotuli, Nathinäer, Matturiner, Humiliaten, Sestigerer, scherzhafterweise die Diphthonge und Tribachen, ferner die Altipasser, Penetratoren, Parakliten, Begarden, Stregarier, Taufer, Hengeler, Joviner, Girovagen, Patarener, Gauzarer, Apostel und Antichristen. Auch die Schwertbrüder, die bärtigen Geißler und die Fratres Gaudentes kommen noch an die Reihe. Also neben den bekannten großen Orden eine bunte Schar von Sekten verschiedener Zeiten, viele kleine Gemeinschaften, die größtenteils im 13. Jahrhundert begründet sind oder damals Aufsehen machten. Eine unter dem Namen Belials und dem – falschen – Datum 1305 gehende Nach-

---

[1] In seinen Notices et extraits. VI 328 sq. [2] Vgl. oben S. 60 ff.

ahmung[1] des alten Luziferbriefes, die im ersten Jahrzehnt des 15. Jahrhunderts entstanden sein wird, wendet sich ausschließlich gegen die englischen Benediktiner, ihre Habgier, ihre Schwelgereien, ihre Vorliebe für das Studium der heidnischen Autoren des Altertums, ihren Kleiderluxus, ihre Schmuckliebe usw. Der 1410 veröffentlichte erweiterte Teufelsbrief[2] vergißt nicht, die Bettelmönche satirisch zu behandeln: ‚Solche bueberey übet nicht allein ihr seelsorger / sondern es ubens auch die jenigen / die unterm schein der Religion und geistlichen kleidung hergehen / als die man Brueder nennet mit dem namen / aber nicht mit der that / welche ihr Bettelmünche heisset. Denn sie haben umb Christus willen abgesagt / nicht den weltlichen luesten / sonder der arbeit und unruge. Sagen / sie haben nichts eigens / sonder alles gemeine / So aber einer zu eim solchen / der da sagt / er habe die zinse und einkommen von der gemeine wegen und teile sie inn die gemeine aus / sagte / Er solte sie inn die gemein teilen / so wuerde er bald antworten / halt still / das ist mein. Item wenn einer begert das sie ihn annemen sollen inn ihren orden / fragen sie flux / Wie viel kanstu geben? und machen ein geding mit ihm / ehe sie in annemen. – – – O ihr lieben Bruederlein / ihr solt allezeit die vornempsten in unserm pallast sein / und allezeit fuer unsern augen stehen. Denn ihr erzeigt euch one unterlas willig und gehorsam / in allem das unsere Maiestat und wuetige tyranney gebeut. Denn welche ihre eigne Pfarrherrn / der großen laster halben umb gelt nicht wissen zu absolviren / etc. die nempt ihr alle miteinander an / Schempt euch gar nichts auff eines andern Wiese zu grasen / schreiet stets / kompt herein / ihr Diebe / Moerder / Strassenreuber / Wucherer / Hurnwirte / Kinderdiebe / Ubeltheter / Ketzer / Rotter / Ehebrecher / Hurnjeger etc. und dergleichen Teuffels gesindlein mehr / das ich nicht alles erzelen kan. Also seid ihr unsere liebsten auserwelten / nicht Hirten / sonder Diebe und Moerder. – – –‘

Daß die Parodie der Mönche und ihres Lebens sehr viel älter ist als jene parodistischen Schmähbriefe, wird schon durch die leitende Stellung der Klöster im lateinischen Schrifttum des Mittelalters und durch den vielfach zu beobachtenden Humor der Mönche nahegelegt. Jedoch sind die boshaften Parodien gegen das Mönchtum gewiß lange Zeit selten gewesen, bis die Zahl der rivalisierenden Orden wuchs, in manchem Kloster Verfallserscheinungen zutage traten und in weiteren Kreisen der Christenheit, auch bei Laien, Anstoß erregten.

Frühzeitig wagte sich die Satire des Mönchswesens in den lateinischen Tierschwänken und Tierepen hervor und findet da um 1150 ihren besten künstlerischen Ausdruck im Ysengrimus[3], der Kritik, Spott und Gemütlichkeit zu verbinden und dabei die Parodie als Kunstmittel anzuwenden gewußt hat. Es handelt sich um eine allegorisch satirische Behandlung der Klöster, ihrer Insassen und Gebräuche mit dem Ziel, die Scheinheiligkeit plaudernd zu be-

---

[1] Vgl. oben S. 61f.   [2] Vgl. oben S. 63 u. 66.   [3] Her. von E. Voigt, Halle 1884.

kämpfen. Ob der Verfasser ausschließlich bestimmte Personen und Stätten seiner Zeit oder die, wie er etwa meinte, entarteten Orden schlechthin treffen wollte, ist nicht immer klar und tut hier nichts zur Sache. An mehreren Stellen des Gedichtes, das im ganzen ja die Gattung der Heldenepen und historisches Leben parodiert, sind monastische Texte komisch nachgeahmt oder gebraucht. Ironisch heißt es vom Wolf, daß er die Regel des heiligen Benedikt treu und gehorsam befolgt hätte
I 431 ff.:

> ‚His igitur scriptis in sacrae codice normae.
> „Hunc, qui pluris eget, sumere plura decet
> et cum tinnierint veniendi cimbala signum
> fratribus, ad mensas coetos adesto celer.“
> Ysengrimus habens sacro super ordine curam
> vertere nolebat, quod pia secta iubet‘,

während in der Benediktinerregel cap. 34 gesagt ist ‚qui plus indiget, humilietur pro infirmitate‘ und cap. 43 ‚Ad mensam autem qui ante versum non occurrerit, – – – pro id corripiatur‘; ‚cimbala tinniere‘ ist biblisch. Auf cap. 33 ‚nec quisquam liceat habere quod abbas non dederit aut permiserit; omniaque omnibus sint communia, ut scriptum; nec quisquam suum aliquid dicat vel praesumat‘ usw., nimmt I 441 f.

> ‚Frater ait „communis erit“ quo more iubetur
> claustricola „est nostrum“ dicere, quicquid habet‘–

Bezug. I 462 ff., 555 ff. parodieren das in cap. 39 vorgeschriebene Maßhalten beim Essen. III 981 geht auf cap. 4 zurück, V 355 auf cap. 6 (Schweigsamkeit der Mönche), V 586 ff. auf cap. 41. V 938 f.:

> ‚Regula vult, ni fallor, habetque infracta reatum,
> ut superet mediam Bachus adusque gulam‘

verzerrt lustig cap. 40 ‚Licet legamus vinum omnino monachorum non esse, quia nostris temporibus id monachis persuaderi non potest, saltim vel hoc consentiamus, ut non usque ad satietatem bibamus sed parcius‘. Daß wir das Parodistische in diesem Werke jetzt nicht weiter aufdecken, hat seinen Grund darin, daß nach meiner Auffassung Parodie und Ironie an den einzelnen Stellen des Ysengrimus, dessen satirische Gesamt- und Sondertendenz ich nicht leugne[1], vorwiegend humoristisch sind. Offener und allgemeiner sind die Invektiven gegen die Auswüchse, Lächerlichkeiten und Schlechtigkeiten der monastischen Welt im Speculum stultorum des Nigellus Wireker[2]. Brunellus der

---

[1] Vgl. L. Willems, Étude sur l'Ysengrimus, Gent 1895, S. 103 ff.
[2] Her. von Th. Wright in The Anglo-Latin satirical poets and epigrammatists of the 12. century. I (London 1872). Neueste Ausgabe von J. M. Mozley and R. Raymo, Berkeley 1960.

Esel zieht, um seinen kümmerlichen Schwanz loszuwerden, nach Salerno, der
berühmten Hochschule der Medizin, wird aber geprellt und auf der Rückreise
bei Lyon von wütenden Hunden fast seines ganzen Schwanzes beraubt. Dann
bezieht er zum Studium von Theologie und Jurisprudenz die Universität Paris
und lernt gar nichts außer dem einen Worte Paris, vergißt sogar dieses auf der
Heimreise beim Paternostergeplärr eines Pilgers. Nun sucht er sein Glück im
Mönchsstande. Das gibt dem Dichter Gelegenheit, die einzelnen Orden satirisch zu beleuchten. Keiner findet Gnade vor den Augen des Esels. So ent-
schließt er sich, den Orden, deren es manchem Zeitgenossen schon zu viele
gab, einen neuen hinzuzufügen; er macht sich nach Rom auf, wo er die
päpstliche Bestätigung erlangen will, wird aber wieder von seinem Herrn
eingefangen. Jedoch auch für den Narrenspiegel gilt, daß seine Parodierungen
von Epitaphien, Rezepten, Segenssprüchen, Gebeten usw. Mittel der Unterhaltung sind, nicht Angriffe auf Monastisches.

Ungefähr zur selben Zeit schrieb in England Walter Map sein unvollendet
gebliebenes Werk De nugis curialium, das seit 1914 in einer guten Neuausgabe
von M. R. James vorliegt[1], in seiner Anlage 1917 durch James Hinton scharf-
sinnig erörtert ist[2]. Beißend und vergnüglich zugleich erzählt uns Map aus-
führlich von den damaligen Orden der Christenheit. Der Gegensatz zwischen
ihren eigentlichen Aufgaben, wie sie in der Bibel und den Mönchsregeln vor-
geschrieben sind, und ihrem Wirken in der Praxis führt den Satiriker zur
Parodie. Dafür ist besonders charakteristisch die eingeschobene ‚Incidencia
de monachia‘[3]. Sehr stark werden die Zisterzienser parodistisch traktiert.

‚Sie sagen „Die Erde ist des Herrn" (Ps. XXIII 1), „Wir allein die Kinder
des Allerhöchsten" (Luk. VI 35), und keiner außer uns würdig, sie zu besitzen.
Nicht sagen sie „Herr, ich bin nicht wert, daß ich dein Sohn heiße" (Luk.
XV 21), „ich bin nicht wert, daß du unter mein Dach gehest" (Matth. VIII 8),
sie sagen nicht „ich bin nicht wert, daß ich mich vor ihm bücke und die
Riemen seiner Schuhe auflöse" (Mark. I 7), sie sagen nicht, daß „sie für
würdig gehalten sind, um Jesu Namen willen Schmach zu leiden" (Act. ap.
V 4), sondern alles zu besitzen. – – – „Unser Gott ist nicht ihr Gott; unser
Gott ist der Gott Abrahams, Isaaks, der Gott Jakobs" (Matth. XXII 32)
und kein neuer Gott, ihrer aber ist ein neuer. Unser sagt „Wer nicht alles
aufgibt um meinetwillen, der ist mein nicht wert" (Matth. 37 ff.), ihr Gott
sagt „Wer nicht alles erwirbt um seiner selbst willen, der ist mein nicht wert".
Unser sagt „Wer zwei Röcke hat, der gebe dem, der keinen hat" (Luk. III 11),
ihr Gott „Wenn du nicht zwei Röcke hast, so nimm sie dir von einem, der sie
hat". Unser „Selig der Mann, der sich des Bedürftigen und Armen annimmt"
(Ps. XL 1), ihrer „Selig der arm und bedürftig macht". Unser sagt: „Achtet

---

[1] Anecdota Oxoniensia. Mediaeval and modern series. XIV.
[2] Publications of the Modern Language association of America. vol. XXXII, 1 p.
81 sqq.
[3] James p. 40 sqq.

wohl auf, daß euere Herzen nicht beschwert werden mit der Sorge dieser Welt und der Tag schnell über euch komme" (Luk. XXI 34), ihrer sagt: „Achtet wohl auf, daß euere Geldbörsen schwer werden bei den Sorgen dieser Welt und nicht der Mangel wie ein Landstreicher (Prov. VI 11) euch überfalle". Unser sagt „Niemand kann Gott dienen und dem Mammon" (Matth. VI 24), ihrer sagt „Niemand kann Gott dienen ohne Mammon". In diesem Tone geht es fort. ‚Habent in preceptis, ut loca deserta incolant que scilicet vel invenerint talia vel fecerint; unde fit ut in quamcunque partem vocaveris eos, hominum frequenciam sequantur et eam in brevi in solitudinem redigant.' Die Zisterzienser, die einsame Plätze zur Ansiedlung suchen oder sich bereiten sollen, schaffen gewaltsam Einöden, vertreiben die Pfarrer, da sie nach der Regel keine besonderen Pfarrer haben dürfen usw.

Maps Freund, der originelle Giraldus Cambrensis (1147–1220), schreibt einmal[1], daß ihn mönchische Gegner zu parodistischen Gebeten zwängen: ‚Ob has igitur istius nec monachi tamen, sed verius daemoniaci, alteriusque cuiusdam Cluniacensem cucullam praeferentis – – – quoties litanias repeto, quod quidem solito frequentius propter pravitates huiusmodi iam facere consuevi, etiam hanc inter ceteras devotissime deprecationem ingemino cunctisque fidelibus et amicis praecipue ac familiaribus ingeminandam in fide consulo „A monachorum malitia libera nos, Domine".

Während die Tierdichtung durch die humoristische Einkleidung Spott und Hohn etwas verdeckt, Satiriker vom Schlage Maps und Giralds die Polemik durch geschickte Kontrastierung und Ironisierung meist verfeinern, allerdings auch verschärfen, gibt es Mönchstumsparodien, welche sehr vergröbern. Zechereien, Schmausereien, Luxus und Liebeshändel werden burlesk vorgetragen.

Ich habe die Goliassatire ‚de quodam abbate', die ‚Passio monachi secundum luxuriam', das Gedicht in Spottlatein ‚Quondam fuit factum festus' und andere Stücke in den zweiten Hauptteil verwiesen, da sie doch wohl hauptsächlich derb belustigen wollen, aus tollem Übermut, nicht aus Wut und Erbitterung geschrieben sind, das Polemische in ihnen höchstens eine Nebentendenz ist. Dagegen geht das noch ungedruckte ‚Pater noster pro conversis', das mir P. Dr. Franz Pelster, S. J., auf meinen Wunsch aus dem Ottobonianus 1472 saec. XIII französischen Ursprungs abgeschrieben hat, weit über einen unterhaltenden Scherz hinaus. In den Wortlaut des Vaterunsers sind heftige Schmähungen auf die Laienbrüder eingeschoben, das Vaterunser ist farciert. Damit ist der liturgische Tropus nachgeahmt. Literarisch verdient der krause, mit Willkürreimen ausgestattete Text deshalb Interesse, weil lateinische Tropierungsparodien ungewöhnlich sind. In der Regel ist die Farce in einer romanischen oder germanischen Sprache geschrieben, nur der farcierte Text lateinisch gelassen.

---

[1] Symbolum electorum epist. I: Opera. I 213.

Aggressiv und fern von harmlosem Spott ist die Predigt vom Pharisäer und
Zöllner, die Wilhelm von Saint-Amour um 1250 hielt[1]. „Mit ätzendem Witze
und einer für seine Zeit wahrhaft staunenerregenden Schriftkenntnis eröffnete
dieser in Rede und Schrift einen ordentlichen Feldzug wider die ‚Pappelarden‘.
– – – Nicht ganz mit Unrecht hat man ihn als einen Vorgänger von Rabelais
und Pascal bezeichnet.“ Wilhelms Einfluß wurde es zugeschrieben, daß Papst
Innozenz IV. in der Bulle ‚Etsi animarum‘ vom 21. November 1254 den Weltklerus gegen zu weitgehende Wünsche der Bettelorden in Schutz nahm[2]. Als
bald darauf, am 7. Dezember, der Papst starb, sah man das für eine Strafe
des Himmels an, wie bereits Thomas von Chantimpré berichtet[3], und allmählich entstand die Legende, die Mendikanten hätten ihn totgebetet. Die
parodistischen Gebete: ‚Cavete a letaniis praedicatorum, quia mirabilia faciunt‘ und ‚A litaniis praedicatorum libera nos, Domine‘ wurden in Rom
sprichwörtlich[4]. Viel Widerspruch erregte das Betteln der Mönche und ihr oft
unheiliges Leben.

Eine spätmittelalterliche Satire deutscher Herkunft mit der Überschrift
‚Sequuntur mira de fratribus ordinum mendicantium‘ beginnt mit den Versen[5]:

> ‚Sunt plures gentes communiter accipientes
> et paucis dantes, in omni tempore rogantes.
> Dum sunt intrantes, loca per diversa meantes
> tunc sunt clamantes: „Deus odit dona negantes,
> diligit et dantes.“ Sic sunt per secla meantes.‘

Die Lasterhaftigkeit, zumal die Gefräßigkeit der zu strengster Armut und
Enthaltsamkeit verpflichteten Franziskanerobservanten sucht eine von F. Novati[6] aus einem Marcianus mitgeteilte Parodie einer Epistellektion ‚Neglectio
epistolae b. Paulisper culti honoris apostolici ad fratres fictae observantiae
S. Francisci‘ bloßzustellen, das Machwerk eines Italieners etwa des 15. Jahrhunderts. Polemisch sind die ‚Metra de monachis carnalibus‘, die gegen Ende
des Mittelalters in Süddeutschland beliebt waren, vermutlich damals und dort
entstanden sind. Ich kenne sie zur Zeit aus drei Handschriften und einer Aus-

[1] Vgl. Pfender in Herzog-Haucks Realencyklopädie für protestantische Theologie
und Kirche XXI 3301.
[2] Vgl. F. X. Seppelt, Der Kampf der Bettelorden an der Universität Paris in der
Mitte des 13. Jahrh., Breslau 1908 (Kirchengeschichtliche Abhandlungen her. von Max
Sdralek, VI) S. 100 ff.
[3] Bonum universale lib. II cap. 10 u. 21; vgl. auch Salimbene in MG. SS. XXXII
419 sq.
[4] Vgl. Antonius Senensis Lusitanus, Chronicon fratrum praedicorum, Paris 1585, p.
78 sq.; C. E. du Boulay, Historia universitatis Parisiensis. III (Paris 1666) p. 275 sq. –
Vgl. die Litanei Giralds oben S. 107 f. und Benzos unten S. 120 f.
[5] Wattenbach im Anzeiger für Kunde der deutschen Vorzeit. N. F. XXV (1878) S. 347.
[6] La parodia sacra p. 308 sqq.

gabe des Mathias Flacius Illyricus[1] nach einem Basler Codex, über dessen
Verbleib oder Verlust ich nicht unterrichtet bin. Man könnte sie eine umgekehrte Farcierung nennen: auf je einen satirischen Hexameter folgt als Stütze
– ,auctoritates', wie sie nicht selten mittellateinische Strophen beschließen –
ein Bibelwort, das selbstverständlich willkürlich mit verdrehtem Sinn angeführt ist[2].

Boshafter noch erörtert schließlich ein spätmittelalterlicher Anonymus
Wesen und Tun des Mönches nach allerlei grammatischen Kategorien ,Mona-
chus que pars est?' ,,Leider ist es unmöglich, dieses Stück mitzuteilen: moderne Ohren vertragen nicht mehr, woran man im 15. Jahrhundert keinen
Anstoß nahm." Unter Wiederholung dieser Worte Wattenbachs[3] die Erstver-
öffentlichung[4] zu unterlassen, schien mir unangebracht. Ich schreibe nicht für
Kinder, die übrigens das Latein gar nicht verstehen würden, oder für sonstige
unreife Menschen, schreibe auch nicht in kulturkämpferischer Erregung und
um Mißstimmung zu erwecken. Meine katholischen Freunde wissen das.

Wer das ausgehende Mittelalter etwas kennt, dem ist es nichts Neues, daß
es tatsächlich viel Fäulnis im Mönchswesen gegeben hat, daß man Grund hatte,
das Akrostichon ,Monachus Christi: Miles strenuus' etc. zu parodieren durch
das von uns (S. 101) vorausgeschickte Akrostichon vom ,Monachus diaboli'[5],
der berücksichtigt anderseits mit mir, daß Satiren und Karikaturen zwar
wichtige Stimmungsbilder sind, auf denen man viel Wahres und Reizvolles
erblickt, daß sie aber mit ihren scharfen Linien und lebhaften Farben stets
übertreiben.

3. Gegen die übrige Christenheit

Kein Stand und Rang ist im Mittelalter von der Satire verschont geblieben.
Der ganzen Christenheit sind von witzigen und bissigen Schriftstellern Spiegel
vorgehalten worden, die durch Vergrößerungen, Verkleinerungen und seltsame
Beleuchtungen bald Lachen, bald Abscheu hervorriefen und noch erregen
können. Als Geschichts- und Sittenspiegel trotz allen Verzeichnungen anziehend, stellen die Satiren für den Erforscher und Genießer der Literatur oft
Kunstwerke vor, die wir nicht missen möchten.

Die weltlichen Stände werden in den mittellateinischen Parodien satirischen
Charakters seltener und meist gemäßigter behandelt als der Papst mit seiner
Umgebung, als die Kirchenfürsten und die Mönche. Wenn z. B. im Ysengrimus
Persönlichkeiten, Sitten und Gebräuche eines Fürstenhofes, das Leben der

---

[1] De corrupto ecclesiae statu, Nachdruck von 1754 p. 481 sq.

[2] Wattenbach veröffentlichte ohne Flacius' und der Handschriften Augsburg 2° 430
und München lat. 4423 Text zu kennen, die Metra aus Codex 152 der Stadtbibliothek
Lübeck, Anzeiger für Kunde der deutschen Vorzeit. N. F. XX (1873) S. 74.

[3] Anzeiger f. Kunde der deutschen Vorzeit. N. F. XVIII (1871) S. 341.

[4] Im Textanhang.

[5] Überliefert z. B. in Danzig Ms. Mar. Q. 12 und Erfurt Ampl. d. 13 a.

Gesellschaft imitiert, ja parodiert werden, so geschieht das gewöhnlich mehr launig unterhaltend als spöttisch und angreifend. Eine große Litaneienparodie italienischen Ursprungs, aus dem 15. Jahrhundert überliefert[1] und beginnend: „In nomine infinite miserie et sue follie miserime birvarie", wünscht den Gerichtsbeamten, den Häschern und Schergen alles Böse.

Am rohsten sind in Parodien die Bauern verhöhnt[2]. Boshaft beten die Vaganten: ‚Allmächtiger Gott, der du Zwietracht zwischen den Klerikern und den Bauern gesät hast, laß uns von der Bauern Arbeit leben, ihre Frauen und Töchter genießen, an ihrem Verderben uns erfreuen.' In den Sauf- und Spielmessen des 12./13. Jahrhunderts begegnet uns dieses Schmähgebet zuerst. Es kehrt wieder in der spätmittelalterlichen Grammatikparodie ‚Rusticus que pars est'?, die im Aufbau den Satiren ‚Quid est nummus' und ‚Monachus que pars est' gleicht. Der Wiener Baccalar Georg Prenperger, der in der überliefernden Münchener Handschrift als Verfasser des Katechismus[3] genannt wird, geht die grammatikalischen Kategorien durch, fragt und sagt, zu welcher Art von Redeteilen, zu welchem Geschlecht und Numerus, zu welcher Deklination der Bauer gehöre und wie er dekliniert werde usw. Zur Bekräftigung der Antworten werden fast immer Verse angeführt, wobei sich der Abschreiber nicht gescheut hat, das in liturgischen Büchern übliche V = versus oder versiculus zu gebrauchen. Einmal beruft sich der Parodist auf einen ‚Magister Pharraphat in prophanica sua circa rubricam in corrupto folio ubi nichil est scriptum'. Was folgt, ist keineswegs, wie man es nach der Zitierweise erwartet, ein bloßer Scherz, sondern jenes ausgesprochen bauernfeindliche Gebet. Von Anfang bis zu Ende wird der Bauer lächerlich gemacht und beschimpft, weidlich, ja widerlich ist unter dem Deckmantel der Grammatik der Landmann dumm, schmutzig und schlecht gescholten[4].

Mag auch ein deutscher Student für die Abfassung oder Überarbeitung des Pamphlets verantwortlich sein, die Verachtung und Verhöhnung, die mitleidslose Mißhandlung der Bauern war bei den Bürgern und den Klerikern, namentlich den vagierenden, international. Und so findet sich denn auch die Deklination des Rusticus ähnlich in einem italienischen Manuskripte, dem Marcianus XI 66 zu Venedig[5]:

---

[1] Straccali, I goliardi p. 91 sq.

[2] Über bauernfeindliche Literatur des Mittelalters vgl. F. Novati, Carmina medii aevi, Florenz 1883, p. 25 ff.; Dom. Merlini, Saggio di ricerche sulla satira contro il villano, Turin 1904; L. Bertalot, Humanistisches Studienheft eines Nürnberger Scholaren aus Pavia, Berlin 1910, S. 82 ff. – Basel E. VI. 26 saec. XV fol. 224 v.

[3] Aus München lat. 18 287, Vorsatzblatt saec. XV im Anhang wiedergegeben.

[4] Den Haß der Bauern auf ihre Peiniger bezeugt auch die Scherzpredigt gegen die Enthaltsamkeit: ‚Talem invidiam videntur habere rustici erga presbiteros et nobiles, ut patet ex natura, in tractatu rusticorum capitulo ‚Gracia plena', unde Boecius de consolacione philosophie ‚Natura dat uniquique quod suum est et quod appetit.' Anzeiger für Kunde der deutschen Vorzeit. N. F. XIII (1866) S. 395.

[5] Novati, Carmina p. 28.

	‚Singulariter	et pluraliter
Nom.:	hic villanus,	hi maledicti.
Gen.:	huius rustici,	horum tristium.
Dat.:	huic tferfero,	his mendacibus.
Acc.:	hunc furem,	hos nequissimos.
Voc.:	o latro,	o pessimi.
Abl.:	ab hoc depredatore,	ab his infidelibus.‘

Ein lateinisch-deutsches Kneiplied[1] ‚Prima declinacio ain morgen in taberna‘ schließt bezeichnet mit dem Wunsche ‚Tu autem, Domine, nulli rustico
miserere!‘

Das Schmähgebet ist schließlich mit anderen Verwünschungen der Bauern
einer Gebetsparodie eingegliedert, in der die ganze Christenheit satirisch-hu-
moristisch vorgenommen ist. Das Muster dieses gegen die verschiedensten
Würden und Stände gerichteten Stückes waren die bekannten Fürbitten in
der Karfreitagsliturgie, wo eigene Gebete für die ganze Kirche, den Papst,
alle kirchlichen Oberen, den Kaiser, die Katechumenen, die Kranken, die auf
Reisen befindlichen, die Häretiker und Schismatiker, die Juden und Heiden
vorgesehen sind und nach altem Brauch noch heutzutage mit einigen Ände-
rungen in der katholischen Kirche feierlich gebetet werden. Der Parodist führt
das bei jeder einzelnen Kategorie übliche ‚Oremus‘ nur zu Beginn auf und
setzt an die Stelle des eigentlichen Gebetstextes Sätze aus der Vulgata, die
angeblich auf die einzelnen Personen, Stände usw. passen. Abweichungen
vom Karfreitagsgebet bestehen ferner darin, daß für viel mehr Kategorien
Fürbitten aufgenommen sind. Zur Aufnahme manchen Stückes haben ohne
Zweifel Messen und Gebete außerhalb der Karfreitagsliturgie Anregung gegeben. Noch im heutigen Missale Romanum findet man gelegentlich zur Verwendung kommende ‚Orationes pro omni gradu ecclesiae‘ (vgl. or. 1 der Parodie), ‚pro papa, pro imperatore, pro rege, pro praelatis et congregationibus
eis commissis, pro se ipso sacerdote (vgl. or. 25), pro devotis amicis, pro
navigantibus‘. Der mittelalterliche Gottesdienst hatte außerdem[2] Messen ‚pro
omni gradu ecclesiastico, pro amicis, pro iter agentibus, pro navigantibus,
pro semetipso‘. Für das große Schmähgebet gegen die Bauern – mir fast aus
einem Dutzend Handschriften bekannt – weiß ich kein bestimmtes Vorbild.
Im ganzen und im einzelnen ist aber der Orationsstil mit teuflischer Meisterschaft getroffen. Forscher, die größere Sonderkenntnisse auf dem schwierigen
und weitverzweigten Gebiete der alten Liturgie haben als ich, werden vielleicht noch einige andere Entsprechungen zu den beiden Reihen der Gebetsparodien feststellen können. Für die Charakteristik der Satire wird das oben
Gesagte im wesentlichen genügen[3].

[1] W. Wattenbach im Anzeiger f. Kunde d. d. Vorzeit. XXVI (1879) S. 100.
[2] M. Gerbert, Monumenta veteris liturgiae Alemannicae. I 271, 282 sqq., 287 sq.,
290, 291 sq.
[3] Für Ratschläge danke ich meinem Hörer und Schüler Herrn Kaplan Leo Kozelka.

Ich wage es, die Parodie zu übersetzen und schicke folgendes voraus: Links schließe ich mich dem von A. Bernoulli veröffentlichten[1] Text eines Basler Codex aus der ersten Hälfte des 15. Jahrhunderts an, rechts gebe ich die Entsprechungen bzw. Abweichungen einer aus Westfalen stammenden Münchener Handschrift[2]. Zu einem großen Teile stimmen die beiden Zeugen überein. Die Reihenfolge ist allerdings anders, und nicht immer finden sich unter denselben Rubriken dieselben Bibelstellen. Ferner hat B einige Gebete, die in M, dieser Codex einige, die in B fehlen. B ist beim Zitieren der Vulgata weniger sorgfältig als M. Kleine offensichtliche Fehler von B habe ich bei der Übersetzung stillschweigend beseitigt. Erwähnenswert ist, daß die Anfangsworte von B 13 iudica illos Deus an den Schluß von 12 gehören (vgl. 12*), die Schlußworte von B 13 in M auf die Zisterzienser gemünzt sind (14*). Absichtliche und deshalb stehenzulassende Abweichungen von der Bibel trifft man in B bei 16, 19, 26, 27, in M bei 18*, 17*, 30*, 30*, 33*, 27*, 22*, 36*.

B	M
1. Lasset uns beten für jeden kirchlichen Grad und zuerst für das Heil der Vaganten.	= 1*. Lasset uns beten für die Gesamtheit der Kirche: Sie sind alle abgewichen und allesamt untüchtig. Da ist keiner, der Gutes tue, auch nicht einer. (Ps. XIII 3)
2. Für unsern Papst: Er liegt im Hinterhalt der Gehöfte, mordet insgeheim Unschuldige. (Ps. X 8)	= 2*. Für die Kardinäle und den Papst: Gottlosigkeit ist von den Ältesten in meinem Volke ausgegangen. (Dan. XIII 5)
3. Für unsern König: Seine Kinder müssen zu Waisen werden und sein Weib Witwe. (Ps. CVIII 9)	= 4*.
4. Für unsern Bischof: Seiner Lebenstage seien wenige und sein Amt empfange ein anderer. (Ps. CVIII 8)	= 6*.
5. Für unsern Kaiser: Er wollte den Fluch, – so komme er über ihn! Er hatte keinen Gefallen am Segen, – so bleibe er fern von ihm! (Ps. CVIII 18)	= 3*.
6. Für Reisende: Ihre Wege mögen finster sein, während sie der Engel Jahwes verfolgt. (Ps. XXXIV 6)	
7. Für Schiffahrende: Mögen sie starr werden wie ein Stein, auf daß sie in die Hölle stürzen wie Blei. (Exod. XV 16 + XV 5 + Ps. LIV 16)	= 34*. Für Schiffahrende: Mögen sie starr werden wie ein Stein und hinabstürzen in die Tiefe des Meeres wie Blei.

[1] In der Zeitschrift für Kirchengeschichte. VII (1885) S. 141 ff.
[2] München lat. 1782 9 f. 55R–56R, etwa 1528 abgeschrieben.

8. Für Streitende: Schwerter dringen in ihr Herz, und ihr Bogen wird zerbrochen werden. (Ps. XXXVI 15)

9. Für unsern Abt: Fett, dick, hochfahrend und aufgeblasen wurde er uns (Deut. XXXII 15, etwas variiert.)

= 19*. Für unsern Abt: Fett wurde er und schlug aus, dick und feist. (Deut. XXXII 15)

10. Für unsern Prior: Wenn er gerichtet wird, möge er als schuldig hervorgehen und sein Gebet werde zur Sünde. (Ps. CVIII 7)

= 20*.

11. Für die Zisterzienser: Ihre Frucht wirst Du von der Erde hinwegtilgen und ihre Nachkommen aus den Menschenkindern. (Ps. XX 11)

= 14*. Für die Zisterzienser: Stets seien sie Gott gegenwärtig, daß er ihr Gedächtnis von der Erde hinwegtilge. (Ps. CVIII 15)

12. Für die schwarzen Mönche: Ein offenes Grab ist ihre Kehle, mit ihren Zungen heucheln sie. (Ps. V 11)

= 12*. † Richte sie, Gott! (Ps. XV 11)

13. Für die Minoriten: Ihr Mund ist voll Fluchens, ihre Zunge ist Unheil und Verderben. (Ps. X 7. Irrtümlich am Anfang der Schluß von 12* und am Schluß noch 14* zugefügt.)

= 18*. Für die Minoriten: Sie haben ihre Zungen wie die Schlangen gespitzt, Otterngift ist unter ihren Lippen. Deshalb sollen sie hungern wie Hunde und mit dem Bettelsack durch die Stadt ziehen. (Ps. CXXXIX 4 + LVIII 15)

14. Für die Augustiner: Glühende Kohlen mögen auf sie regnen, und niemand erbarme sich ihrer. (Ps. CXXXIX 11 + CVIII 12)

= 16*. Für die Augustiner: Möge ihr Tisch vor ihnen zur Schlinge, zur Vergeltung und zum Anstoß werden. (Ps. LXVIII 23)

15. Für die Predigermönche: Laufe mit ihnen und dir wird niemals wohl sein.

= 17*. Für die Predigermönche: Sie liebten Gott mit ihrem Munde und im Herzen logen sie ihn an. (Ps. LXXVII 36)

16. Für die Nonnen: Sie opferten ihre Söhne und Töchter den Priestern und Mönchen. (Ps. CV 37 parodiert)

= 30*. Für die Nonnen: Erbarme Dich meiner, Gott, denn die ganze Nacht mißhandelt und plagt mich der Mann. (Ps. LV 1f. parodiert)

17. Für die Kreuzherren: Sie mögen ausgelöscht werden aus dem Buche der Lebendigen und nicht aufgeschrieben mit den Gerechten. (Ps. LXVIII 29)

18. Für die Karmeliten: Ein abtrünniges und widerspenstiges Geschlecht. (Ps. LXXVII 8) Verflucht seien sie in alle Ewigkeit.

= 15*. Für die Karmeliten: Seine Kinder mögen überall umherschweifen und betteln, mögen fortgetrieben werden aus ihren Häusern. (Ps. CVIII 10)

19. Für unsere Pröpste: Herr, gieße Deinen Grimm über sie aus, und die Glut Deines Zornes erreiche sie. (Ps. LXVIII 52)

20. Für die Dekane, Plebane und Pfarr-
rektoren: Wollte ich sie zählen, würden
ihrer mehr sein als Sandkörner. (Ps.
CXXXVIII 18)

21. Für die Kanoniker: Sie sind's, die   = 10*.
sich befleckt haben mit Weibern, jung-
fräulich sind sie nicht geblieben. (Apoc.
XIV 4)

22. Für die Vornehmen der Welt: Möge   = 5*.
ihre Wohnung wüst werden und in ihren
Zelten kein Bewohner sein. (Ps. LXVIII
26)

23. Für die Landleute: Er wird die   = 32*.
Übeltäter übel umbringen und seinen
Weinberg an andere vermieten. (Matth.
XXI 41)

24. Für die Bauern: Der Tod überfalle   = 33*. Für die Bauern: Sie mögen aus-
sie; mögen sie bei lebendigem Leibe in   gelöscht werden aus dem Buche der
die Unterwelt hinabfahren. (Ps. LIV 16)   Lebendigen und nicht aufgeschrieben
                                             mit den Gerechten. (Ps. LXVIII 29)
                                             Erlösung von unsern Feinden und von
                                             der Hand aller, die uns hassen. (Luk.
                                             171). Versus: Wer einen Bauer liebt, ist
                                             ein Menschenmörder (I Joan. III 15
                                             parodiert) alleluia. Aber wer dessen
                                             Frau liebt, steht höher als ein Prophet.
                                             (Matth. XI 9 oder Luk. VII 26 paro-
                                             diert) alleluia. Lasset uns beten: Gott,
                                             der du Unfrieden zwischen Klerus und
                                             Rusticus gesät hast, gestatte uns gnä-
                                             dig, von der Bauern Arbeit zu leben,
                                             ihre Frauen zu genießen, mit ihren
                                             Töchtern herrlich und in Freuden zu
                                             leben, über ihren Tod zu frohlocken.

25. Für uns selbst: Bachus macht uns
selig, bei ihm vertrinken wir unsere Kleider. (Vielleicht Is. XXXVIII 20 parodiert)

26. Für das weibliche Geschlecht: Selig   = 27*. Für das weibliche Geschlecht:
der Mann, der sein Verlangen an ihnen   Ihre Genüsse erquickten unsere See-
stillt, er möge in Ewigkeit nicht gestört   len. (Ps. XCIII 19 parodiert)
werden. (Ps. CXXVI 5)

27. Für unsere Weiber: Sie laufen von   = 29*. Für die Weiber der Vagierenden:
Stamm zu Stamm und von Volk zu Volk   Sie zogen von Volk zu Volk, von einem
(Ps. CIV 13) und werden in ‹k›ein Reich   Reiche zu einer anderen Nation. (Ps.
kommen. (Luk. XVIII 24)   CIV 13)

28. Für die Bürger: Lenke sie mit eiser-   = 31*. Für die Bürger: Bedrückung und
nem Stab, zerschmettere sie wie ein Töp-   Betrug weichen nicht von ihrem Markte.
fergefäß. (Ps. II 9)   (Ps. LIV 12)

29. Für die Wucherer: Die zu mir kommen, werde ich alle nicht verstoßen (Joh.
VI 37), und er wird immer und ewig herrschen. (Exod. XV 18)

30. Für die armen Priester: Selig, der
auf den Bedürftigen und Armen achtet,
am Unglückstage wird sie der Herr retten.
(Ps. XL 2)

31. Gebet: Gott, der Du die Menge der   = 33*.
Bauern gesät und zwischen uns und ihnen
ewige Zwietracht geschaffen hast, laß uns
von ihrer Arbeit gut leben, ihre Frauen
und Töchter genießen, an ihrem Tode uns
immerdar erfreuen und sie auf Erden quä-
len. Durch ihren Herrn, nicht Jesus Christus, sondern ihren betrügerischen Schöpfer, den Teufel, mit dem sie leben mögen
und herrschen auf Stroh!

Zu den mitgeteilten Fürbitten kommen
aus M hinzu:

7*. Für unsern Suffragan: Ich bin meinen Brüdern fremd geworden und unbekannt den Söhnen meiner Mutter. (Ps. LXVIII 9)
8*. Für unsern Official: An ihren Händen klebt Untat, ihre
Rechte ist voll durch Bestechung. (Ps. XXV 10)
9*. Für die Notare und Schreiber: Ich sprach in meiner Be-
stürzung: Alle Menschen lügen. (Ps. CXV 11)
11*. Für die Mönche: Ein verkehrtes Volk und von allem Rate
verlassen (Deut. XXXII 28), ein abtrünniges und widerspenstiges
Geschlecht. (Ps. LXXVII 8, vgl. no. 18 Pro Carmelitis)
13*. Für die Prämonstratenser: Ihre Augen sind verfinstert, daß
sie nicht sehen, und ihre Rücken immer gekrümmt. (Ps. LXVIII
24)
21*. Für unsern Guardian: Bestelle Gottlose wider ihn, und der
Teufel stehe zu seiner Rechten. (Ps. CVIII 6)
22*. Für unsern Provincial: Herr, mach ihn gleich wirbelndem
Staub, gleich Stoppeln vor dem Winde. (Ps. LXXXII 14)
23*. Für die Ackersleute: Wenn sie nicht satt werden, dann
murren sie gewiß. (Ps. LVIII 16)
24*. Für die abwesenden Brüder: Sie sollen wie das Gras auf
den Dächern werden, das verdorrt, ehe man es auszieht. (Ps.
CXXVIII 6)
25*. Für unsern Pastor: Er liegt mit den Reichen im Hinterhalt
der Gehöfte, daß er Arme und Unschuldige morde. (Ps. X 8)
26*. Für die Freunde und die Deutschen: Abends und morgens
und mittags sind sie betrunken. (Ps. LIV 18 und LXXVII 65)
28*. Für unsere Konkubinen: Stelle einen Gesetzgeber für sie
auf (Ps. IX 21), sie selbst sind unsere Richter. (Matth. XII 27)
35*. Für das Geld: Alle Könige werden es anbeten, alle Völker
ihm dienen. (Ps. LXX 11)

36*. Für die Apotheker: Drachengeifer ist ihr Wein, damit der
Trank recht bitter werde (nach Deut. XXXII 32) für alle, die uns
Gutes tun. O Herr Jesus Christus, rechne ihnen das nicht als Sünde
an; denn sie wissen nicht, was sie tun. (Nach Act. VII 60 und
Luk. XXIII 34)

4. Einzelne Persönlichkeiten, Ereignisse und Zustände der mittelalterlichen Welt in der satirischen Parodie

Sehen wir von den Angriffen auf die römische Kurie, auf die verschiedenen
geistlichen und weltlichen Stände ab und fassen wir bestimmte Personen,
Geschehnisse, Verhältnisse ins Auge, so sehen wir auch die kritische, kämpfe-
rische und frohlockende Parodie in den mannigfaltigsten Konflikten oft voll
Abwechslung gebraucht.

Am ältesten und häufigsten sind die Spottepitaphien auf einzelne Päpste,
Bischöfe, Äbte, Könige, Herzöge usw. Näheres wird H. Walther (Göttingen)
bringen, der in der Zeitschrift für deutsches Altertum, XLVIII S. 268 schon
Spottverse auf einen Kellermeister veröffentlicht hat. Sie lassen sich von den
ironischen und polemischen Epigrammen der Antike her durch alle Jahrhunderte des Mittelalters bis in die Neuzeit verfolgen. Den karolingischen Er-
zeugnissen dieser Art (vgl. oben S. 31) wären z.B. anzureihen die satirische
Grabschrift[1] für Herzog Arnulf den Bösen († 937), das von Jakob Werner[2]
veröffentlichte ‚Epitaphium de inpio hospite‘:

‚Quem tegit hic cespes, mundo fuit inpius hospes.
Nolo „Pater noster", perge, viator, iter,‘

der bissige Titulus, den Nikolaus von Bibra[3] in seinem 1281–1283 verfaßten
‚Occultus‘ Papst Martin IV. gewidmet hat:

‚Hic iacet ante chorum submersor Theutonicorum
pastor Martinus, extra qui totus ovinus
et lupus introrsus, cui nulla redemptio prorsus,
sed sit ad inferna detrusus ab arce superna‘

und viele andere mehr. Jedoch bitte ich mir die Freiheit aus, fürs erste mit
dem summarischen Hinweis den Lesern genug getan zu haben. Eine liturgische
Parodie des Officiums der Siebenschläfer hat mir H. Walther im Harleianus 913
nachgewiesen.

Von den großen Verwicklungen ist es vorzugsweise der Kampf von Kaiser
und Papst um die Suprematie gewesen, der die mittelalterliche Publizistik bis
ins 13./14. Jahrhundert hinein beschäftigt hat. Schon Bischof Benzo von Alba

[1] Neues Archiv. II 397.   [2] Beiträge (1905) S. 24.
[3] Vgl. die Ausgabe von Theobald Fischer (1870), ferner H. v. Grauert, Magister Heinrich der Poet S. 349.

hat seine bizarre Streitschrift für unsern deutschen Kaiser und König Heinrich IV. mit seltsamen Namensverdrehungen (oben S. 65), gewagten Zerrwendungen heiliger Worte gefüllt, er hat in einem jener eigentümlichen Briefe, durch die er Erzbischof Adalbert von Bremen anhalten wollte, ja treu zum jungen Heinrich zu stehen, einmal geschrieben:

‚In extremis precibus solemus universaliter dicere „Ab omni malo libera nos, Domine". Vos autem non exclusistis, quia aliter et singulariter et seorsum dicitis

> Ab omni bono libera nos, Domine.
> Ab arce imperii, libera nos, Domine.
> Ab Apulia et Calabria, libera nos, Domine.
> A Benevento et Capua, libera nos, Domine.
> A Salerno et Malfia, libera nos, Domine.
> A Neapoli et Gerentia, libera nos, Domine.
> A felice Sicilia, libera nos, Domine.
> A Corsica et Sardinia, libera nos, Domine.‘

Wenn in den Monumenta Germaniae zur stilistischen Erklärung nur an das Vaterunser erinnert wird, führt das irre[1]. Die Abweichung von der bekannten letzten Bitte des Paternoster ‚Sed libera nos a malo‘ mahnt, an die Parodierung eines anderen Textes zu denken. Tatsächlich hat Benzo die Sterbelitanei der Commendatio animae‘, die Allerheiligenlitanei, nachgeahmt, wo es noch heute heißt:

> ‚Propitius esto, libera eum, Domine
> Propitius esto, libera
> Ab ira, libera
> A periculo mortis, libera
> A poenis inferi, libera
> Ab omni malo, libera
> A potestate diaboli, libera‘ usw.

Eine parodistische Satire kann man den erfundenen Brief der Tiere Apuliens[2] nennen. In schwülstigem Kanzleistil, unter ironischer Anführung der Bibel, erinnern sie an den zwischen Kaiser Friedrich II. und Papst Innozenz IV. geschlossenen Waffenstillstand, warnen vor vertrauensseliger Auffassung der Lage und mahnen, zu der großen Beratung wohlgerüstet zu kommen. Die Beratung ist wahrscheinlich das Konzil von Lyon, das 1245 zusammentrat und später im ‚Pavo‘ unter dem Bilde einer Vögelversammlung geschildert wurde[3].

---

[1] MG. SS. XI 623 sq.

[2] Ich schließe mich der geistvollen Interpretation bei H. v. Grauert, Magister Heinrich der Poet S. 319 ff. an.

[3] Vgl. die neue Abhandlung von Beatrix Hirsch in den Mitteilungen des österreichischen Instituts für Geschichtsforschung. XXXVIII (1921). – Kritische Ausgabe von Herb. Grundmann u. Herm. Heimpel, Stuttgart 1958, in den Mon. Germ. Staatsschriften. I, 1. Stück.

6*

Weltlicher, nationalpolitischer als in Mitteleuropa war die Satire auf den britischen Inseln. Im Ringen um die Befestigung und Gestaltung des anglo-normannischen Reiches ist seit dem 11./12. Jahrhundert mit dem frühen Erwachen des Staatsgedankens, der frühen und regen Anteilnahme weiter Kreise am öffentlichen Leben, dem angelsächsischen Sinn für Humor und Spott die öffentliche Kritik und Polemik in England schnell gereift. Die Geschichte der mittelalterlichen Publizistik – die ich nicht schreiben will – muß sich besonders oft mit Schriftstücken englischen Ursprungs befassen, und manches der politischen Pamphlete war eine Parodie.

Das fingierte Privileg[1] ‚Arturus rex Britannorum universis per Britanniam constitutis caseum bitirumque professis – – Datum corispici per manum capalarii anno C. immortalitatis regis Arturii' ist wohl eine – die Beliebtheit der Arthussage sich nebenbei zunutze machende – Satire zur Verhöhnung des unglücklichen Prätendenten auf den englischen Thron, Arthurs von Bretagne und seiner Anhänger, geschrieben, nachdem König Johann Ohneland den jugendlichen Rivalen 1203 insgeheim hatte umbringen lassen.

Als im Mai 1286 Edward I. nach Frankreich zog, den Earl von Pembroke als Regenten zurücklassend, da bedrückten und brandschatzten seine Beamten England so über alle Maßen, daß großes Jammern und Wehklagen sich erhob. 1289 kehrte der König zurück und ging nun scharf gegen die ungetreuen Richter vor[2]. Die Übelstände und das Strafgericht sind von einem Zeitgenossen in einer Parodie[3] beschrieben worden, die in den drei mir bekannten Handschriften ‚Narratio de passione iusticiariorum', ‚Passio ministrorum domini Edwardi regis Anglie secundum opera sua', ‚Passio iusticiariorum Anglie c. IIII. Sequencia evangelii secundum Bumbum' betitelt ist, ganz aus Stellen des Alten und Neuen Testaments gebildet wird und mit einem Gedicht schließt.

Effektvoller noch ist die Passio Scotorum periuratorum, die wahrscheinlich im Frühjahr 1307 entstanden ist und in einer Schottenchronik der Public library of Reigate Church Surrey steht[4], wahrscheinlich auch durch Matthaeus von Westminster für sein Geschichtswerk benutzt worden ist. Voraus-geht mit der parodistischen Überschrift ‚Lectio actuum Scotorum infra librum iudicum' die Parabel von den Bäumen, die sich einen König wählen, aus dem Buch der Richter IX 8–15, dann folgt, ‚Omelia' überschrieben mit der liturgischen Eingangsformel ‚In illo tempore', die ‚Leidensgeschichte'. Wiederum hat die Bibel aus vielen ihrer Bücher die meisten Sätze für ein politisches

---

[1] Vgl. Ch. Fierville in den Lettres de rois, reines et autres personnages de cours de France et d'Angleterre. I (Paris 1839) p. 20 sq.

[2] Vgl. E. Foß, Judges. III (1851) p. 38 sq.; Tout bei Hunt and Poole, The political history of England. III (1905) p. 172 sq. Gedicht über die Käuflichkeit der Richter Edwards, ‚Beati qui esuriunt' bei Th. Wright, Political songs, p. 224 sqq.

[3] Ausgabe bei Tout and Johnstone, State trials of the reign of Edward the first, London 1906, p. 95–99 auf Grund zweier Codices. Neuausgabe im Textanhang.

[4] Veröffentlicht und erklärt vom Marquess of Bute in den Proceedings of the Society of antiquaries of Scotland. New Series. VII (Edinburgh 1885) p. 166–192.

Schmähen und Frohlocken liefern müssen. Wir erfahren, wie Robert Bruce zum Könige der Schotten erwählt und gekrönt wird, wie Edward I. 1306 kommt, das Land erobert und seinen Sieg blutig besiegelt. Diabolisch wird mit den Worten der Heiligen Schrift gearbeitet, durch Zusätze die Schlagkraft besonders an den Stellen gesteigert, wo mit gräßlicher Schadenfreude und Wollust die Rache geschildert ist, die der englische König an den führenden Anhängern Roberts genommen hat. Der Schluß der Erzählung fehlt leider.

Die parodistische Passio, durch das Geldevangelium längst dem Abendlande vertraut, ist als Triumphlied anscheinend um 1300 schriftstellerische Mode geworden, vielleicht dank dem Einfluß der blühenden satirischen Literatur Englands.

Als am 11. Juli 1302 das französische Heer bei Courtrai dem Fußvolk der flandrischen Städte furchtbar erlegen war, da wurden die Franzosen obendrein in einer Passio Francorum secundum Flemingos verhöhnt. Ein englischer Chronist, Adam von Usk, ist es gewesen, der ein Jahrhundert später diese Evangelienparodie im Kloster Eeckhout bei Brügge gefunden und sie durch Aufnahme in seine Chronik der Nachwelt erhalten hat. In der modernen Literatur über die „Sporenschlacht" wird die frei nach der Bibel zusammengestellte Passio gewöhnlich nicht genannt. Und als 1904 E. M. Thompson das Chronicon Adae de Usk zum zweiten Male in London herausgab, hat er den parodistischen Text zwar lateinisch wiedergegeben (p. 107–110), aber aus seiner Übersetzung des Gesamtwerkes fortgelassen. „The mock chronicle is so offensively profane that it is better left without translation." (Vgl. p. 288 und XXXVII sq.) Auch ich verzichte auf eine Übersetzung. Freilich allein deshalb, weil es mir besser zu sein scheint, den originalen Wortlaut einem weiteren Gelehrtenkreise zugänglich zu machen. Wer sich an der Profanierung der Bibel stößt, kann das Mittelalter nicht verstehen und muß zumal englisch-französischen Schriften des 12. bis 16. Jahrhunderts gegenüber seine Augen verschließen.

1379 beleuchtete ein Pasquill, das sich als Schreiben der Habsucht an alle weltlichen und geistlichen Fürsten der Erde ausgab, die an König Wenzels Hofe in Prag herrschende Korruption, die Parodie eines kaiserlichen Mandats[1]. Die Satire bleibt dort verhältnismäßig zahm. Doch konnten die Böhmen auch anders. Der Leidensgeschichte der schottischen Verschwörer ähnlich durch eine Brutalität, die selbst den antisemitischsten modernen Christen verletzen muß oder müßte, ist die Passio Judaeorum Pragensium secundum Johannem rusticum quadratum. Diese Parodie[2] erzählt – im wesentlichen offenbar histo-

---

[1] Her. von G. Sommerfeldt in den Mitteilungen des Vereins für Geschichte der Deutschen in Böhmen. XLVII (1909) S. 219 ff.

[2] Schon F. M. Pelzel, Lebensgeschichte des römischen und böhmischen Königs Wenzeslaus. I (Prag 1788) S. 214 ff. hat sie benutzt, herausgegeben aber, aus zwei Prager Handschriften, erst V. V. Tomek in den Sitz.-Ber. der Kgl. Böhmischen Gesellschaft der Wissenschaften in Prag. Jahrg. 1877, S. 11 ff. Die Bemerkungen in tschechischer

risch getreu – die maßlose Judenhetze von Ostern 1389, bei der das Prager
Ghetto zerstört und die Judenschaft zum größten Teil von den erregten Pöbel-
massen niedergemacht wurde. Die Veranlassung zu den rohen Ausschreitungen
war eine angebliche Schändung der Hostie durch Judenkinder gewesen. Zum
Vorbild hat sich der christliche Pamphletist das Leiden Christi bei den Evangelisten genommen. Wenn K. Burdach[1] von einer Parodie des Johanneischen
Passionsberichtes redet, so kann das leicht mißverstanden werden. Es heißt
zwar im Titel ,nach Johannes', und mehrfach sind Johannesworte übernommen
oder nachgeahmt. Jedoch ist nicht die Erzählung eines Evangelisten parodiert, sondern neben Johannes haben auch Matthäus, Markus und Lukas vieles
hergegeben, und zwar Matthäus sehr viel mehr als Johannes. Der von Burdach
versprochenen Darlegung, daß die Passio Judaeorum Pragensium auf den
Piers Plowman zurückweise, sahen wir mit Interesse entgegen. Man beachte
bereits jetzt, daß mit der lateinischen Passio dem englischen Peter dem Pflü-
ger und dem Ackermann aus Böhmen sich der böhmische Johannes rusticus
quadratus anreiht. ,Quadrati' werden die ,Rustici' auch in einem die Eignung
der einzelnen Stände für die Liebe behandelnden spätmittelalterlichen Gedichte[2] wohl böhmischen Ursprungs ,Filia, si vox tua vellem te laudare' genannt, v. 30 ff.:

> ,Rustici quadrati
> semper sunt irati
> et eorum corda
> et eorum corda
> nunquam letabunda.'

Der Ausdruck erscheint ferner in der unten zu behandelnden Lectio Danielis prophetae ,Fratres ex nihilo vobis timendum est'.

Eine in der Prager Universitätsbibliothek erhaltene ,Passio raptorum de
Slapenicz secundum Barthoss tortorem Brunensem' benutzt die Bibelkenntnis
um in Form einer Perikope die Ausrottung polnischer Räuber durch die
Bürger von Brünn mit Unterstützung des Markgrafen Jobst von Mähren in
lebhaftem Tone zu erzählen[3].

Die Jahrzehnte um 1400 sind für Böhmen und Mähren eine Zeit politischer
und sozialer, geistiger und religiöser Zerrissenheit und Gärung, eine Zeit der
Rüstung und des Kampfes, in der Satire, Parodie, Pamphlet notwendige Hil-
fen und Ausdrucksmittel waren. Ohne damit alles erklären zu wollen, müssen
und dürfen wir an die Feuerwellen erinnern, die von der Universität Oxford

---

Sprache hat mir im Frühjahr 1920 Herr Prof. E. Berneker (München) gütigst übersetzt.

[1] Sitzungsber. der Preuß. Akademie der Wiss. zu Berlin. 1920 S. 313f.

[2] Vgl. Feifalik in den Sitz.-Ber. d. Kaiserl. Akademie d. Wiss. Philos.-hist. Kl.
XXXVI (Wien 1861) S. 169.

[3] Der Text mir aus dem Berliner Exemplar der Sbornik historicky III (1885) p.
245 sqq. von Herrn Dr. F. Schillmann kopiert.

nach Prag, vom englischen zum böhmischen Geistes- und Gemütsleben gingen. Mit den Büchern John Wiclifs wurde der lange vorbereitete, hier und da schwelende und flackernde Brand zu hellem Auflodern gebracht.

Aus der reichen Kampf- und Spottliteratur der Hussitenwirren kommt für unsere Studie eine umfangreiche, raffinierte Meßparodie in Betracht. Schon 1413 gedenkt Johann Hus selbst ihrer[1]: ‚Forte meminit iste fictor' – Stephan Paletsch, der aus einem Freunde ein heftiger Gegner geworden war – ‚missae quam Teutonici blaspheme confixerant. In qua per modum libri generationis primo ponitur Stanislaus qui genuit Petrum de Znoyma et Petrus de Znoyma genuit Paletz et Paletz genuit Hus. Ecce istius mendacii blasphemi fictor quidamista haerens vestigio dicit, „extra regnum Bohemiae exeant quidamistae et absque dubio eos propriis nominibus designabunt, quia Stanislaus primum, Petrus Znoyma secundum, Paletz tertium et Hus quartum." Sed dicit fictor, quod iam ipsi tres Stanislaus, Petrus et Paletz abierunt retro et per consequens debent deleri de illa compilatione blasphema.' Man hatte es demnach mit einer von Deutschen verfaßten Messe zur Verspottung der böhmischen Anhänger Wiclifs zu tun, die neben anderem den Anfang des Matthäusevangeliums parodierte. Während C. Höfler sie noch vergeblich gesucht hatte, haben Joh. Loserth[2] und A. Franz[3] Texte entdeckt, die uns zeigen, wie die Parodie aussah. Freilich ist die Messe der Deutschen, die Hus zitierte, weder mit der des Wiener Codex bei Loserth vollkommen identisch, obwohl dieser Gelehrte[4] so verstanden werden könnte, noch mit jener des Hohenfurter Manuskriptes bei Franz, noch mit der des von mir als erstem[5] herangezogenen Codex Ottobonianus. Alle drei Handschriften bieten Bearbeitungen, die nach dem 6. Juli 1415 entstanden sind, da sie bereits des Feuertodes von Hus gedenken, wahrscheinlich aber noch vor dem 30. Mai 1416, da der erwähnte Hieronymus von Prag beim Ursprunge der Texte seinem Freunde noch nicht auf den Scheiterhaufen gefolgt war. Die Hohenfurter Fassung braucht nicht jünger zu sein. A. Franz wies sie der Mitte des 15. Jahrhunderts zu, da Rokyzana wiederholt vorkäme. Sah er darin Johann von Rokyzana, konnte man sich die Redaktion schon in den zwanziger Jahren vorgenommen denken; seit 1422 war Johann ein Führer der Hussiten. Meines Erachtens ist aber Simon von R. gemeint, den bereits ein Dekret des Konstanzer Konzils unter den ‚principales haeresiarchae ac inductores illius sectae' nennt[6].

---

[1] Vgl. Historia et monumenta Johannis Hus atque Hieronymi Pragensis etc., Nürnberg 1558, tom. I fol. CCLV v oder 1715 tom. I 318 sq.

[2] Hus und Wiclif, Prag und Leipzig 1884, S. 299 ff.

[3] Die Messe im deutschen Mittelalter, Freiburg 1902, S. 759 ff.

[4] Archiv für österreichische Geschichte. LXXV (1889) S. 330.

[5] Vor mir erwähnten bereits Montfaucon, Bibliotheca bibliothecarum. I 17 und Novati, La parodia sacra p. 195 sq. die Handschrift, Novati mißverständlich als Reginensis. Sie stammt allerdings aus dem Fonds der Reginenses, ist aber jetzt Ottobonianus lat. 2087, was mein treuer Helfer Herr P. Dr. F. Pelster, S. J. feststellte.

[6] Fontes rerum Austriacarum. 1. Abteil. Bd. VI 241.

In manchem haben die Bearbeitungen[1] – für die am wichtigsten die Wiener und die römische Überlieferung ist – wohl dieselben oder ähnliche Bestandteile wie das heute verschollene Pamphlet der Deutschen, gegen das Hus sich wandte. Außer der Genealogie der Wiclifiten dürfte die Urfassung bereits in der Prosa ‚Olla mortis ebuliit‘ und im ‚Liber generacionis malediccionis‘ die Erwähnung der drei Nationen und die Anspielung auf deren Auswanderung von der Universität Prag im Jahre 1409 enthalten haben. Damit ist die vordere Zeitgrenze für die 1413 bereits vorliegende Meßparodie erreicht.

Halten wir uns an die geretteten Texte, so sehen wir deutlich, daß die Messe eine scharfe und wohlgelungene Verhöhnung der Hussiten ist. Sie „feiert“, nachdem der Introitus gemäß dem ‚Commune unius martyris non pontificis‘ angedeutet hat, daß Wiclifs Leiche, im Frühjahr 1415, ausgegraben und verbrannt worden ist, Johann Hus, der würdig befunden ward seines englischen Meisters Ehre und Andenken bis zum eigenen Feuertode zu verteidigen, „feiert“ weiterhin Hussens Anhänger, die Tag und Nacht dem Teufel dienen. Der Parodist führt die Verzerrung der heiligen Messe bis ins einzelne genau nach dem kirchlichen Gebrauch, ohne eine bestimmte Messe zu imitieren, vom Anfang bis zum ‚Ite, missa est‘ durch. Nur einem gründlichen Kenner des katholischen Gottesdienstes und der biblischen wie der wiclifitisch-hussitischen Lehren und Bücher konnte eine solche Parodie gelingen, wo unter dem falschen Schein der Liturgie in Introitus, Epistel, Graduale, Prosa, Evangelium, Credo und Predigt, im Offertorium, Sanctus und Agnus bis zur Postcommunio und dem feierlichen ‚Gehet hin‘ die hussitischen Gegner beschimpft, verlacht, verflucht werden. Manches versteht man heute nicht mehr oder nur schwer nach mühsamem Suchen. Z.B. ist als Leitspruch des Sermons ein Wort ‚Sequitur patrem sua proles‘ genommen, das mich lange beschäftigt hat, bis ich es mitten in einer Vorlesung, die ich über lateinische Literatur des Mittelalters hielt, in der auch den Gelehrten und Studierenden des 15. Jahrhunderts vertrauten Ecloga Theoduli vor mir sah. Fernerhin stecken in dieser Predigt außer kräftigem Hohn auf Wiclifs Erörterungen der Dreifaltigkeit noch Anspielungen, die mir bisher unklar geblieben sind. Doch fühlt man auch so schon überall, daß da mit grandioser Perfidie gearbeitet ist, mag nun die hussitische Genealogie oder das Glaubensbekenntnis an Wiclif, den Fürsten der Unterwelt, Böhmens Patron, und an Hus, seinen eingeborenen Sohn[2], unsern Schurken, der empfangen ist aus dem Geiste Luzifers usw., oder sonst etwas vorgetragen werden.

Der Verfasser ist sicher ein gutgläubiger deutscher Katholik gewesen und hat unter den deutschen Anhängern Roms seine Fortsetzer und Leser gehabt. Keiner von ihnen wird in seinem Fanatismus Anstoß daran genommen haben,

---

[1] Abdruck im Textanhang.
[2] So nannte auch der Karthäuserprior Stephan von Dolein Hus ironisch. Vgl. Loserth, Hus und Wiclif S. 85.

daß eine solche Parodie erdenken, billigen, vervielfältigen im Grunde doch die heilige Messe entwürdigen heißt. Mit welcher Wut werden die Hussiten diese und andere Pamphlete, z. B. das gegen sie gerichtete deutsche Vaterunser, gelesen haben! Eine berechtigte Wut; denn ihnen waren Wiclif und Hus wirklich Personen nationaler und religiöser Verehrung. Ihren Hus haben die Böhmen frühzeitig als Nationalheros und heiligen Märtyrer offiziell in ihren Kirchen gefeiert.

Im Zeitalter des Hussitentums und der großen Konzile sind die satirischen Parodien in lateinischer Sprache noch einmal schneidende Waffen der großen Öffentlichkeit gewesen. Gelehrte haben damals das alte Gegenevangelium, die Teufelsbriefe[1], die antikurialen Spottgedichte wieder hervorgezerrt, neue Pamphlete verfaßt; Gelehrte haben sie gelesen und angehört. Aber der Kreis der Gelehrten war groß; denn Tausende strömten nach Konstanz und Basel hin, Tausende in allen Gebieten des Abendlandes horchten damals gespannt auf den Lärm der geistigen Waffen, die in den Konzilstädten wie in und um Böhmen aufeinanderschlugen.

Was nachher im 15. Jahrhundert entstand, ist von begrenzter Wirkung gewesen oder ist nicht mehr lateinisch abgefaßt worden, wie ja schon lange zuvor neben den lateinischen Satiren deutsche, tschechische, französische, englische, italienische usw. aufgetaucht waren.

Eine ziemlich große Verbreitung hat noch die Passio dominorum sacerdotum gefunden. Sie erschien, als Kurfürst Albrecht Achilles, Markgraf von Ansbach und Bayreuth, 1480/81 seinen Anteil an der vom Reichstag in Nürnberg bewilligten Umwandlung der Stellung von Truppen in eine Geldabgabe durch eine Besteuerung der Geistlichen seiner Lande aufzubringen versuchte. Der Klerus, auf den schon die Bischöfe von Würzburg und Bamberg die Last ihrer Quoten abwälzen wollten, wehrte und sträubte sich lebhaft gegen die „Pfaffensteuer". Aber Albrecht Achilles ging mit Gewalt vor. Und in dieser Zeit der Bedrängung und des Sichaufbäumens entstand auf seiten der Geistlichen die Passio, die hauptsächlich wohl bei den anderen Reichsständen Stimmung gegen den Kurfürsten machen sollte.

‚Gantz lesterlich, smelig und hässig auf Matthei Passionsbeschreibung bezogen, auf Schutz des teuflischen Mammons wider der obrigkeit gehorsam und christliche lieb für vermeinte pfaffenfreiheit lautend' erzählte sie, wie der Markgraf und seine Beamten den Steuerverweigerern zusetzten. Viele historische Einzelheiten werden unter möglichst häufiger Benutzung der Bibel dramatisch geschildert. Die Leidensgeschichte sehen wir hauptsächlich gegen Schluß parodiert. Gekreuzigt ist die Priesterschaft des Markgrafen; er selbst aber ist ein Sohn des Teufels, ein Vorläufer des Antichristus, ein neuer Pharao, Sanherib, Eglon, Herodes und wie die größten Übeltäter bis zu dem Staufen-

---

[1] Auch den Hussiten wurde das alte Sendschreiben Lucifers zugeschrieben, so im Codex Bern 434.

kaiser Friedrich II. alle heißen. In die Passio werden die Prophezeiungen vom
nahen Untergange der Welt gemischt, Methodius und Vinzenz Ferrer als Zeugen angeführt. Man höre, wie es da lautet:

,Und do die pristerschaft war in trübsal vor engsten, ist sie mit durst gepeinigt worden zu Kulmpach; dan der wein was pitter und das pier was
antzigig und essigett, das man in fürsetzt, und sie wollten sein nit trincken
und haben gesagt, es sein alle ding volbracht und haben gepeet „Vater, ver-
gibs in, dan sie wissen nit was sie thun"! Nun als Volck ist gestanden und hät
gewart des ents. Es was geschriben ein uberschrifft zu teutzsch „Der prister-
schafft unter der herschafft des marggraven ist widerspennig dem kurfürsten
des römischen reichs. Dorumb wirt sie beraubt und vertriben."

Es was nahent in dem sibende altter und es sein finsternis der unwissenhait
worden in dem gantzen land des marggraffen. Der schein der sunnen des
rechtten glaubens ist finster worden und der fürhanck des tempels ist zerissen
worden und zertrümmert in der mitten, und die pristerschaft hat geschrien
mit lautter stymm „Vatter, in dein hend bephelen wir unnser gutt leib und
seel". Do die das gerett haben, sein sie ausgetriben worden, und alles volck
das do gegenwertig was bey dem geschicht und sahen die ding die do gescha-
hen, klopften an ir prust und kerent wider haim. Es stunden all geporen
freund und güner der priester in den andern landen des marggrafen die do
gegenwertig warden bey dem specktackel und sahen das geschicht, die schrien
mit der stym centurionis und sprachen „Fürwar ain sun des teuffels und ain
vorläuffer des anticrist ist der fürst" und legentten aus die figur der schrifft
von im und sprachen „Das ist der ander Pharo der do vervolgtt das volck
gotz und mit seinem heer ertrenckt ward in der tyffe des meers. Das ist der
ander Sennacherib der do got lestert, des heer hundert und achtzt tausend
der engel erschlug dorumb er von seinem aygen sun derschlagen ward. Das
ist der ander Eglon der allfayste, der do zyns hat gelegt uff das volck gottes
uf die juden, von Aman mit ainem tegen erstochen. Das ist der ander kirchen-
prüchel Antiochus der mit der kranckheit geplagt ward, das im die därmm
ussgingen und die würmm in verzerten. Das ist der ander Nero der do die
starcken seul der kirchen die hailigen merteerer kronet, der ist unsinig worden, das er sich mit aigener hant hat getött. Das ist der ander Dyocletianus
uss finsterm stammen geporen, der grewlichst durchaichtter der kirchen, den
der teuffel hat angenommen und ersteckt. Das ist der ander Julianus abtrünnig
vom glauben, der von dem hailgen merter Mercurio mit dem schwert durch-
rant wart. Das ist der ander Leo der tritt, der die pild der heilgen hat geprent
die prister hat umbgetriben, dorumb er mit streiten, pestilentz und anderm
unglück gepeinigt ist worden. Das ist der ander Leo der viert, den die geittikeit
überwant das er ain kron auss der kirchen nam und setzt die uff sein haupt, aber
von stund an ist er mit dem fiber geplagt worden und hat den gaist uffgeben.
Das ist der ander Henrich der trit des namens gar ain ungerugs mensch der do
peinigt die kirchen, dorumb er auch erpermmlichen todes in gefecknis seines

suns das leben hat geendet und tot ist. Das ist der ander Fridrich secundus der angefangen hat die kirchen zu drennen, dorumb er gespannt wurd und in sein widerspenung on die sacrament von sainem aigen sun ersteckt wurd.‟ Nun uff den andern tag nach ostern sein zusammen kummen die größern amptleut des fürsten und haben zu im gesagt „Herr, wir haben bedacht, das die verfürer, dieweil sie noch uff iren pfründen saßen, haben gesagt, sie wollen über ettlich tag wider zu iren pfreunden kummen und die besitzen. Schaff das man das verküm, das sie nit aber herschen über uns und werd, der letzt irsal pöser dan der erst". „Ja", antwurt der fürst, „habt hutt und get hynn und hütt wie ir wist." Und belegten mit hüttern die tür gezaichnet.

Und do es nun spot wurd und war, do kam ain man mit namme Methodius pischoff ain bewertter lerer der kirchen, der umb cristenlichs glaubens willen gekerckert war und durch die engelischen offenbarung ain puch geschrieben hat von aller qual der kirchen. Der redt also: ,In den letzten sibentausentten jaren der welt wirt aussgeen der samen Ismael von dem verlassen wüsten geschlecht und wirt in zukunfft sein on all parmhertzigkait und wirt got der herr geben in iren gewalt alle zeug der völcker – – –.‘ Es ist auch kummen Vincencius und hat tragen ain mixtur uss den sprüchen der lerer gesamt die er gemüscht hat in seinem püchlein von dem Ende der welt, von der anderen durchechttung der kirchen durch gehaim fürsten die vor sein gewest schirmer der kirchen, ytzund wüster ettlich zeit werend. Aber darnach so wirt die kirch viel zeit in dem allersichersten frid seyn, welchen frid got der her geb der kirchen seiner spons von ewigket ymer ewiglich gesegent und gelobt. Amen. Ex cancellaria nemonis.‘

Die deutsche Übersetzung[1], der obiges Stück entnommen ist, hat vielleicht den Heilsbronner Zisterzienser Johann Seyler zum Autor. Sie ist sehr bald nach dem lateinischen Urtext[2] angefertigt, der als ,Passio dominorum sacerdotum sub dominio marchionis secundum Mattheum‘ mit den Worten ,In illo tempore dixit princeps consulibus et ministris suis‘ beginnt und handschriftlich z.B. in Bamberg, Hannover, Melk und Quedlinburg überliefert ist. Ein zweiter Wortlaut ,Passio dominorum sacerdotum sub principatu marchionis secundum Mathiam. In illo tempore consiliariis suis‘ ist eine, nach meinen bisherigen Ermittelungen seltenere Abschwächung des ursprünglichen Wortlautes[3]. Die dritte Passio[4] ist eine Gegenschrift gegen die beiden ersten und zugunsten des Markgrafen abgefaßt. Sie rührt von dem Heilsbronner Mönch Dr. Johann Seyler[5] her, scheint zuerst lateinisch konzipiert, aber so-

---

[1] Im Archiv f. Gesch. und Altertumskde v. Oberfranken X (1866) S. 36–53 nicht sehr gut hrsg., besser von W. Engel in der Zeitschrift f. bayer. Land sgesch. XVI 299 ff.

[2] Vgl. Lorenz Kraussold, Dr. Theodorich Morung, der Vorbote der Reformation in Franken. I. Teil (Erlangen 1877) S. V und 41–49 nach dem Plassenburger Text in Bamberg ohne Kenntnis der sonstigen Überlieferung.

[3] Kraussold, a.a.O. S. 49–58 und S. Vf.   [4] Kraussold S. 89–96 und S. VI, 31f.

[5] Studierte in Heidelberg und Wien, starb 1502. Von ihm wurden geschrieben bzw· erworben die Heilsbronner Handschriften Erlangen 438, 481, 669, 713, 850, 1975 l.

gleich für den Fürsten ins Deutsche übertragen zu sein, das ist[1] ‚Die Passion
unseres Herrn Marggraven unter dem Fürsten der Priester Annas und Cai-
phas secundum Johannem'. „Sie zeigt nicht weniger Witz und ist mit mehr
Scharfsinn als die erstere ausgestattet, hat aber, scheint es, ihren Eindruck
dadurch verfehlt, daß sie den Markgrafen als Christum auftreten läßt, ein
Kontrast, der wohl nicht geeignet war, günstig zu wirken." Alle drei nennen
sich Erzeugnisse der Kanzlei „Niemands", einer Person, der wir im zweiten
Hauptteil als einem „Heiligen" begegnen werden. In den Verdacht der Ur-
heberschaft des ältesten Pasquills kam bei Albrecht Achilles der Kanonikus
von Bamberg, Eichstätt, Freising und Würzburg, Dr. Dietrich Morung. Obwohl er leugnete, wurde er von den Markgräflichen verfolgt und, nachdem
er heftig Kritik an den Zuständen des päpstlichen Hofes und am Ablaßwesen
in Deutschland geübt und der Legat Raimund Peraudi seine Auslieferung
vom Nürnberger Rat verlangt hatte, 1489 vom Markgrafen Friedrich ge-
fangen genommen und trotz der Vermittlung König Maximilians erst 1498
aus der Haft entlassen. Wieweit er an der alten Streitschrift wirklich Anteil
gehabt hat, ließ sich noch nicht ganz sicher feststellen[2]. Der markgräflichen
Partei war die Passio nicht zuletzt deshalb unangenehm, weil sie sofort sogar
gedruckt verbreitet wurde, wie der Zeitgenosse Seyler meinte, von Ingolstadt
aus. Im 19. Jahrhundert hat man die gedruckte Flugschrift vielfach vergeblich gesucht; so konnte Kraussold sie nicht auftreiben, und selbst in den
großen bibliographischen Repertorien von Hain und Copinger fehlt die Inku-
nabel. Aber sie existiert, z. B. in der Staatsbibliothek zu München, und ist
1906 von Dietrich Reichling beschrieben worden[3]. Das dünne, nur sechs
Blätter umfassende Heft, ohne Name, Ort und Jahr des Druckers und Druckes,
vielleicht von Martin Flach in Straßburg 1482 schnell und fehlerhaft hergestellt, leitet zu einer neuen Zeit der Parodie hinüber, zu einer Zeit, wo Guten-
bergs Kunst die Pamphlete von Ort zu Ort flattern ließ.

Ich bescheide mich, beim Ende des Mittelalters haltzumachen, ohne zu
vergessen und zu verschweigen, daß die mittelalterlichen Formen der lateinischen Parodie noch lange nachwirkten. Von den Parodien vor 1522 lasse
ich auch die der Renaissance aus unserer Betrachtung fort; ihre Formen und
ihr Geist sind nur zu einem Teile mittelalterlich.

Der Kampf gegen die Kurie hat die Parodien im Mittelalter zu wirksamen
Waffen gemacht. Jahrhundertelang hat man sich dieser Schwerter, Pfeile und

---

[1] Kraussold S. 89–96 und VI.

[2] Vgl. außer Kraussolds Buch Joh. Schneider, Die kirchliche und politische Wirk-
samkeit des Legaten Raimund Peraudi, Halle 1881, S. 16 ff.; Dr. Theodorich Morungs
Gefangennahme und Freilassung: Archiv für Geschichte und Altertumskunde von
Oberfranken. XVII (1888) S. 5 ff.; Willy Böhm, Die Pfaffensteuer von 1480/81 in den
fränkischen Gebieten des Markgrafen Albrecht Achilles. Ein kirchenpolitischer Konflikt, Berlin 1882 (Programm der Sophienschule in Berlin).

[3] Appendices ad Hainii-Copingeri repertorium bibliographicum. fasc. II (München
1906) p. 77.

Nadeln bedient, die alten wieder hervorziehend, neue oft schmiedend und spitzend; Päpste und Kardinäle, der ganze, riesig angewachsene Beamtenhaufen Roms haben sie zu fühlen bekommen und mit ihnen, nach ihnen die hohe und niedere Geistlichkeit, das Ordenswesen, in dem manche ein Unwesen sehen mußten, ja die gesamte Christenheit bis zu den verachteten Bauern hinab. Die Verfasser und Abschreiber der satirischen Parodien waren zugleich derbe Spaßmacher, und es kam ihnen nicht immer darauf an, bestimmte Personen zu treffen, nicht immer sie geistig totzuschlagen. So hat mancher mittelalterliche Mensch, der zu den Betroffenen gehörte oder ihnen treu war, die Parodien als lustige Sticheleien hingenommen und mitgelacht. Aber letzten Endes hat die Verspottung doch zermürbend, zersetzend in Kirche und Gesellschaft gewirkt. Die Parodien haben die kirchlichen und sozialen Umwälzungen der Neuzeit vorbereiten helfen.

II. DIE HEITERE, ERHEITERNDE, UNTERHALTENDE PARODIE

Daß hier den bissigen und grimmigen die heiteren Parodien, den satirischen, tendenziösen die humoristischen, unterhaltenden folgen, bedeutet nicht eine streng zeitliche Anordnung. Ich halte es für müßig, lange darüber nachzugrübeln, ob man im Mittelalter früher boshaft als scherzhaft parodiert hat. Es schien mir praktisch, nach dem Hinweis auf die Ansätze zu beiden Arten die Betrachtung anzuknüpfen an die der Parodie sich besonders früh in starkem Umfang bedienende antikuriale Publizistik, anzuknüpfen an die heute wohl bekannteste und im Mittelalter einflußreichste lateinische Parodie, an das Geldevangelium, und so kam ich zuerst zum bitteren Spott und bösen Scherz.

Man ist und hat versucht, die humoristische Parodie von den kirchlichen Narrenfesten abzuleiten. Diese mit den antiken Saturnalien zusammenhängenden Belustigungen, die von der mittelalterlichen Schuljugend und niederen Geistlichkeit jahrhundertelang am Stephanstag, am Tag der unschuldigen Kindlein, Neujahr, Epiphanie, an Johanni in und bei den Kirchen begangen wurden, später auf die Straßen und in die Kneipen zogen, um schließlich im Studentenulk und Fastnachtstreiben zu münden, wichtig z. B. wegen ihres Einflusses auf das komische Theater, ahmen in der Tat die kirchlichen Riten, Zeremonien lustig nach. Die Texte möchte ich nicht durchweg parodistisch nennen: viele sind nur fröhlich, sind bloß dadurch komisch, daß sie von Kindern oder Geistlichen niederen Grades in Verkleidungen ausgelassen vorgetragen wurden, nicht alle im Wortlaute komisch. Man vergleiche zur Probe die harmlosen Lieder im 20. Bande der Analecta hymnica S. 217 ff. Jedoch sind die Feste vielfach ausgeartet, besonders das der Subdiaconen (Neujahr, Epiphanie), das, zum eigentlichen Festum stultorum, fatuorum, follorum geworden, in Frankreich ausschweifend gefeiert wurde. Schon im

13. Jahrhundert ging man an die Revision des Officiums und ließ in Sens eigentlich nur einen anstößig zu nennenden Text, die Eselsprose[1] übrig:

> Orientis partibus
> adventavit asinus,
> pulcher et fortissimus.
> sarcinis aptissimus.
> Hez, Sir asne, hez!
>   usw.

1. Aus dem Morgenlande kam
uns ein Esel lobesam,
Esel schön und tapfer sehr,
Keine Last ist ihm zu schwer.
 He, Herr Esel, he!

2. Ruben zog auf Sichems Höh'n
auf dem Esel stark und schön,
durch des Jordans Bette tief
er gen Bethlem hurtig lief.
 He, Herr Esel, he!

3. Also zierlich tanzt einher
Rehlein, Zicklein nimmermehr,
also hurtig traben kann
kein Kamel aus Madian.
 He, Herr Esel, he!

4. Goldbeladen kam J-ah
fernher aus Arabia,
fern aus Saba hat beschafft
Gold und Weihrauch Eselskraft.
 He, Herr Esel, he!

5. Während er im Karren keucht
und gar schwere Lasten zeucht,
mahlt sein starkes Backenbein
hartes Futter kurz und klein.
 He, Herr Esel, he!

6. Gerstenstroh mit Acheln dran,
Disteln er verknausen kann,
auf der Tenne mit Bedacht
drischt von früh er bis zur Nacht.
 He, Herr Esel, he!

---

[1] Anal. hymn. XX 217f. Gute Übersicht über die Probleme bei G. M. Dreves, Zur Geschichte der fête des fous: Stimmen aus Maria Laach. XLVII (1894) S. 571–587.

7. Amen sprich nun, Eselein,
   wirst wohl satt vom Grase sein.
   Amen, Amen früh und spät,
   alles Alte sei verschmäht.
   He, Herr Esel, he!

Die Übersetzung, die ich dem Aufsatz von G. M. Dreves entnommen habe, zeigt, daß selbst diese parodistische Eselssequenz im Grunde sehr zahm ist. Die sich gegen die sonstigen – zumeist nicht literarischen – Auswüchse richtenden Reformversuche hatten vor der Mitte des 15. Jahrhunderts wenig Erfolg. „Die Kleriker[1] erschienen in der Kirche Ende des 14. Jahrhunderts nicht bloß in Tiermasken, sondern auch als Weiber, Zuhälter, Gaukler verkleidet. Anstatt mit Weihrauch räucherten sie mit Blutwurst oder altem Stiefelleder. Statt der Responsorien sangen sie schmutzige Lieder. Statt der Hostie genossen sie am Altar fette Würste. Auch vergnügten sie sich während der kirchlichen Feier mit Würfelspiel und führten zum Ergötzen der Zuschauer sehr unpassende Reigentänze auf. Fast noch schlimmer waren die Prozessionen, die sich an die kirchliche Feier anschlossen. Junge Leute produzierten sich dabei wohl im Adamskostüm und suchten den Pöbel durch unanständige Gebärden und Reden zu amüsieren." Bei diesen Ausschweifungen wurden tatsächlich liturgische Formeln parodiert, zumal bei der Wahl des „Abtes" oder „Bischofs"[2]. Die Texte sind aber nur selten aufgezeichnet worden und bedienen sich weit mehr der Volkssprachen als des Lateinischen. Von den erhaltenen mittellateinischen Parodien, die ich zu besprechen habe, ist teils nicht nachgewiesen, teils bestimmt nicht richtig oder nicht anzunehmen, daß sie direkt aus dem Repertoire der kirchlichen Narrenfeste stammen. Daß die oder jene Messe der Spieler und Trinker in die Kirchen gedrungen ist, halte ich immerhin nicht für unmöglich. Wahrscheinlicher noch ist der ursprüngliche Zusammenhang der Scherzpredigten, der Sermons joyeux mit der Parodie des christlichen Gottesdienstes. Nur darf man sich ganz und gar nicht vorstellen, daß jeder solche Ulk zu den Festen gehört. Viele Parodien sind Buchscherze geblieben, viele in übermütiger Laune für Kneipe und Straße und weltliche Bühne geschrieben. Und alle überlieferten, an die man denken könnte, sind jung.

Es empfiehlt sich, daß wir uns einen anderen Führer ins Reich der heiteren Parodie suchen; wir finden ihn in einem genialen Sänger des 12. Jahrhunderts, dessen Namen wir nicht kennen, dessen deutscher Herkunft wir uns aber freuen dürfen, in jenem Dichter, der als Archipoeta unsterblich ist.

Unter den wenigen Gedichten[3], die wir von ihm kennen, ist keine Vollparodie,

---

[1] Realencyklopädie für protestantische Theologie und Kirche. XIII[3] 652.

[2] Vgl. in Ducanges Glossarium unter ‚Abbas Cornardorum' und ‚Kalendae'.

[3] Letzte, nicht voll befriedigende Ausgabe von M. Manitius, München 1913, als 6. Heft der Münchener Texte herausgeg. von Friedrich Wilhelm. Der Aufsatz von W. Meyer Der Kölner Archipoeta: Nachrichten der K. Gesellschaft der Wissenschaften zu Göt-

die sich streng vom Anfang bis zum Schluß an den Wortlaut einer anderen literarischen Schöpfung hält. Vielleicht war seine Eigenheit und Eigenwilligkeit,
sein Drang, ursprünglich zu gestalten, für ein Nachbeten, Nachsingen, sei es
auch nur im Spaß, zu groß. Für Einzelheiten und in freier Form hat er parodistischen Humor gelegentlich gebraucht. Sein Gedicht (Manitius no. II):

> ‚Lingua balbus, hebes ingenio
> viris doctis sermonem facio.
> Sed quid loquor, qui loqui nescio?
> necessitas est, non presumptio‘
> usw.

ist scheinbar eine ernste Predigt, letzten Endes aber eine an christliche Gedanken gebundene, mit Anspielungen auf Bibel und Gottesdienst geschickt
arbeitende Mahnung zu Freigebigkeit und schließt:

> ‚Viri digni fama perpetua,
> prece vestra complector genua:
> ne recedam hinc manu vacua,
> fiat pro me collecta mutua.
> Mea vobis patet intencio,
> vos gravari sermone sencio.
> Unde finem sermonis facio,
> quem sic finit brevis oratio.‘

Es folgt also nun ein Gebet, das doch halb Parodie ist:

> ‚Prestet vobis creator Eloy
> caritatis lechitum olei,
> spei vinum, frumentum fidei
> et post mortem ad vitam provehi.
> Nobis vero mundo fruentibus,
> vinum bonum semper bibentibus,
> sine vino deficientibus,
> nummos multos pro largis sumptibus.
> Amen.‘

Parodistisch sind die beiden Beicht- und Bußgedichte des Erzpoeten (Mani-
tius no. III und VIII). Der bibelfeste Dichter spielt darin den reumütigen
Sünder, die christlichen Schuldbekenntnisse werden zu Verteidigungen und
Anklagen. Ob Ganszyniec[1] eine bestimmte Sequenz im Auge hatte, als er die
Scheinbuße ‚Fama tuba dante sonum‘ eine „köstliche Parodie zur Sequenz"
nannte, möchte ich bezweifeln. Es ist von ihm wohl im allgemeinen die humo-

---

tingen, Geschäftliche Mitteilungen, 1914, 2. Heft hat mich enttäuscht. Nunmehr kri-
tisch bearbeitet von H. Watenphul, her. von H. Krefeld, Heidelberg 1958.
[1] Münchener Museum, her. von Friedrich Wilhelm. IV 117.

ristische Nachahmung des Sequenzenstiles gemeint. Auch Manitius' Bezeichnung[1] des Gedichtes als einer „höchst gelungenen Parodie auf die Schicksale des Jonas" ist nicht gerade glücklich. Man liest erst im 21. Verse, daß sich der Archipoeta mit Jonas vergleicht und hört immer nur Anklänge an dessen Schicksale. Charakteristisch für die parodistisch freche Komik ist, daß er am Schluß, ein Wort Christi aus dem Johannesevangelium (XV 5) auf seinen Herrn und sich anwendend, sich verabschiedet mit der Strophe:

> ‚Pacis auctor, ultor litis,
> esto vati tuo mitis
> neque credas imperitis!
> Genetivis iam sopitis,
> sanctior sum heremitis.
> Quicquid in me malum scitis,
> amputabo, si velitis;
> ne nos apprehendat sitis,
> ero palmes et tu vitis.'

Ähnliche parodistische Plünderung der Bibel begegnet auch sonst bei ihm. Statt auf all die kühn mit heiligen Worten umspringenden Stellen einzugehen, möchte ich an des Erzpoeten berühmte Beichte (Manitius no. III)

> ‚Estuans intrinsecus ira vehementi
> in amaritudine loquor meae menti:
> Factus de materia levis elementi
> folio sum similis, de quo ludunt venti'

erinnern. Denn da enthüllt der Dichter in der Form einer freien Parodierung der echten kirchlichen Beichte seine weltfreudige Lebensauffassung, die ebenso Tausende seiner Zeitgenossen und Nachfahren erfüllt hat. Besonders am Anfang muß man mehrfach an bestimmte Bibelverse denken. Das hat gewiß in der Absicht des Schalkes gelegen. Was er erstrebt und erreicht hat, ist beim Vortrag der biblische, kirchliche Ton, beim Anhören und Lesen ein lustiges Schmunzeln derer, die mit der Bibel vertraut waren. Man kann von einem Parodieren reden, wenn man nicht zuviel in das Wort hineinlegt. Parodistisch ist es jedenfalls, daß er sich für sein letztes Stündchen (Str. 11 u. 12) einen guten Wein und ein Requiem der Engel wünscht, daß er die himmlischen Chöre nach Lukas XVIII 13 ‚Deus propitius est mihi peccatori' singen läßt: ‚Deus sit propitius huic potatori!' Zum richtigen Verständnis gehört, daß man jeweils weiß, was imitiert und zitiert ist. Für die Strophe 23

> ‚Iam virtutes diligo, viciis irascor,
> renovatus animo spiritu renascor;
> quasi modo genitus novo lacte pascor,
> ne sit meum amplius vanitatis vas cor'

[1] Ausgabe S. 5.

behaupten sowohl Manitius (S. 29) wie Frantzen[1] Benutzung von Petr. II 2
der Vulgata, wo es heißt: ‚Sicut modo geniti infantes'. Jedoch hat der Dichter
die Messe vom Weißen Sonntag in Ohr und Feder gehabt. Dort sind im Introitus die Petrusworte von alters her variiert: ‚quasi modo geniti infantes,
alleluia, rationabiles, sine dolo lac concupiscite, alleluia'. Außerdem spielt in
die Verse Ev. Joh. III 5f. hinein. Bei Str. 23 und 24 ist der Reuige schon am
Ende. Was vorausgeht und von ihm behandelt wird, sind drei Vorwürfe, die
man ihm gemacht hatte: sein Liebeln, sein Spielen und Zechen. Wie er sich
zu den Anklagen gestellt hat, sollte man lesen. Seine Beichte ist ein Hohes
Lied ungebundenen Lebensgenusses einer Künstlernatur[2].

1. Liebesleben

> Presul discretissime, veniam te precor:
> morte bona morior, dulci nece necor,
> meum pectus sauciat puellarum decor,
> et quas tactu nequeo, saltem corde mechor.
> Res est arduissima vincere naturam,
> in aspectu virginis mentem esse puram;
> iuvenes non possumus legem sequi duram
> leviumque corporum non habere curam.
> Quis in igne positus igne non uratur?
> Quis Papie demorans castus habeatur,
> ubi Venus digito iuvenes venatur,
> oculis illaqueat, facie predatur?
> Si ponas Ypolitum hodie Papie,
> non erit Ypolitus in sequenti die.
> Veneris in thalamos ducunt omnes viae,
> non est in tot turribus turris Ariciae.
>
>   (Archipoeta)

Venantius Fortunatus, der an der Schwelle vom Altertum zum Mittelalter
stand, hatte noch antike Formgewandtheit, hatte Empfindsamkeit, Einfüh-
lungsfähigkeit, um Liebestöne wenigstens mitschwingen und mitklingen zu
lassen. Dann kamen zwei Jahrhunderte dichterischer Roheit oder Rauheit
und ihnen folgt mit der karolingischen Renaissance ein Zeitalter, das ehrlich
nach den antiken Formen der Poesie strebt, indes zumeist nicht über das Gelehrte, Schulmeisterliche und Schülerhafte hinausdringt und in den Dichtungen dem Gefühlsleben eigentlich nur auf religiösem Gebiet freieren Lauf
läßt. Erst seit dem 10./11. Jahrhundert findet man hie und da die frischen
Farben, die hellen Laute irdischer Liebe. Und bald tönt uns aus den soge-
nannten Cambridger Liedern, aus den Weisen Abaelards und seiner Schüler,

---

[1] Neophilologus V 174.

[2] Laut H. Walther in der Zeitschrift für deutsches Altertum. XLVIII (1952/53) S.
265f. steht im Harleianus 3362 eine asketische Dichtung in der die 7. Strophe parodistisch umgedichtet ist.

aus den Gesängen der Goliarden ein Vielerlei von zartem Sehnen, stürmischem Werben, von dreistem und frechem Liebesgenuß, von jauchzendem Jubel entgegen. Wie ein Wunder mutet uns das Erwachen der weltlichen Lyrik an. Doch dieses Wunder ist bis zu einem gewissen Grade erklärbar. Eine Erklärung ist wohl die, daß die himmlische Liebe längst und in stets wachsendem Maße poetischen Ausdruck gefunden hatte. Die religiöse Hymnen- und Sequenzendichtung ist den reifenden Menschen des Mittelalters eine mächtige Lehrmeisterin der erotischen Lyrik geworden, für Metrum und Rhythmus, für Melodie und Strophenbau, für sprachliche Wendungen, Vergleiche und Bilder. Umgekehrt sind die geistlichen Ergüsse nicht frei von Weltlichem geblieben. Der religiöse Dichter versucht, sich die Sinnenwelt untertan zu machen und ahmt bald die Sänger der fleischlichen Liebe so nach, daß man oft erstaunt über die Leidenschaftlichkeit des Verlangens, über das sinnliche Schildern, z.B. in den Marienhymnen.

Bei der gegenseitigen Beeinflussung, die für die mittellateinische Literatur näher erforscht zu werden verdient[1], bei der allgemeinen Freiheit in der Verwertung fremden schriftstellerischen Gutes ist es oft schwer, ja nicht selten unmöglich festzustellen, ob und wo der Liebesdichter bei der Nachdichtung und Zitierung geistlicher Texte bewußt parodistisch arbeitete, d.h. mit der Imitation eine komische oder doch unterhaltende Wirkung beabsichtigte. Ruft der Liebende[2] aus:

>   ‚Nobilis mei   miserere precor,
>   tua facies   ensis est quo necor,
>   nam medullitus   amat meum te cor.
>   Subveni!‘

so ist das dem Ton und den Worten nach ein Liebesgebet und doch für mich keine Parodie christlichen Flehens. Auch der dann erschallende Refrain

>   ‚Amor improbus   omnia superat‘

klingt wohl an Vergil, Georg. II 383 ‚Labor omnia vincit improbus‘ an, schwerlich aber würde man daraus eine Spottabsicht mit Recht herauslesen, zumal da Vermischung mit Aen. X 69 ‚omnia vincit amor et nos cedamus amori‘ vorliegen dürfte, das in mittelalterlichen Gedichten oft zitiert und variiert erscheint[3]. Die Klage des Liebenden[4]

---

[1] Vgl. z.B. O. Hubatsch, Vagantenlieder S. 28 ff. u. 77 ff.; Allen in Modern Philology V. 428 sqq., 454 sqq.

[2] C. B. no. 115, Hilka Schumann.

[3] Als Kehrreim des Gedichtes ‚Preclusi viam floris‘ bei W. Meyer, Die Arundelsammlung mittellateinischer Lieder, Berlin 1908 (Abhandl. d. Kgl. Ges. d. Wiss. zu Göttingen, Philol.-hist. Kl. N. F. XI no. 2), S. 11.

[4] C. B. no. 105 H.-Sch. Str. 6.

,Vertitur in luctum
organum Amoris,
canticum subductum
absinthio doloris‘

erinnert durch Zeilenbau und die Reimung ,luctum – ductum‘ stark an Walther von Chatillon[1]:

,Versa est in luctum
cythara Waltheri,
non quia se ductum
extra gregem cleri‘,

erinnert im übrigen wie die Waltherstelle an Job XXX 31 ,Versa est in luctum
cithara mea et organum in vocem flentium‘. Folgte der Dichter nur Hiob oder
Hiob und Walther, so bediente er sich ihrer doch wie Krücken. Der Hiob-
vers ist auch sonst während des Mittelalters in vollem Ernste gebraucht und
nachgeahmt worden[2].

Beim weiteren Durchlesen der Carmina Burana hat man zwischen dem zu
den Liebesfreuden des Frühlings auffordernden Liede (no. 79):

,Congaudentes ludite,
choros simul ducite!
Juvenes sunt lepidi,
senes sunt decrepiti.
Audi bela mia,
mille modos Veneris
da hizevaleria‘
usw.

und der geistlichen Poesie insofern einen Zusammenhang festzustellen, als
,Congaudentes‘ ein beliebter Hymnenanfang der Kirche ist und ,choros ducite‘
auch bei geistlichen Festen gesungen wird[3]. Meines Erachtens hat sich da der
Poet tatsächlich mit der Entlehnung eine kecke Wendung zum Weltlichen erlaubt. Von Parodie zu reden, wäre allerdings gewagt. Immerhin ist hier dank
der Wortwahl der Abstand vom Parodistischen nicht mehr weit, ähnlich wie

---

[1] C. B. no. 123 H.-Sch.; über die Echtheit dieses Gedichtes F. Novati in der Romania
XVIII (1889) p. 283 sqq.

[2] Vgl. Bernhard von Clairvaux, Migne CLXXXII 305; Suger über den Tod Karls des
Guten von Flandern, Du Méril, Poesies (1847) p. 270; Dolopathos des Johannes de Alta
Silva ed. A. Hilka, Heidelberg 1913, S. 33 Z. 28; Johann von Salisbury, Migne CXCIX
97; Peter von Blois, Migne CCVII 487; Vita ven. Odae: Acta sanctorum. Aprilis tom.
II 775; Epitaphium für Thomas Aquin.: Archiv für Literaturgeschichte. VII (1878)
S. 429.

[3] Vgl. etwa Analecta hymnica. LII 232.

durch die Feierlichkeit der sonst für religiöse Klagelieder beliebten Achtsilber
m jenem Poem, wo ein Schwerenöter seine Liebesbeteuerung mit Jammern
und Fluchen über die bösen Lästermäuler einleitet[1]:

> ‚Lingua mendax et dolosa,
> lingua procax, venenosa,
> lingua digna detruncari
> et in igne concremari.‘
> usw.

Den ‚senes decrepiti‘ wurden in kurz vorher von mir angeführten Versen
die ‚iuvenes lepidi‘ gegenübergestellt, in anderen Liedern von Lenz und Liebe
sind die zu neuer Sinnenlust Erweckten ‚quasi modo geniti‘ genannt.

> ‚Juvenes nunc transeunt
> limites illiciti
> senes et decrepiti
> modum ... nesciunt,
> tenere lasciviunt
> quasi modo geniti‘

heißt es in ‚Frigescente caritatis‘ der Sammlung von St. Omer saec. XII ex[2],
in ‚Licet eger vum egrotis‘ derselben Liederhandschrift der Carmina Burana
und noch fünf Codices[3]:

> ‚Senes et decrepiti
> quasi modo geniti
> nectaris illiciti
> hauriunt venenum.‘

Schon mit ‚senes decrepiti‘ wird vielleicht auf die Bibel oder einen von ihr
abhängigen geistlichen Text angespielt; denn 2 Par. XXXVI 17 findet sich
der Satz ‚interfecit iuvenes, non est misertus adolescentis et virginis et senis
nec decrepiti quidem‘. Sicher ist ‚quasimodogeniti‘ parodistisch gebraucht.
Den Hörern und Lesern jener Liebeslieder konnte und sollte diese Entlehnung
aus dem Introitus der Messe am Weißen Sonntag nicht entgehen, wurde dieser
Introitus doch gerade an einem Frühlingssonntage angestimmt. Der Gegensatz zwischen der Heiligkeit des Weißen Sonntags in der Kirche, der die Wie-

---

[1] C. B. no. 168.
[2] Mone im Anzeiger für Kunde der deutschen Vorzeit. VII 110.
[3] W. Meyer, Die Arundelsammlung S. 41. Zur Überlieferung vgl. meinen im Druck
befindlichen, am 6. Mai 1922 in der Bayer. Akademie der Wissenschaften gehaltenen
Vortrag „Mittellateinische Verse in Distinctiones monasticae et morales vom Anfang des
13. Jahrhunderts“; jetzt in meiner „Erforschung“. IV 317ff.

dergeburt durch die Taufe feiert, und der Ausgelassenheit der Reigen und
Chöre zu Ehren des Wiedererwachens der Liebe draußen in Wald und Flur
mußte wirken. Daß auch der Archipoeta sich ‚quasimodogenitus‘ nennt und
die modernen Gelehrten[1] die Beziehung auf die Liturgie nicht recht gesehen
haben, ist bereits (oben S. 142) bemerkt.

Fraglich ist mir, ob in der Strophe[2]

> ‚Ama me fideliter, fidem meam nota:
> de corde totaliter et ex mente tota
> sum presentialiter absens in remota.
> Quisquis amat aliter, volvitur in rota‘

die Erinnerung an Matth. XXII 37 ‚Diliges Deum tuum ex toto corde tuo et
in tota anima tua et in tota mente tua‘ noch lebendig war und sein sollte.

Einen der stärksten Beweise, daß die mittellateinischen Liebeslyriker parodierten oder der Parodie sehr nahe kamen, liefert mir das Gedicht[3]

> ‚Si linguis angelicis   loquar et humanis‘.

Der Poet schildert eine Begegnung zweier Liebenden und beschreibt ganz
eindeutig, was das Ende, die Krönung des Gespräches der beiden ist:

> ‚Quid plus? Collo virginis   brachia iactavi,
> mille dedi basia,   mille reportavi
> atque saepe saepius   dicens affirmavi:
> Certe, certe illud est   id quod anhelavi!
> Quis ignorat amodo   cuncta quae secuntur?
> Dolor et suspiria   procul repelluntur,
> paradisi gaudia   nobis inducuntur,
> cunctaeque deliciae   simul apponuntur.
> Hic amplexus gaudium   est centumplicatum,
> hic meum et dominae   pullulat optatum
> hic amantum bravium   est a me portatum,
> hic est meum igitur   nomen exaltatum.‘

Wie aber beginnt dieses bald gezierte und zierliche, bald feurige erotische
Lied? Ein bekanntes herrliches Bibelwort des Apostels Paulus ‚Spräche ich
mit Menschen- und Engelszungen‘ (1. Kor. XIII 1) bildet den Eingang. Die
zweite Strophe hebt an mit den seit Venantius Fortunatus unzählige Male

[1] Selbst W. Meyer, Die Arundelsammlung S. 43, hat offenbar das ‚quasi‘ für ‚sicut‘
nicht ganz verstanden.
[2] C. B. no. 136 H.-Sch.
[3] C. B. no. 77 H.-Sch.

gesungenen, oft in frommem Sinne für neue Dichtungen verwandten Worten
des Hymnus auf das Kreuz Christi ‚Pange lingua'. So atmen die ersten
Strophen Feierlichkeit und Zurückhaltung der irdischen Gefühle. Dann steigert der Künstler den Effekt, indem er nach der Begegnung den Liebhaber
Strophe 6 und 7 in Begeisterung und Anbetung vor der Auserkorenen nieder-
knien und sie so begrüßen läßt, daß der Hörer immer noch zweifeln konnte,
ob er nicht die heilige Jungfrau Maria, die süße Gottesmutter, meinte[1]:

> ‚Ave formosissima,   gemma pretiosa,
> ave decus virginum,   virgo gloriosa,
> ave mundi luminar,   ave mundi rosa!'

Und nun mit neuen Vergleichen die Lösung:

> ‚Blanziflor et Helena,   Venus generosa.'

Der Morgenstern, der ihm leuchtet, ist ein holdes Mägdelein von Fleisch
und Blut, kein himmlisch Wesen. In heißer Frauenliebe betet er (Strophe 9
und 19f.) zu Gott und Christus. Ich kann nicht anders, als planvolles Ein-
führen der kirchlichen Sprache, der religiösen Bezeichnungen und Bilder aus
Bibel und Marienhymnen in die Erotik anzunehmen. Für Zufall, Unbewußt-
heit, harmlose Imitation sind die parodistisch anmutenden Elemente zu sehr
gehäuft, arbeitet der Dichter in allen 33 Strophen zu überlegt. Wie er damit
rechnen mußte, daß die Zeitgenossen aus Strophe 19 einen lauten Nachhall
der damals immer und immer wieder gelesenen Pamphiluselegie (v. 1ff.)
heraushörten, ebenso wurde es von ihm vorausgesehen, beabsichtigt, daß sein
Publikum an die religiöse Sprache und Literatur erinnert wurde.

Nur parodieähnlich könnte man solche Anlehnungen nennen, weil nicht von
Haschen nach einem eigentlich komischen Effekt gesprochen werden darf, die
Anlehnungen reizen, die Aufmerksamkeit anregen, aber nicht gerade Lachen
hervorrufen sollen[2]. Die Komik der Parodie findet man in den erotischen
Possen und Schwänken. Je schwächer die Sentimentalität und Innigkeit, je
stärker die Sinnlichkeit hervorgekehrt wird, um so deutlicher und häufiger
tritt die Parodie in der Liebesliteratur auf.

Lockere Poeten haben sich nicht gescheut, mit der Antike ihr Spiel zu
treiben. Im 12. Jahrhundert erzählt ein schalkhafter Dichter, daß Leda aus
den Wolken zu ihm herabgeschwebt wäre, ihn zärtlich begrüßt und ihr eroti-

---

[1] Aus H. Süßmilchs Bemerkungen, Die lat. Vagantenpoesie S. 37, scheint mir hervor-
zugehen, daß er übersah, wie der Dichter nicht naiv im berauschenden Glück der Liebe
gedichtet, sondern aus der Mariologie und anderem geschöpft hat.

[2] Auch der Anfang des Gedichtchens (C. B. no. 119, 157 H.-Sch.) von der Schäferin,
die ihre Unschuld opfert, um ein vom Wolf bedrohtes Lamm zu retten ‚Lucis orto sidere',
ist hier zu erwähnen. Er imitiert die sehr häufigen Eingänge kirchlicher Hymnen ‚Jam
lucis orto sidere' und ‚Lucis orto sidere'.

sches Erlebnis mit Jupiter, von der Geburt des Kastor, des Pollux, der schönen
Helena berichtet hätte, wie er der Göttin in die Rede gefallen wäre, um seine
Albors über die Helena zu stellen. Von Neugier gequält, hätte Leda mehr über
dieses Mädchen erfahren wollen und ihm alles versprochen. So wäre ihm als
Preis und Lohn gestattet worden, Ledas Leib in Wonne zu genießen, und er
so Jupiter gleich, ja größer, glücklicher als dieser gemacht. W. Meyer, der das
vermutlich in England entstandene Gedicht von der „modernen" Leda herausgab und erörterte[1], fragt: „Wollte der Dichter das gepriesene Altertum
parodieren? Zu einzelnen Menschen des bewunderten Altertums kamen Götter
oder Göttinnen herab, wie Venus zu Anchises, und minnten sie. Oh, darin
stehen wir ihnen nicht nach – – –." Ich kann die Frage nicht mit Ja beant-
worten, weise des Göttinger Meisters Gedanken an eine absichtliche „Verhöhnung der Mythologie" als zu weitgehend zurück. Den Erotikern des 12./13.
Jahrhunderts lagen Angriffe auf die Antike fern. Man braucht nur in den
Carmina Burana zu blättern, um zu sehen, wie vertraut sie mit den Gestalten
der griechisch-römischen Sagenwelt gewesen sind. Zum höchsten Lob der
angebeteten Schönen weiß da einer zu sagen[2]:

> ‚O, si forte Jupiter hanc videat,
> timeo, ne pariter incaleat
> et ad fraudes redeat
> sive Danaes pluens antrum
> imbre dulci mulceat
> vel Europes intret taurum
> vel et haec congaudeat
> rursus in olore.'

Und wenn der andere, wie wir hörten, einen Triumph über Leda erdichtet,
so ist das ein parodistisches Spielen mit den Kenntnissen antiker Götter-
geschichten, kein Höhnen oder Spotten. Nicht über die vielen Liebeleien der
Olympier, sondern durch die leichten Erzählungen und Anspielungen macht
man sich lustig. Auch das mit der Geschichte vom Liebesabenteuer Jupiters
mit Danae endende Poem[3]

> ‚Primo veris tempore, vere renascente,
> sole pene penitus taurum attingente'

ist ein Erzeugnis heiteren Übermutes, ein Repertoirestück der Unterhaltung.
Man kann es eine Travestie heißen. Wie in einer Posse, einer Offenbachschen
Operette werden die Götter höchst amüsant geschildert.

---

[1] Zeitschrift für deutsches Altertum. L (1908) S. 289 ff.
[2] C. B. p. 149, Nr. 83 H.-Sch.
[3] W. Wattenbach in der Zeitschrift für deutsches Altertum. XVIII (1875) S. 475,
vgl. auch B. Hauréau in den Notices et extraits. XXIX 2 p. 304 sq.

Mit dem Hinweis auf die Macht der Liebe über die Götter Zeus, Neptun, Pluto, auf die Allmacht der Liebe über die Menschen und Tiere beginnt in einer heute in Florenz liegenden Handschrift ein mittellateinisches Lied[1]. „Das in allen Einzelheiten und im ganzen Aufbau vortreffliche und humorvolle Gedicht – – – ist durch eine plumpe Hand verknittert und verbogen zu dem Text, der in den Carmina Burana[2] vorliegt." Die Plumpheit wird aufgewogen durch die von W. Meyer fein beobachtete und beleuchtete Tatsache, daß Str. 9 bis 16 des Benediktbeurer Textes eine offensichtliche Parodie von Str. 1 bis 8 bilden, welche Strophen eine leichte Umarbeitung des Florentiner Wortlautes vorstellen. Hatte der ursprüngliche Dichter nach den allgemeinen Gedanken über die Gewalt der Liebe gesagt: Auch ich liebe ein Mädchen von unbeschreiblichem Liebreiz, Caecilia. Doch schone und hüte ich ihre Tugend; ich hoffe dabei auf dereinstige Freuden und hasse überhaupt alle, die nicht mehr Jungfrauen sind. Also, Geliebte, wollen wir nur zartes und zahmes Liebesspiel treiben, von derber Sinnenlust uns fern halten, – so prahlt der Parodist, Caeciliens Keuschheit besiegt zu haben[3]:

„Als Merkur und Jupiter
sich im Zwilling grüßten,
Mars zugleich und Venus sich
in der Wage küßten,
kam Caecilchen auf die Welt –
Stier war in der Rüsten.

Ganz dieselbe Conjunctur
hat sich mir gefunden.
So bin ich ihr zugesellt
von der Gunst der Stunden
und durch meine Sterne schon
meinem Stern verbunden.

Könnte sie des Cephalus
spröder Blick erreichen,
dann, Aurora, dürftest du
Paris' Weibe gleichen –
alle deine Herrlichkeit
müßte hier erbleichen.

[1] W. Meyer in der Festschrift für Pio Rajna: Studi letterari ... a P. R., Milano 1911, S. 161 ff.
[2] no. 61.
[3] Es folgt oben die Übertragung von Ludwig Laistner, Golias, Studentenlieder des Mittelalters aus dem Lat., Stuttgart 1879, S. 45–47.

Könnte Gott Mercurius
meine Holde sehen,
dann, Frau Philologia,
wär's um dich geschehen:
Ihr zuliebe würd' er dir
flugs den Rücken drehen.

Unsre Liebe bietet uns
beiden voll Genügen—
und kein Schleicher soll fortan
sich dazwischen trügen:
So spricht unsre Sternenschrift,
und die kann nicht lügen.

Ei, da mag sie sonst vielleicht
Minnegunst gewähren,
und was ich vorzeiten sang,
scheint sich aufzuklären.
Nein, ihr Herren, es bleibt dabei,
laßt euch nur belehren.

Lieben ist bekanntlich ein
Verbum transitivum;
des Transites Medium
heißt man das Passivum:
folglich ohne Passion
gibt es kein Activum.

Wer das Datum wissen will:
zehnter Tag im Maien;
da war große Passion
und zwar ohne Schreien.
Laßt auch dieser Fortsetzung
Beifall angedeihen."

In der zweitletzten Strophe

,Est hoc verbum „diligo"
verbum transitivum,
nec est per quod transeat
nisi per passivum:
ergo cum nil patitur
nil valet activum'

stößt man wieder einmal auf das so gern[1] von den mittelalterlichen Scholaren betriebene Scherzen mit Ausdrücken des Unterrichts. Mit der Hoffnung auf die „Deklination" schließt ein Sehnsüchtiger sein Loblied geradezu obszön[1]:

> ‚Non in visu defectus
> auditus nec deiectus
> eius ridet aspectus.
> Sed et istis iocundius:
> locus sub veste tectus.
> In hoc declinat melius
> non obliquus, sed rectus.
>
> Ubi si recubarem
> per partes declinarem,
> casum pro casu darem
> nec praesens nec praeteritum
> tempus considerarem,
> sed ad laboris meritum
> magis accelerarem.'

Ein Vagant, der an der Donau ein singendes Mädchen trifft und sich in sie verliebt, beginnt: ‚Dum transirem Danubium' und endet[2]:

> Tam dilecta lectio
> quo legatur nescio;
> ex hoc participio
> declinatur cupio.
> Sine magisterio
> scitur haec coniunctio.'

Was und wie hier dekliniert und konjugiert ist, versteht sich wohl von selbst. Das Liebeslied ‚Spoliatum flore pratum' schließt mit der Bemerkung, daß die Liebe den Armen zurückstößt, dem Freigebigen sich verbindet[3]:

> ‚dum adquisitivo
> construendi genere
> se copulat dativo.'

---

[1] C. B. no. 126 p. 200 sq. Nr. 164 H.-Sch.
[2] Mone aus einer Lütticher Hs. 13. Jahrhunderts im Anzeiger für Kunde der teutschen Vorzeit. V (1836) S. 448.
[3] Die Arundelsammlung S. 31.

Die grammatikalische Bezeichnung der Fälle kommt mehrfach in der Erotik vor. Genitivus ist bald der Geschlechtsteil, bald der Geschlechtsakt und der dem Koitus frönende Mann[1]. Fast alle Kasus weiß folgende spätmittelalterliche Reimerei mit der fleischlichen Liebe in Verbindung zu bringen.

,Vocativos oculos,
ablativos loculos
gerunt mulieres.
Si dativus fueris
quandocunque veneris
genitivus eris.'

So lautet in München lat. 641 die ‚Doctor(is) Noe declina(cio)'; in einer Wettinger Handschrift vom Jahre 1455 mit Variation der letzten beiden Kurzzeilen[2]:

,genitivus fieri potueris,
sed queris.'

Bezeichnend fürs Mittelalter ist, daß neben dem Genitivus eroticus ein Genitivus mysticus einhergeht, daß die grammatischen Ausdrücke auch in der theologischen Nomenklatur erscheinen.

,Prima declinatio
casuum regulatio
misit genitivum'

beginnt ein die Menschwerdung Christi behandelnder Leich, den wohl ein junger böhmischer Kleriker ersonnen hat[3]. Daß der Dichter in allen Versen die uns für das heilige Thema unpassend dünkende Schulsprache spricht, soll uns hier nicht weiter beschäftigen. Bloß auf den Anfang der zweiten Strophe sei noch aufmerksam gemacht:

,Scribere clericulis
cunctis cristicolis
nobis instat cura.'

---

[1] Vgl. W. Meyer, Die Oxforder Gedichte des Primas (1907) S. 146; ders., Das erste Gedicht der Carmina Burana: Nachrichten der K. Ges. d. Wissenschaften zu Göttingen. Philol.-hist. Kl. 1908 S. 190 ff.; J. J. Frantzen im Neophilologus. V (1920) S. 69, 181, 357; van Poppel ebenda S. 180.
[2] Vgl. W. Wattenbach im Anzeiger für Kunde der deutschen Vorzeit. XVIII 339; Jak. Werner, Beiträge zur Kunde der lateinischen Literatur des Mittelalters, Aarau 1905, S. 134; Frantzen im Neophilologus. V. 357
[3] Analecta hymnica. I 83. Vgl. dazu J. Schrijnen im Neophilologus. VI 88 f.

Man hat übersehen, daß mit diesen Versen der Beginn des von jedem Studierenden und Studierten gelesenen Doctrinale des Alexander de Villa Dei (verfaßt gegen 1200) nachgeahmt ist. Und das ist nicht der einzige Fall von
poetischer Verwendung des berühmten Lehrbuches. Ein Vagantenlied böhmischen Ursprungs, das ,Littera clericorum scolipetarum' betitelt ist, hat den
Anfang des Doctrinale als Einführung[1]:

,Scribere clericulis paro doctrinale novellis.'

Ein aus demselben Lande stammendes Scholarenbettellied hebt an:

,Scribere clericulis
verisque Christi famulis
nostrum est intentum'

und läßt die übrigen Strophen stets mit Versen sehr bekannter Hymnen anfangen[2].

Wirklich eine erotische Parodie auf die Grammatik ist ein anscheinend
sogar für musikalischen Vortrag bestimmtes Gedicht, das im Anhang aus zwei
Münchener Handschriften saec. XIII und XIII/XIV abgedruckt wird: Allen
jungen Klerikern schreibe ich in dieser Lenzeszeit. Verlaßt die gestrengen
Herren Doctoren, kommt eiligst her zu mir, Scholaren, und nehmet fröhlich
das Doctrinale, das ich schreibe, auf. Ich führe nicht die Rute, frage nicht
mit Schlägen die Redeteile ab. Fort die Schultafeln! Lasset uns erproben, wie
man mit jungfräulicher ,Species' spielt, was der ersten und nicht der dritten
Deklination angehört! Nun ist es Zeit, zu erkennen, wie des weiblichen Ge-
schlechtes Figur ist, was es heißt zu flektieren mit den Töchtern der Venus,
was ,Copula, Coniunctio, Interiectio' bedeutet, wenn sich die Glieder inein-
ander schlingen. Vom Nachtigallengesang hallen die Wälder wider, in Blüten
prangen die Wiesen. Gern geben sich die Mädchen neuen Umarmungen hin.
Welcher Art, lernet das; welcher Form, suchet das und welcher Qualität. Da
im Praesens die erste Konjugation lautet ,amo, amas, amat', wollen wir sie
eifrig lernen. Schule sei uns der schattige Hain, Buch des Mädchens Angesicht,
das uns zur Lektüre ladet. Wenn im Plural man zum Tanze schreitet, wenn
Lieder ertönen und das Echo erklingt, dann schmiege sich Leib an Leib nun
fest, nun voll Bewegung.

,Hic instat disputacio,
vincant promissis precibus
non tandem ludo pari.
Amoris sit relacio,
sit fervor in amplexibus,
dum demum verno tempori
iam pratis, campis, nemori
potestis colluctari.'

[1] Feifalik in den Sitz-Ber. der Kaiserl. Akad. d. Wiss. Philos.-hist. Kl. XXXVI (1861)
S. 187.   [2] Feifalik, a. a. O. S. 183.

Grammatikalisch parodierende Liebesverse ‚Est amo vox miseri' stehen laut H. Walther im Harleianus 913.

Die kirchlichen Sitten und Einrichtungen parodiert zwecks scherzhafter Beantwortung der Frage, ob in der Liebe der Kleriker oder der Ritter den Vorzug verdiene, eine Dichtung aus der Mitte des 12. Jahrhunderts, die ein grelles Licht auf die in der Diözese Toul eingerissene sittliche Verwilderung wirft: das sog. Liebeskonzil von Remiremont[1].

‚Veris in temporibus	sub Aprilis idibus
habuit concilium	Romarici moncium
puellaris concio	montis in cenobio.
Tale non audivimus	nec fuisse credimus
in terrarum spacio	a mundi principio,
tale nunquam factum est,	sed neque futurum est.
In eo concilio	de solo negocio
amoris tractatum est,	quod in nullo factum est.'

Kein Mann erhält Einlaß, wenigstens kein Laie, nur die Kleriker, die von weither kommen. Auch alten Frauen ist der Zutritt verboten. Sorgsam bewacht Sibilia, von früh an eine treue und freudige Venusdienerin, die Pforte. Nachdem sich alle versammelt haben, werden feierlich als ‚quasi evangelium' die ‚Praecepta Ovidii doctoris egregii' von Eva de Danubrio verlesen. Der Chor der Jungfrauen läßt Liebeslieder folgen. Dann erhebt sich[2] die prächtig gekleidete Cardinalis domina, die wohl nicht absichtslos mit sonst namentlich für Maria gebrauchten Beiwörtern ‚virgo regia', ‚mundi flos et gloria' genannt wird, und verkündet, daß Amor, der Gott aller, ihr den Auftrag gegeben habe, das Leben der Versammelten zu prüfen und, wo nötig, zu bessern. Als erste Sprecherin ergreift Elisabeth de Granges das Wort und bekennt, daß sie sich gemäß der Regel (!) keinem Manne verbunden habe, – er sei denn von ihrem Orden, d. h. ein Geistlicher gewesen. Elisabeth de Falcon bricht in ein begeistertes Lob der Kleriker aus und schilt die verwerfliche Liebe zu den Rittern, von der sie sich nach kurzer schlechter Erfahrung in die Arme des Klerikers zuzückgezogen habe, und Agnes schließt sich an. Bertha erklärt:

‚Amor, deus omnium, iuventutis gaudium,
clericos amplectitur et ab eis regitur.
Tales ergo diligo, stultos quoque negligo.'

[1] Kritische Ausgabe von W. Meyer in den Nachrichten der K. Ges. d. Wiss. zu Göttingen. Phil.-hist. Kl. 1914. Man beachte auch die von Meyer nicht zitierten ausländischen Arbeiten: E. Langlois, Origines et sources du roman de la rose, Paris 1890, p. 6 sqq.; F. W. Warren in Modern language notes. XXII (1907) p. 137 sqq.; Ch. Oulmont Les débats du clerc et du chevalier, Paris 1911, p. 93 sqq.; E. Faral, Recherches sur les sources lat. des contes et romans courtois, Paris 1913, p. 210 sqq. Ferner H. Walther, Das Streitgedicht in der lat. Literatur des Mittelalters, München 1920, S. 145 f.

[2] Ich wiederhole z. T. Walthers Inhaltsangabe.

Die Kardinälin lobt ihre Ansichten. Doch nun beginnen die Freundinnen der Ritter, rühmen die waffenkundigen Liebhaber, die für ihre Damen ohne Todesfurcht kämpfen. Ein Disput entspinnt sich, bei dem die liebenden Geistlichen von neuem begeistert gepriesen werden, bis die Kardinälin zum Urteilsspruch auffordert. Das Konzil entscheidet sich für die Kleriker. Die Cardinalis domina bedroht alle mit Strafe, die sich künftig mit Rittern einlassen würden. Es folgt die Confirmatio von seiten des Konzils und eine scherzhafte Exkommunikation mit fürchterlichen Verwünschungen.

,Quicquid vestra probitas   firmat et auctoritas,
nuncietur alias   per omnes ecclesias.
Nostrisque sororibus,   puellis claustralibus
faciamus cognitum,   quid sit eis vetitum.
Omnia, que diximus   et que confirmavimus,
non ullo sophismate   sint sub anathemate.
Sed racionabiliter   fiat et perhenniter,
nisi sic peniteant,   clericis ut faveant.
Huius banni racio   vestro sit consilio:
igitur attendite.   Amen! Amen! dicite.

Excommunicacio:

Vobis iussu Veneris   et ubique ceteris,
que vos militaribus   subditis amoribus,
maneat confusio,   terror et contricio,
labor, infelicitas,   dolor et anxietas,
timor et tristicia,   bellum et discordia!
fex insipiencie,   cultus inconstancie,
dedecus et tedium   longum et obprobrium,
furiarum species,   luctus et pernicies!
Luna, Jovis famula,   Phebus, suus vermula,
propter ista crimina   negent vobis lumina!
Sic sine solamine   careatis lumine!
Nulla dies celebris   trahat vos de tenebris!
Ira Jovis celitus   destruat vos penitus!
Huius mundi gaudia   vobis sint obprobria!
Omnibus horribiles   et abhominabiles
semper sitis clericis   que favetis laicis!
Nemo vobis etiam   ave dicat obviam!
Vestra quoque gaudia   sint sine concordia!
Vobis sit intrinsecus   dolor et extrinsecus!
Vivatis cotidie   in lacu miserie!
Pudor, ignominia   vobis sint per omnia!
Laboris et tedii   vel pudoris nimii,

> sed si quid residuum,   sit vobis perpetuum,
> nisi spretis laicis   faveatis clericis!
> Si qua penituerit   atque satisfecerit,
> dando penitentiam   consequetur veniam.
> Ad confirmacionem   omnes dicimus: Amen.'

Wenn in dieser ausgelassenen Dichtung die Liebespoesie Ovids als Evangelium hingestellt wird, so charakterisiert das gut die Autorität, die jener antike Dichter im 12. Jahrhundert besaß, und hat ein Seitenstück z. B. in Versen auf einen eifersüchtigen Priester, die uns durch einen Vorauer Codex überliefert sind[1]:

> ,Prespiter Algere tibi consilium dare vellem,
>   si velles nostro cedere consilio.
> De muliere tua Walpurgi quam tenuisti
>   per longum tempus longa querela tibi
> – – – – – –
> Hoc in decretis pape Nasonis habetur,
>   quod mulier plures possit habere viros.
> Hoc tu decretum firmum sub pectore serva,
>   ne sis catholica pulsus ab ecclesia.'

Also auch in der Erotik Dekretparodien.

Neben das Liebeskonzil von Remiremont sind ferner als Pendants zu halten die Satiren, in denen Priester auf Synoden und in Kapitelsversammlungen gegen ein Verbot Konkubinen zu haben auftreten.

Da die ebenso interessante wie schwierige Überlieferung noch nicht untersucht ist und hier nicht besprochen werden kann, halten wir uns an die Texte in Wrights Ausgabe der Mapesgedichte. Es handelt sich um drei Gedichte[2].

> 1. ,Prisciani regula penitus cassatur';
> 2. ,Clerus et presbyteri nuper consedere';
> 3. ,Rumor novus Angliae partes pergiravit'.

Sie stimmen verschiedentlich im Wortlaut überein und gehen vielleicht alle auf eine Satire zurück, die erst nach genauer Prüfung der sonstigen Textzeugen und nach sorgfältiger Einzelinterpretation wird klar herausgeschält werden können. Rhythmus und Sprache passen ins 12./13. Jahrhundert. Den historischen Hintergrund bildet die Zeit, wo Alexander III. und Innozenz III. den schon von Leo IX. und Gregor VII. geführten Kampf für den Priesterzölibat energisch wiederbelebt hatten. Der Konkubinat hatte sich besonders fest in England eingenistet. Aus England stammt, was die Überlieferung und die Anfangszeile ,Rumor novus Angliae' usw. zeigen, bestimmt das Gedicht

[1] Archiv d. Ges. f. ältere deutsche Geschichtskunde. X 627.
[2] L. c. p. 171 sqq.

‚De convocatione sacerdotum'. In den ersten sieben Strophen weiß der Satiriker unsere Aufmerksamkeit zu fesseln durch die Erzählung, wie auf das Gerücht von einem Erlaß des Papstes oder seines Legaten mehr als zehntausend Priester von allen Seiten zusammeneilen und sich auf einer großen Wiese zu einem Konzil vereinigen.

> ‚Posito silentio pax tranquilla datur,
> surgit quidam veterum primitus et fatur:
> „Fratres, vobis omnibus legatus minatur,
> et post minas metuo, quod peius sequatur.
> Pro nostris uxoribus sumus congregati.
> Videatis provide, quod sitis parati,
> ad mandatum domini papae vel legati
> respondere graviter ne sitis dampnati."'

Und nun bringt einer nach dem anderen vor, daß und warum er an seiner Konkubine festhalten wolle. Der Schluß ist leider nicht vollständig in Wrights Handschriften. Schon deshalb ist es von Wert, daß wir in der ‚Clerus et presbyteri nuper consedere' beginnenden ‚Consultatio sacerdotum' eine ausführliche Variation desselben Themas haben. Der Schauplatz ist dieses Mal eines Stiftes Kapitelsaal. Nicht weniger als 30 geben ihrer Meinung über den Befehl, die Kebsen[1] zu entfernen, lebhaften Ausdruck, zuerst der Dekan, dann der im kanonischen Recht erfahrene Doctor capituli, der Kantor, Kellermeister, Scholastikus, Baumeister und alle möglichen Priester. Außer einem zitterigen Greise schimpfen oder spotten sie alle und weigern sich zu gehorchen. Vielerlei Ausreden werden vorgebracht unter komischer Berufung auf die Bibel, auf das Recht, die Natur, auf persönliches Belieben. So v. 53 ff.

> ‚Venit ad presbyteros ordo circularis.
> Primus in urbe fuit olim curialis
> atque in iure canonum tritus et vocalis.
> Huius allegatio erat ergo talis.'
> „Credo quod hanc, domini, nostis Clementinam:
> omnis debet clericus habere concubinam.
> Hoc dixit qui coronam gerit auro trinam,
> hanc tenere igitur decet disciplinam."

Was da zitiert und parodiert wird, ist vermutlich Canon 6 der Papst Klemens I. zugeschriebenen, von Dionysius Exiguus übersetzten Canones apostolorum[1]: ‚Episcopus aut presbyter uxorem propriam nequaquam sub obtentu religionis abiiciat. Si vero reiecerit, excommunicetur, sed et si perseveraverit, deiiciatur.' Ein anderer Priester beruhigt sich und seine Genossen, v. 86 sqq.:

---

[1] Es sind nicht (oder nicht ausschließlich) die Ehefrauen der Geistlichen niederen Grades gemeint.
[2] Migne, Patrol. lat. CXXX 15.

„Non opus est" dicens „hoc nobis timere.
Qui nos ab uxoribus iubet abstinere,
debet in redditibus plura providere."

– – –

‚Nonus ait' (v. 93 sqq.) „Veterem non dimitto morem.
Dedit mihi calidum natura cruorem,
oportet me vivere carnis per laborem,
nolo propter animam linquere uxorem."

Der philosophisch Geschulte erklärt gewichtig, v. 122 sqq.:

„Omne Quare", ait, „habet suum Quia.
Si mihi mea famula tollitur e via,
extra volo alere scorta pulcra tria."

Den Schluß macht der Prediger, v. 145 sqq. Unmöglich billige der Schöpfer, daß der Priester aufhören müsse, die Frauen zu lieben, für die der Heiland am Kreuze gestorben sei. Zacharias habe eine Frau und einen Sohn, Johannes den Täufer, Christi Vorläufer, gehabt, David noch im hohen Alter der Liebe sich hingegeben, Gott den Unfruchtbaren verdammt. Wie der Hund, der einmal Fleisch gestohlen habe, nicht aufhören könne und sich nicht fürchte, so kümmere sich der an nächtliches Liebesringen gewöhnte Kleriker nicht um die Drohungen und Strafen des Präsul, v. 165 sqq.:

„Coram tota curia papa declaravit
sacerdotem, qui hic et haec et hoc declinavit,
omnem non generantem excommunicavit,
ex sorore filium ipse procreavit.

Quod papa concesserat, quis potest vetare?
Cuncta potest solvere solus et ligare,
laborare rusticos, milites pugnare
iussit, at praecipue clericos amare.

Habebimus clerici duas concubinas,
monachi, canonici totidem vel trinas,
decani, praelati quatuor vel quinas.
Sic tandem leges implebimus divinas."

Worauf die Verse ‚Coram tota curia – procreavit' Bezug nehmen, ist mir noch nicht klar. Es scheint Persiflage eines bestimmten Dekrets vorzuliegen. Die Zuweisung an Deutschland, die in der Histoire littéraire de la France[1]

---

[1] XXII 151 sq.

versucht wird, ist unbegründet. Daß man bei uns das Spottgedicht kannte und kopierte, z. B. auch in einer braunschweigischen Chronik[1], beweist nichts für die Herkunft. Daß man es um 1545 als Mittelstück einer modernen Konzilsparodie drucken ließ[2], zeugt für die Dauer seiner Beliebtheit.

Angesichts der nahen Verwandtschaft mit dem sicher englischen Gedichte ‚De convocatione sacerdotum' sehe ich einstweilen keinen hinreichenden Grund, von der Annahme englischer Herkunft auch der Consultatio abzugehen. Über die Entstehungszeit sagt H. Walther[3]: „Man hat angenommen, daß sich das Gedicht auf einen Konzilsbeschluß von 1205 beziehe; ich möchte eher glauben, daß es sich um eine bischöfliche Verordnung handele, doch dürfte die Zeit etwa durch jenen Konzilsbeschluß gegeben sein." In der Jahreszahl hat Walther denselben störenden Fehler wie E. Du Méril[5] und M. Haeßner[6]. Bekanntlich ist der 14. Kanon des zwölften ökumenischen Konzils, der von Papst Innozenz III. einberufenen Lateransynode von 1215 gegen die ‚Incontinentia' der Geistlichen gerichtet. H. Walthers Voraussetzung einer bischöflichen Verordnung ist begreiflich, da die betrübten ‚Clerus et presbyteri' im Kapitel nirgendwo gegen ein Konzil oder direkt gegen den Papst Stellung nehmen, sondern, was Walther deutlicher hätte sagen sollen, von dem Mandat ihres ‚Praeses vel legatus' (v. 3, 11) sprechen. Wir nehmen hinzu, daß auch in der Fassung ‚Rumor novus Angliae' ein Legat bekämpft wird. Es kann sich darum handeln, daß ein päpstlicher Bevollmächtigter zu dem Beschluß der Lateransynode von 1215 scharfe Ausführungsbestimmungen erlassen hatte. Jedoch habe ich derartige Verfügungen für die englische Kirche jener Jahre nicht zu finden vermocht. Dagegen gibt es aus anderen Zeiten des 13. Jahrhunderts mehrere Erlasse päpstlicher Legaten, worin ausdrücklich – was 1215 auf dem ökumenischen Konzil nicht geschah – die Vertreibung der Priesterfrauen verlangt wird, so aus den Jahren 1200, 1246, 1268. Ich ziehe es vor, die beiden Gedichte mit dem Jahre 1200 in Verbindung zu bringen: Auf dem Landeskonzil von London[7] erneuerte 1200 Hubert, Erzbischof von Canterbury († 1205), das die Abschaffung der Priesterweiber fordernde päpstliche Dekret[8] von 1179. Hubert war Legat von Innozenz III. Dieser Papst aber

---

[1] Vgl. H. Deiter in der Zeitschrift der Gesellschaft für niedersächsische Kirchengeschichte. XVIII (1913) S. 231 ff. Von den sonstigen Handschriften und Drucken des Gedichts sagt Deiter gar nichts.

[2] Vgl. O. Clemen im Zentralblatt für Bibliothekswesen. XXXIX (1922) S. 103 f. Weiß selbst Clemen nichts von der mittelalterlichen Verbreitung?

[3] Streitgedicht S. 143.

[4] Poésies populaires latines du moyen age, Paris 1847, p. 179.

[5] Die Goliardendichtung und die Satire im 13. Jahrhundert in England, Leipzig 1905, S. 32 ff.

[6] Vgl. Concilia magnae Britanniae, ed. Wilkins. I (1737) p. 692; II 5.

[7] Vgl. Rogeri de Hoveden chronica, de. W. Stubbs. IV 134.

[8] Die englischen Chronisten haben nicht versäumt das zu notieren; vgl. beispielsweise Rogeri de Hoveden chron. II 186; Benedict of Peterborough, Gesta regis Henrici secundi, ed. Stubbs. I 234.

ist Zeit seines Lebens ein Verfechter der Sittenreinheit und des Zölibats der
Geistlichkeit gewesen. Diesem Papst überreichte um 1200 Giraldus Cambrensis seine ‚Gemma ecclesiastica‘, wo in Dist. II cap. 6 gegen die rigorose Handhabung der Zölibatsverpflichtung polemisiert wird. Dieser Papst kommt in
der Satire ‚Prisciani regula penitus cassatur‘, die sich an mehreren Stellen
bald mit dem Schwank vom Priesterkonzil, bald mit dem von der Kapitels-
versammlung deckt, in folgenden Versen vor[1]:

> ‚Non est Innocentius, immo nocens vere,
> qui quod Deus docuit, studet abolere;
> iussit enim Dominus feminas habere,
> sed hoc noster pontifex iussit prohibere.‘

Im Codex latinus 215 saec. XV der Staatsbibliothek München begegnete
mir f. 60[R] nach dem besprochenen Gedichte vom Kapitel der Priester ein
bisher anscheinend nicht gedrucktes und nicht erörtertes Poem[2] von 15 Konkubinen, die sich wie vorher die 15 Presbyter in feierlicher Versammlung
gegen das Verbot des Zusammenwohnens der Geistlichen mit Frauen wehren.

> ‚Alias dum synodum clerus celebraret
> et tunc cunctis clericis episcopus mandaret,
> ne quis in hospicio feminam servaret,
> per quam coram populo sese defamaret,
> mulieres quindecim illud perceperunt,
> clericorum lectulis que attenuerunt.
> Hoc mandatum presulis minus egre ferunt,
> propter quod capitulum inter se fecerunt.‘

Parodistisch ist vor allem, wie die Fünfzehnte auftritt und spricht:

> ‚Surgit quintadecima, omnium magistra,
> cui multum nota sunt codicum registra,
> tangens evangelia dextra et sinistra.
> Dixit „Ego Veneris sancte sum ministra,
> me Venus edocuit plurimum amores.
> Quod nullus nos audiat, reclaudantur fores.
> Vos capitulariter docebo sorores,
> nolite metuere tam varios errores.
> Oportebit clericos ferre disciplinam,
> quoniam precipitur legem per divinam,
> ne ad domum clericus sumat concubinam.
> Nullus tamen cogitur odire vicinam“‘.

---

[1] Wright p. 172.
[2] Überliefert auch in München lat. 14634f. 3 und, wie ich von Dr. L. Bertalot erfuhr,
in Göttingen Luneb. 2f. 221; Leipzig Univ. 1369f. 146 V.

Das „Konkubinenkapitel" kann schon im 13. Jahrhundert gedichtet worden sein.

Mit den kirchlichen Beschlüssen gegen die Priesterehe haben E. du Méril[1] und M. Haeßner[2] eine derbhumoristische Satire auf das weibliche Geschlecht verknüpft, die in vielen z. T. noch zu untersuchenden Handschriften und Drucken, auch in englischen und französischen Übersetzungen des Mittelalters auf uns gekommen ist[3]. Du Méril war der Meinung gewesen, der Dichter hätte in religiöser Absicht die Bestimmungen des Konzils von 1215 poetisch sanktionieren und dem Klerus das Heiraten verleiden wollen. Haeßner glaubte ebenfalls, daß diese Lateransynode den Anlaß gegeben hätte, bezweifelte aber – mit Recht! – die kirchliche Tendenz des Gedichtes. „Wir können uns nicht vorstellen, daß ein Geistlicher, auch wenn er sich drastischer Beispiele bediente, um auf das Publikum abschreckend zu wirken, zu solch unmoralischen Schilderungen griff, wie sie unsere Satire enthält, sehr wohl aber, daß den Goliarden die ganze damalige Zölibatsbewegung, sowohl die Ursachen als auch die Wirkungen, eine willkommene Zielscheibe war. – – – Es hat vielmehr den Anschein, als ob die Satire ein Spottgedicht auf die Bemühungen der Geistlichen gewesen ist, welche es unternahmen, in poetischen wie prosaischen Schriften die Ehe als unvereinbar mit dem geistlichen Beruf hinzustellen." Diese Vermutungen bedürfen der Prüfung: Für sie spricht, daß in den Versen Petrus de Corbolio auftritt:

> „Petrus de Corbolio uxorem fragilem
> probat, Laurentius stultam et labilem
> – – – – – –
> Datur potentia P. de Corbolio,
> quae notat firmitas et petrae ratio;
> Hic prius loquitur de matrimonio
> et de nubentium labore vario,

Pierre de Corbeil war ein Pariser Lehrer des Papstes Innozenz III. und 1199–1222 Erzbischof von Sens. Es ist möglich, daß dieser Mann, dem große Sittenreinheit nachgesagt wurde und der bei den Goliarden wegen seiner Reform[4] des Officium festi stultorum nicht sehr beliebt gewesen sein dürfte, sich irgendwie in auffälliger Weise über die Ehe ausgesprochen hat. Ob vor oder nach dem Konzil von 1215 und überhaupt im Zusammenhange mit den

---

[1] L. c. p. 179.   [2] a. a. O. S. 34f.

[3] Viele Codices saec. XIII–XV und Drucke saec. XVI in. – XIX sind verzeichnet in der Bibliothèque de l'Ecole des chartes 1886 p. 95; bei L. Bertalot, Humanistisches Studienheft eines Nürnberger Scholaren, Berlin 1910, S. 74f.; bei M. Esposito in The English Historical Review. XXXII (1917) p. 400. Die meist benutzten Ausgaben sind die von Th. Wright, Poems attrib. to Walter Mapes p. 77sqq. und E. du Méril, Poésies populaires (1847) p. 179sqq.

[4] Vgl. H. Villeiard, Office de Pierre de Corbeil, Paris 1907.

Bestrebungen des Papstes muß noch dahingestellt bleiben. Gleichwohl halte
ich es schon jetzt für falsch, die Satire ein Spottgedicht gegen die schriftliche
oder mündliche Bekämpfung der Priesterehe zu nennen. Nirgendwo in all den
Versen ist die Verheiratung der Geistlichen angegriffen oder empfohlen oder
auch nur erwähnt. Die Ehe und die Ehefrau schlechthin werden in den Staub
gezogen. Der Goliarde trägt die gar oft im Mittelalter gegen die Frau erhobenen Anklagen vor, und zwar humoristisch, um Lachen zu erregen, weniger
Lachen über Eiferer als das Vergnügen derer, die der Weiber Schwächen kennen, selbst zu heiraten sich scheuen oder die eigene Ehe bereuen und stets
die Reize der Frauen anderer zu schätzen wissen. Parodistisch arbeitet er
insofern, als er sein lustiges Poltern mit einem frommen Wunsch einleitet:

> ,Sit Deo gloria, laus, benedictio
> Johanni, pariter Petro, Laurentio,
> quos misit trinitas in hoc naufragio,
> ne me permitterent uti coniugio',

sich scheinbar der Argumente des Peter von Corbeil und anderer Streiter für
die Moral bedient und seine Warnungen vor der Ehe einkleidet in eine Erscheinung dreier Engel im Tale Mambre. Man soll an die Erzählung von
Genesis XVIII denken, wonach dem Erzvater Abraham in jenem Tale drei
Engel entgegentraten und ihm verkündeten, daß seine Frau, die alte Sara,
ihm endlich einen Sohn gebären werde. Die Engel in der Satire reden von der
Mangelhaftigkeit der Ehefrauen. Daß der eine nach dem Erzbischof von Sens
Petrus genannt wird, ist schon besprochen. Warum der Zweite Laurentius
heißt, ist nicht klar. Wenn Wright, Du Méril u. a. ihn mit Laurentius von
Durham identifizieren und glauben, daß der Satiriker auf ein Gedicht dieses
Mannes anspiele, das in einem Vossianus erhalten sei, laufen sie nutzlos im
Kreise herum; denn die ,Versus Laurentii de dissuasione coniugii' des fraglichen Codex Leiden Voss. Lat. Fol. 31 f. 222^V sind nichts anderes als das Gedicht ,Sit Deo gloria, laus, benedictio' selbst[1]. Von dem Dritten, von Johannes,
wird v. 28 gesagt ,os habens aureum', in v. 123 dagegen ,hic sicut aquila videt
subtilia'. Man setzt ihn also einmal mit Johannes Chrysostomus, das andere
Mal mit dem Evangelisten Johannes gleich. Haeßners Meinung, die Dichtung
müsse nach dem Tode des Petrus de Corbolio entstanden sein, da der Goliarde
einen Lebenden in solcher Weise nicht lächerlich zu machen gewagt haben
würde, halte ich für falsch. Ist Petrus selbst etwa der Verfasser? Man hat es
behauptet, in neuerer Zeit (1860) Ed. Tricotel in einer mir nicht zugäng-
lichen, von U. Chevalier in der Bio-Bibliographie II 3706 zitierten Studie,
bereits früher im Codex latinus 2962 der Nationalbibliothek Paris[2] und in
undatierten Inkunabeldrucken[3]. Von einem dieser Drucke (Hain 11623) habe

---

[1] Vgl. die Beschreibung durch L. Delisle in den Notices et extraits. XXXVIII 741 sq.
[2] Vgl. Nouvelle biographie universelle XI 771.   [3] Hain 5690 u. 11623.

ich das mir von der Auskunftsstelle der deutschen Bibliotheken nachgewiesene
Exemplar der Berliner Staatsbibliothek in der Universitätsbibliothek München benutzen können. Als zweites Stück steht darin das Gedicht ‚Sit Deo
gloria, laus, benedictio‘ mit sehr viel mehr Versen als Wright bietet und mit
dem Titel ‚Remedium contra concubinas et coniuges per modum abbrevia-
tionis libri Matheoli a Petro de Corbolio archidiacono Senonensi et eius sociis
compilatum‘. Die Bezeichnung ‚Remedium‘ = Heilmittel ist natürlich scherzhaft gemeint und ist jung. Als Exzerpt aus einem Buch des Matheolus geht
das Poem entweder deshalb, weil Mattioli ein berühmter italienischer Arzt
des 15. Jahrhunderts gewesen ist, von dem mehrere Werke frühzeitig gedruckt
wurden[1], oder weil kurz vor 1300 ein Matthäus von Boulogne eine erfolgreiche
Satire gegen die Frauen verfaßt hatte, die im 15. Jahrhundert als ‚Lamentationes Matheoli‘ wohlbekannt war[2]. Die Ansicht, daß Peter von Corbeil
das Gedicht verfaßt hätte, ist einfach aus dem Vorkommen des Namens in
den Versen fälschlich erschlossen. Die von A. Molinier[3] als wahrscheinlich
hingestellte Zuweisung an Walter Map ist ebenso unglaubhaft. Wieviel Wahres
in dem ironischen Titel ‚Guillelmi Loret XV gaudia matrimonii‘ steckt, der
in dem Mazarincodex 3890 saec. XV aufgeführt wird, entzieht sich bisher
meiner Beurteilung.

Ein außerordentlich oft im Mittelalter abgeschriebenes frauenfeindliches
Gedicht etwa des 12. Jahrhunderts beginnt gewöhnlich mit den Hexametern

> ‚Arbore sub quadam dictavit clericus Adam,
>   quomodo primus Adam peccavit in arbore quadam‘

und parodiert so die Dichter, die, wenn sie auf ‚Adam‘ zu reimen hatten, stets
Wendungen wie ‚arbore sub (oder ‚pro‘ doer ‚de‘) quadam‘ gebrauchten:

> ‚Arbore sub quadam protoplastus corruit Adam
>   pomi lege data, petulanter ea violata‘

dichtet[5] Baudry de Bourgueil († 1130),

> ‚Arbore sub quadam stetit antiquissimus Adam‘

Hildebert von Le Mans[6];

---

[1] Vgl. Hain 10905f.

[2] Herausgegeben und erläutert durch A. G. van Hamel, Paris 1892 u. 1905, im 95. u.
96. Fascicule der Bibliothèque de l'Ecole de Hautes Etudes.

[3] Catalogue des manuscrits de la Bibliothèque Mazarine. III (1890) p. 220.

[4] Die überliefernden Handschriften hier aufzuführen, würde zuviel Raum beanspru-
chen. Abdruck und Besprechung in den Münchener Sitzungsberichten. III (1873) S.
709; Anzeiger für Kunde der deutschen Vorzeit. XX (1873) S. 255ff.; Neues Archiv der
Ges. für ältere deutsche Geschichtskunde. VIII 291; The English historical review. II
(1887) p. 525sq.; Jak. Werner, Beiträge (1905) S. 28f.; C. Pascal, Letteratura Latina
medievale, Catania 1909, p. 108sq.

[5] Notices et extraits. XXXVIII 2 p. 410.

[6] Vgl. Migne, Patrol. lat. CLXXI 1224, dazu Hauréau in den Notices et extraits.
XXVIII 2 (1878) p. 409sq.

,Arbore pro quadam protoplastus corruit Adam
quinque per etates condempnans posteritates‘

beginnt in einem Vorauer Codex saec. XII ein längeres Poem über die Erlö-
sungsgeschichte[1];

,Arbore de quadam fructum gustaverat Adam‘

lesen wir in einem Totenrotel für S. Bruno Carthusiensis[2].

Mehr Spielerei als Parodie ist es, wenn ein die fleischliche Liebe bereuender,
die Vergänglichkeit der Welt betonender Dichter mit Cato beginnt ,Cum animadverterem‘ und das immer von neuem variiert ,Cum animadvertero‘, ,Cum
animadverteris‘ usw.[3].

Die Liebespoesie, die kein Bedenken trug, aus geistlichen und sonstigen
ernsten Texten zu schöpfen, ja diese gelegentlich zu parodieren, ist selbst
nicht dem Schicksal des Parodiertwerdens entgangen. Ein Beispiel muß hier
besprochen werden, da das Gedicht, wie es auch interpretiert werden mag,
auf dem Gebiet der Liebe geblieben ist. Ich habe das Lied

,Frigus hinc est horridum,
tempus adest floridum,
veris ab instantia
tellus iam fit gravida‘

der Carmina Burana (no. 55) im Auge. L. Laistner[4], S. Jaffé[5], H. Walther[6]
halten es für eine Parodie des Streitgedichtes von Phyllis und Flora. „Die
Wendung der Flora in Str. 21 ,dicis quod prevaleat lilio cicuta‘ hat vielleicht
zu der Parodie der Altercatio Anlaß gegeben, die in dem äußerst schlecht
überlieferten Stück no. 55 der C. B. vorliegt. Dieselbe Streitfrage wird hier
von Quendel und Ampfer erörtert; die eine der beiden Blumen ist für den
Ritter, die andere für den Kleriker; die erste führt an, daß die Ritter Blumen
auf Gewand und Schild führen, die andere sieht keinen Nutzen darin, da sie
ja doch dabei zugrunde gehen müßten. Der Gang des Dialogs ist nicht recht
klar; es sprechen außer den beiden Blumen auch zwei junge Mädchen, die
aber nirgends eingeführt sind, Oulmont (p. 50) hält es daher für möglich,
daß hier zwei Gedichte in der Überlieferung vermengt sind. Sicher scheint mir
jedoch nur, daß die Überlieferung lückenhaft ist; denn in der auf uns gekom-

---

[1] Neues Archiv d. Ges. f. ältere deutsche Geschichtskunde. II 402.
[2] Migne, Patrol. lat. CLII 584 sq.
[3] Analecta hymnica. XXI 109 aus drei Handschriften des 13. Jahrhunderts.
[4] Golias S. 115.
[5] Die Vaganten und ihre Lieder, Berlin 1908, S. 11.
[6] Das Streitgedicht in der lateinischen Literatur des Mittelalters, München 1920,
S. 149.

menen Gestalt ist kein Zusammenhang darin zu finden." (H. Walther). Gleich die erste Vermutung halte ich für hinfällig. Sollte der Hörer merken, daß eine ganz bestimmte Strophe eines bestimmten Gedichtes parodiert wurde, so war es gewagt, ganz andere Blumen zu wählen, Thymian und Ampfer, die keineswegs solche Gegensätze wie Lilie und Schierling sind. Und in der Parodie ist gar nicht vom ‚Praevalere' der einen vor der anderen Blume die Rede. Gewiß, das Hauptthema, der Kampf um die Bevorzugung von Ritter oder Kleriker, ist dasselbe, und auch im einzelnen kann man, wenn man will, Anklänge finden. Aber diese wenigen Anklänge sind schwach und könnten ohne Annahme einer Parodie aus rein äußerlicher Beeinflussung des kleineren Gedichts durch das größere erklärt werden, und der Liebeswettstreit zwischen Ritter und Kleriker ist im 12./13. Jahrhundert etwas ganz Gewöhnliches. Ch. Oulmont[1] betrachtet, ohne von einer Parodie zu reden, Thymus und Lapathium als Streitrichter. Sie sind, das glaube auch ich, an die Stelle von Usus und Natura getreten, die in der Altercatio Phyllidis et Florae als Judices vorgeführt sind. Die beiden sind sich in den erhaltenen Versen vollkommen einig. Der eigentliche Streit steht in unserem Texte nicht. Man nimmt gewöhnlich an, daß die Überlieferung starke Lücken habe. Meiner Meinung nach fehlt nichts oder wenig. Denn von Anfang an zeigt der Dichter Streben nach großer Kürze. Von einigen Einzelheiten abgesehen, ist nun der Gang des Dialogs klar. Der Dichter sagt: Jetzt ist Frühling. Alles grünt und blüht, die Vögel singen, – die Zeit der Liebe ist wieder da. Nun hört mich an, ihr Mädchen! Des Ritters Liebe ist nicht die rechte. Die Blumen da rings umher auf den Wiesen, sie können euch belehren. Thymian und Sauerampfer haben ihr Gutachten zugunsten des Klerikers abgegeben, Amor für ihn entschieden. Was die Blumen für den jungen Geistlichen und gegen den Ritter einnimmt, ist, daß dieser Blumen gemalt, gestickt, irgendwie nachgebildet, auf dem Zeuge trägt, sie selbst aber vergehen läßt, der Geistliche dagegen die Früchte, den Samen des Geruches wegen zwischen die Kleidungsstücke streut, in Büchsen aufbewahrt. – Da merkt man gleich, wie das bis Str. 4 ganz ernsthafte Frühlings- und Liebesgedicht auf einen burlesken Ton sinkt. Man kann kaum von einer Parodie der Altercatio Phyllidis et Florae, vielleicht jedoch der Liebeswettstreite überhaupt reden.

In der Prosa führt die Parodie zur Facetie, zur erotischen Novelle.

Häufig kommt seit dem 13. Jahrhundert eine Geschichte vom ehebrecherischen Mönche vor, der in sündiger Liebe zu einer Frau entbrennt, sich mit ihr verabredet und nächtlich bei ihr liegt, als der betrogene Mann zurückkehrt. Der Mönch versteckt sich in einem Korbe, wird schließlich durch seine Tonsur verraten und nun verhöhnt und mit Verstümmelung der Genitalien grausam bestraft. Die Anekdote wäre nicht sonderlich interessant und würde wenig komisch wirken, wenn sie nicht in geborgte literarische Sätze gekleidet,

---

[1] Les débats du clerc et du chevalier, Paris 1911, p. 48 sqq.

wenn sie nicht wie ein geistliches Stück dargeboten wäre. Die wohl älteste –
bisher ungedruckte[1] – Form, die ich aus Codices von Bésançon, Cambridge,
Oxford und Rom kenne, gibt sich als eine Predigt, als ein erbaulicher Vortrag
über das Leben und Wesen eines Mönches. Die Einleitungsphrasen ‚Fratres
illustrissimi, parumper disserere cupiens ad reverentiam vestram subsistere
dignum duxi et ideo loqui prohibeor, eius tamen innumeris animatus excessibus avito incedendi affectu totus aestuo et ideo tacere non possum, verumptamen tantae professionis prerogativam convitiis vel insultationibus exacerbare turpe est et ideo loqui prohibeor' erinnern stark an Walter Maps Dissuasio
Valerii ad Rufinum philosophum ne uxorem ducat, die mit den Worten ‚Loqui
prohibeor et tacere non possum' beginnt und diese Sätze oft wiederholt[2].
Auch Peter von Blois fängt einen Brief an den König von England mit ‚Loqui
vereor et tacere non expedit' an[3]. Obwohl ich die Möglichkeit zugeben muß,
daß eine rhetorische Wendung mir unbekannten Ursprungs zugrunde liegt,
halte ich es doch für das Wahrscheinlichste, daß die erotische Parodie, die in
England oder Frankreich entstanden ist, die Phrase aus der sehr beliebten
Dissuasio Valerii ad Rufinum genommen hat. Nach der Einleitung schildert
unser Text den Mönch und sein schlimm verlaufenes Liebesabenteuer mit
Worten der Bibel! Ziehe ich im allgemeinen die Oxforder Handschrift vor,
so sind doch auch die anderen Textzeugen von großem Interesse, zum Beispiel
deshalb, weil sie nicht selten an bestimmten Stellen mit der jüngeren Redaktion übereinstimmen. Es erscheint nämlich in der Überlieferung des 15. Jahrhunderts dieselbe Anekdote als ‚Passio cuiusdam (nigri) monachi (secundum
luxuriam' oder ‚sec. Fabianum') in Codices von Graz, Leipzig, Lübeck, Mailand, Paris und Prag. Da jeder Textzeuge von dem anderen mehr oder weniger
abweicht, ist es wiederum schwer, ja wohl unmöglich, einen Normaltext zu
rekonstruieren. Die Überschrift soll natürlich an die Passio Domini nostri
Jesu Christi, die Anfangsformel ‚In illo tempore' an die Evangelienperikopen
des christlich-katholischen Gottesdienstes erinnern. Der Erzähler geht gleich
medias in res, ist auch bei Beschreibung der Buhlerin wortkarger, bietet indessen im Grunde das gleiche. Die Bibelzentonen sind fast immer dieselben
wie in der älteren Redaktion. Ob es sich um Psalmensprüche oder um Jesus-
worte, um was sonst handelt, ist dem Parodisten ganz einerlei, wenn er aus
ihnen den Text seiner Novelle, die Gespräche seiner Personen zusammenstellen
und recht starke Kontraste erzielen kann zwischen der Heiligkeit des Ursprungs und der Profanität der Verwendung. Ihrerseits hallt die Geschichte
vom ehebrecherischen Mönch nach in der Unsinnspredigt vom Nichts[4]. Man
vergleiche z.B. den Satz ‚Erat autem puella pulchra facie decoraque aspectu

---

[1] Vgl. Textanhang.
[2] Vgl. De nugis curialium, ed. M. R. James p. 143 Z. 2, 5; 144 Z. 2f., 4f., 7, 10, 15.
20; 145 Z. 2, 5, 9.
[3] Migne, Patrol. lat. CCVII 298.
[4] Vgl. unten S. 179f.

supra quam nullus hominum sedit nisi 144 000 ex omni natione quae sub coelo est. Et osculatus est eam et dixit „Quid adhuc egemus testibus"? Im Oxforder und römischen Text der erotischen Predigt steht die Zahl der Liebhaber der Frau noch nicht, wohl aber in der Handschrift von Bésançon und in allen Manuskripten der Passio. So hat die Lübecker Fassung ‚vidit unam pulchram circa ignem sedentem que garrulabat se esse virginem, supra quam nullus hominum solus sedebat, sed 144 000 hominum qui empti sunt precio magno, et in die omnium sanctorum 12 000 signati et in die palmarum turba multa et in die ascensionis omnes gentes et in actibus apostolorum ex omni generacione quae sub celo est, et in 3. declinacione Donati 78 vel paulo plus et in medio eiusdem relique pene omnes et in fine psalterii „Quicumque wlt" et post hec venit turba magna quam nemo dinumerare poterat.' Daß der Ehemann den nackend in einem Korbe Ertappten fragt: ‚Freund, warum bist du hierher gekommen?' findet sich überall, der Zusatz ‚ohne hochzeitliches Gewand' nur in der Passio. Und so sind dem erotischen Schwank in den verschiedenen Abschriften verschiedene Nuancen gegeben. Zotig, derb, voll Grausamkeit und dabei durch die Parodie fast immer witzig, gehört die Geschichte zu den besten Vorläufern der Novellen und Fazetien Boccaccios, Poggios u. a.

2 Zechen, Schlemmen und Spielen

Secundo redarguor etiam de ludo,
sed cum ludus corpore me dimittat nudo,
frigidus exterius, mentis estu sudo,
tunc versus et carmina meliora cudo.

Tertio capitulo memoro tabernam:
illam nullo tempore sprevi neque spernam,
donec sanctos angelos venientes cernam,
cantantes pro mortuis ‚Requiem eternam'.

Meum est propositum in taberna mori,
ut sint vina proxima morientis ori.
Tunc cantabunt letius angelorum chori:
‚Sit Deus propitius huic potatori'.

Poculis accenditur animi lucerna,
cor inbutum nectare volat ad superna.
Mihi sapit dulcius vinum de taberna,
quam quod aqua miscuit presulis pincerna.

(Archipoeta)

Viele Parodien des Mittelalters sind in der Studierstube erdacht und haben zumeist in den Büchern der Gelehrten gelebt. Zu denen, die aus frischem Genießen hinaus in andere, weitere Kreise gedrungen sind, gehören hauptsächlich diejenigen, die von Zechen, Schlemmen und Spielen sowie von den Freuden und Leiden des Bummel- und Vagantenlebens singen und sagen.

Manches mittelalterliche Trinklied ist Parodie oder zum Teil parodistisch.
Statt der berühmten ins 11. Jahrhundert zurückreichenden Mariensequenz[1]

> ,(1) Verbum bonum et suave
> personemus illud Ave,
> per quod Christi fit conclave
> virgo, mater, filia.
>
> (2) Per quod Ave salutata
> mox concepit fecundata
> virgo, David stirpe nata,
> inter spinas lilia.
>
> (3) Ave veri Salomonis
> mater, vellus Gedeonis,
> cuius magi tribus donis
> laudant puerperium.
>
> — — — — — —
>
> (6) Supplicamus: nos emenda,
> emendatos nos commenda
> tuo nato ad habenda
> sempiterna gaudia',

erscholl aus der Kneipe der Kantus[2]

> ,Vinum bonum et suave,
> bonis bonum, pravis prave,
> cunctis dulcis sapor, ave,
> mundana laetitia.
>
> Ave, felix creatura,
> quam produxit vitis pura,
> omnis mensa fit secura
> in tua praesentia'

usw. den Wein statt der Gottesmutter Maria preisend bis zur Schlußstrophe,
die gleich dem Anfang besonders deutlich parodistisch ist:

> Supplicamus: hic abunda,
> per te mensa fit fecunda,
> et nos cum voce iocunda
> deducamus gaudia.'

[1] Analecta hymnica. LIV no. 218.
[2] Texte z.B. bei Mone im Anzeiger für Kunde des teutschen Mittelalters. II (1833) S. 189ff.; bei Daniel im Thesaurus hymnologicus. I (1841) S. 282; bei E. du Méril, Poésies populaires (1847) p. 204sq.; bei Straccali, J goliardi, Florenz 1880, p. 90; bei Bergman, Ur medeltiden poesie, Stockholm 1889, p. 184sqq.

Die Varianten und Variationen sind zu zahlreich, als daß sie hier alle erörtert werden könnten. Eine weitverbreitete Fassung[1] beginnt mit der 3. Strophe der offenbar älteren ‚Vinum bonum et suave‘-Form:

> ‚Ave, color vini clari,
> ave, sapor sine pari,
> tua nos letificari,
> dignetur potentia‘

und schließt:

> ‚Ergo vinum collaudemus,
> potatores exaltemus,
> non potantes confundemus
> per eterna secula‘ oder
> ‚ad inferna palatia‘ oder
> ‚in aeterna supplicia‘.

Überall klingt die Sprache der kirchlichen Lieder durch. Bezeichnenderweise steht der Text z.B. in München lat. 23108 als Anhängsel zu einem Psalterium deutschen Ursprungs, also zu einer echt liturgischen Handschrift und fügt außer einem verstümmelten

> ‚Vivat ⟨in eternum⟩
> qui dat nobis ⟨vinum⟩ Falernum‘

noch das Gebet[2] an: ‚Deus, qui nos potestate vini et fortitudine ipsius hodierna die multorum capita dolere fecisti, concede, ut quorum cenali potacione capita ledantur matitutinali reiteracione recurrentur per eundem Ciphum et Bachum, qui nos dignetur perducere ad eandem ebrietatem. Amen.‘

Dieselbe Parodie der Mariensequenz liegt den Liedern zugrunde, die uns Abt, Prior und Konvent beim Zechen vorführen.

> ‚Vinum bonum et suave
> bibit abbas cum priore,
> sed conventus bibit male,
> Virgo mater aspice‘
>   usw.

notiert[3] der Medizinstudierende Johann Fink saec. XV in seinem Vorlesungsheft Wolfenbüttel Cod. Helmst. 886 f. 164[R];

---

[1] Vgl. Mone im Anzeiger für Kunde des teutschen Mittelalters. II (1833) S. 190 f.; Th. Wright, Early mysteries etc., London 1838, p. 120; Du Méril, Poésies populaires (1847) p. 204; Straccali, J goliardi, p. 90.

[2] Ähnlich Karlsruhe St. Blasien 77 f. 302[R].

[3] Vgl. E. Henrici, Sprachmischung in älterer Dichtung Deutschlands, Berlin 1913, S. 90. Vgl. über Fink meinen Aufsatz Lebensnachrichten eines süddeutschen Arztes vom Ende des Mittelalters: Erforschung des Mittelalters. III (1960) S. 277 f.

> ,Vinum bonum con sapore
> bibit abbas cum priore,
> aqua datur fratribus'
> usw.

steht in Hamburg[1] Ms. theol. 1478 in 4⁰ f. 16[R];

> ,Bonum vinum cum sapore
> bibat abas cum priore,
> conventus autem de peiore'

zitiert[2] eine italienische Handschrift saec. XV in Breslau als ,Proverbium d. f. s. Pontiani';

> ,Vinum bonum cum sapore
> bibit abbas cum priore
> et conventus cum priore,
> semper solent bibere'
> usw.

in Aarau Wb. 59 q. aus Wettingen. In dieser Wettinger Überlieferung[3] ist der Schluß wieder ganz pseudoliturgisch:

> ,non bibentes
> confundentes
> alterna tristitia.

Audi, nos. Nam rustici, qui sunt semper contra nos. Da eis aquam bibere, da nobis vinum bonum consumere.

> Versus: Rustici sunt laeti,
> quando sunt repleti.
> Resp: Et sunt inflati,
> quando sunt inebriati.

Deus, qui multitudinem rusticorum congregasti et magnam discordiam inter eos et nos seminasti, da, quesumus, ut laboribus eorum fruamur et ab uxoribus eorum diligamur. Per omnia pocula poculorum. Amen.'

Auch das Weinlied[4] des Schulmeisters Morandus von Padua aus dem 13. Jahrhundert

> ,Vinum dulce, gloriosum
> pingue facit et carnosum
> atque pectus aperit'

---

[1] Henrici, a. a. O.
[2] Vgl. K. Ziegler, Catalogus codicum latinorum classicorum in bibl. urbica Wratislaviensi p. 45.
[3] Vgl. Jak. Werner, Beiträge (1905) S. 211 f.
[4] Bester Text in O. Holder-Eggers Salimbeneausgabe, MG. SS. XXXII 219.

wird durch ‚Vinum bonum et suave' angeregt und beeinflußt sein. Ob es unmittelbar einen bestimmten Hymnus parodiert, ist noch nicht erwiesen. Die Schlußstrophe

> ‚Alba limpha maledicta
> sit a nobis interdicta,
> quia splenem provocat'

lehnt sich an Marienlieder an, die mit ‚Ave virgo benedicta' anfangen[1].
Auf das Poem des Morandus geht z. T. das Ende

> ‚Alba limpha maledicta
> sit nobis interdicta,
> ut durat (ducat) ista regula
> per infinita secula. Stramen!'

des folgenden Kneipgesanges[2] zurück.

> Jam lucis orto sidere
> statim oportet bibere.
> Ergo beati eritis,
> si bene potaveritis.
>
> Si non bene biberitis,
> salvi esse non poteritis.
> Bibamus ergo egregie,
> ut rebibamus optime;
>
> ut in solemni requie
> possimus esse hodie,
> bibere et rebibere
> et rebibendo bibere.
>
> Omnis ergo noster frater
> bibat semel, bis, ter, quater,
> bibat primo et secundo,
> donec nichil sit in fundo.
>
> Vinum limphatum
> conturbat viscera fratrum:
> qui aquam ponit in Falerno,
> sit sepultus in inferno.
>
> Alba limpha maledicta
> sit nobis interdicta,
> ut durat (ducat) ista regula
> per infinita secula.
> Stramen.

---

[1] Vgl. U. Chevalier, Repertorium hymnologicum. I 128; IV 52.
[2] Aus einem Codex saec. XIV der Bibliotheca Guarnacci di Volterra, herausgeg. von L. Suttina in den Studi medievali. II 563 sqq.; aus derselben Handschrift Funaioli in den Studi Italiani di filologia classica. XVIII (1910) p. 154.

Von der gern in der Hymnodie gebrauchten Ambrosianischen Zeile ‚Iam lucis orto sidere' an bis zum ‚Stramen' statt ‚Amen' ist das Lied voll parodistischer Einzelheiten. Das Gedicht scheint in Italien entstanden zu sein und dort besonderen Anklang gefunden zu haben. G. Mazzoni hat die verschiedentlich bedeutend abweichende Fassung eines Codex saec. XIV ex. von Cortona publiziert[1], L. Bertalot mich auf einen Textzeugen in Bergamo privatim aufmerksam gemacht. Aus einem Venetianus saec. XVI druckte bereits 1883 F. Novati folgende Verse ab[2]:

> ‚Iam lucis orto sidere
> statim oportet bibere.
> Bibamus nunc egregie
> et rebibamus hodie.
>
> Quicumque vult esse frater,
> bibat semel, bis, ter, quater,
> bibat semel et secundo,
> donec nihil sit in fundo.
>
> Bibat il'e, bibat illa,
> bibat servus et ancilla,
> bibat hera, bibat herus,
> ad bibendum nemo serus.
>
> Potatoribus pro cunctis,
> pro captivis et defunctis,
> pro imperatore et papa
> bibo vinum sine aqua.
>
> Hec est fides potatica,
> sociorum spes unica,
> qui bene non potaverit,
> salvus esse non poterit.
>
> Longissima potatio
> sit nobis salutatio.
> Et duret ista ratio
> per infinita secula.
> Amen.'

---

[1] Atti e memorie della r. accademia di scienze, lettere ed arti in Padova. N. S. IX (Padua 1893) p. 49.

[2] Carmina medii aevi, Florenz 1883, p. 66 sq., wiederholt durch B. Hauréau im Journal des savants 1884 p. 405.

Die zweite Strophe ist oft selbständig geworden. So hat 1469 ein Bayer –
in München lat. 5942 f. 92 v – die Verse aufgezeichnet[1]:

,Quicumque vult esse frater,
bibat semel, bis, ter, quater,
bibat semel et secundo,
donec nichil sit in fundo.
Nunc pro rege et ⟨ pro ⟩ papa
bibo vinum sine aqua.
Hec est fides apotheca,
sociorum spes unica.
Qui bene non potaverit,
salvus esse non poterit.'

In München lat. 10 751 westfälischen Ursprungs steht die ,Exhortatio ad
potandum perutilis' direkt vor der Saufmesse. Die ,Fides' wird da, wie oben
S. 128, klar ,potatica' genannt: Um ein bacchantisches Glaubensbekenntnis
handelt es sich. Es ist kein Zufall, daß der Beginn an das Athanasianische
Symbol ,Quicumque' anklingt. Die komische Aufzählung der Trinker ist ein
alter Scherz der Goliardenpoesie. Man trifft ihn bereits in einem Kneipgesang
der Carmina Burana (no. 175) eingefügt[2]:

,In taberna quando sumus,
non curamus quid sit humus,
sed ad ludum properamus,
cui semper insudamus.
Quid agatur in taberna,
ubi nummus est pincerna,
hoc est opus, ut quaeratur,
si quid loquar, audiatur.

Quidam ludunt, quidam bibunt,
quidam indiscrete vivunt.
Sed in ludo qui morantur,
ex his quidam denudantur,
quidam ibi vestiuntur,
quidam saccis induuntur.
Ibi nullus timet mortem,
sed pro Bacho mittunt sortem.

[1] Verwandtes bei Du Méril, Poésies populaires (1847) p. 202 und – nach Bertalot –
bei Joh. Petrus de Memel, Lustige Gesellschaft (1659) no. 768.
[2] Aus einer böhmischen Handschrift veröffentlichte Feifalik in den Wiener Sitzungsberichten XXXVI (1861) S. 170/1 das Gedicht in einer vielfach abweichenden Fassung.

Primo pro nummata vini.
Ex hac bibunt libertini.
Semel bibunt pro captivis,
post haec bibunt ter pro vivis,
quater pro Christianis cunctis,
quinquies pro fidelibus defunctis,
sexies pro sororibus vanis,
septies pro militibus silvanis.

Octies pro fratribus perversis,
novies pro monachis dispersis,
decies pro navigantibus,
undecies pro discordantibus,
duodecies pro paenitentibus,
tredecies pro iter agentibus.
Tam pro papa quam pro rege
bibunt omnes sine lege.

Bibit hera, bibit herus,
bibit miles, bibit clerus,
bibit ille, bibit illa,
bibit servus cum ancilla,
bibit velox, bibit piger,
bibit albus, bibit niger,
bibit constans, bibit vagus,
bibit rudis, bibit magus,

bibit pauper et aegrotus,
bibit exul et ignotus,
bibit puer, bibit canus,
bibit praesul et decanus,
bibit soror, bibit frater,
bibit anus, bibit mater,
bibit ista, bibit ille,
bibunt centum, bibunt mille.

Parum centum sex nummatae
durant, ubi inmoderate
bibunt omnes sine meta,
quamvis bibant mente laeta.
Sic nos rodunt omnes gentes,
et sic erimus egentes.
Qui nos rodunt, confundantur
et cum iustis non scribantur.'

Ludwig Laistner[1] hat dieses „Kneipleben" folgendermaßen frei übersetzt:

So wir sitzen in den Schenken,
darf uns Erdennot nicht kränken;
nein, da gilt es Kurzweil treiben,
also war's und soll es bleiben.
Was getrieben in der Welt wird,
wo geschenkt für bares Geld wird,
das ist eine nöt'ge Frage,
drum vernehmet, was ich sage.

Hier ein Spiel, ein Suff daneben,
dort ein wahres Heidenleben.
Wo des Spieles wird gepflogen,
sieht sich mancher ausgezogen,
klopft ein andrer stolz die Tasche,
sitzt der Dritt' in Sack und Asche.
– Wer wird um den Tod sich scheren?
Losung ist: zu Bacchus Ehren!

Lostrunk eins: wen trifft die Zeche?
Dann so fort in Frisch' und Freche:
allen, so in Banden schweben!
Drittens: wer da lebt soll leben!
Viertens: jeder Christ hienieden!
Fünftens: wer im Herrn verschieden!
Sechstens: jede flotte Musche!
Siebentens: die Herrn vom Busche!

Achtens: der Dummen-Brüder-Orden!
Neuntens: wer fahrnder Mönch ist worden!
Zehntens: wer zu Schiff gegangen!
Elftens: wer Händel angefangen!
Zwölftens: wer im Bußgewand ist!
Schließlich: wer da über Land ist!
Außer der Reih für Papst und Kaiser
trinken und schrei'n sich alle heiser.

Trinkt der Sie- und trinkt der Erstand,
trinkt der Wehr- und trinkt der Lehrstand,
trinket dieser, trinket jene,

[1] Golias S. 7 ff.

9*

trinkt der Knecht und seine Schöne,
trinkt der Flinke, der Verhockte,
trinkt der Blond- und Schwarzgelockte,
trinkt der Stät' und Wetterwendge,
trinkt der Tor und der Verständge.

Trinkt der arme Mann im Spittel,
trinkt der Fremd' im Elendskittel,
trinkt die Jugend, trinkt das Alter,
trinkt Dekan und Vorbestallter,
trinkt das Mägdlein, trinkt der Knabe,
trinkt die Mutter, die Ahn' am Stabe,
trinkt so Weib, als Männlein, bede,
trinken tausend, all und jede.

Wie soll da das Geldlein reichen,
Wenn in Zügen sondergleichen
alles ohne Maß und Ziel trinkt,
ob auch schon mit Hochgefühl trinkt?
Da will uns die Welt bekritteln:
Ei, das hilft uns nicht zu Mitteln.
Jeder Krittler soll verflucht sein,
nie im Himmelsbuch gebucht sein!'

Parodistisch sind die Schlußworte ‚et cum iustis non scribantur', die den Psalmen (LXVIII 29) entnommen sind, parodistisch – was die deutsche Übersetzung nicht recht zutage treten läßt – in der dritten und vierten Strophe die Fürbitten, die kirchliche Gebräuche nachäffen. Die Verse

‚bibit ista, bibit ille,
bibunt centum, bibunt mille'

machte sich auch der Florentiner Buoncampagni bei der Verspottung des religiösen Schwärmers Johann von Vincenza nutzbar[1]. ‚Hic (scil. Buonc.) cum more Florentinorum trufator maximus esset, quendam rithmum fecit in derisionem fratris Johannis de Vincentia, cuius nec principium reminiscor nec finis, quia multa tempora sunt, quod non legi ipsum, et, quando legi, non bene commendavi memorie, quia nec multum curabam. Erant autem ibi verba ista, prout memorie occurrunt:

[1] Salimbene zum Jahre 1233, MG. SS. XXXII 77 sq.

„Et Johannes iohannizat,
et saltando choreizat.
Modo salta, modo salta,
qui celorum petis alta!
Saltat iste, saltat ille,
resaltant cohortes mille,
saltat chorus dominarum,
saltat dux Venetiarum."

Die Steigerung der Freuden des Trinkens schildert das Gedicht[1]

,Ad primum morsum
nisi potavero, mortuus sum'

bis zu den Versen

,Quando bibo decies,
est mihi magna quies.
Det Deus huic requiem,
qui bibit ante diem.
Amen.'

Diese z.B. im Sanblasianus 77 zu Karlsruhe mit dem vorhergehenden Stück verbundenen, auch in Amiens 357 saec. XIV f.148[R] und sonst erhaltenen ,Versus de ebrietate'

,Discite, discatis,
quis sit modus ebrietatis.
Hic canit, hic plorat,
hic scandalizat, hic orat'
usw.

sind nicht parodistisch. Dagegen schließt die ,Altercatio vini et cerevisie' ,Ludens ludis miscebo seria' ganz bewußt hymnusähnlich[2]:

,Bachus vero vincit flagrantia
thus, aroma, rosam et lilia.
Bacho demus laudes cum gloria,
decantemus omnes: Alleluja.'

---

[1] F. Novati, Carmina medii aevi p. 67 sq.; Variationen in München lat. 14796 f.213[R] saec. XV und Karlsruhe St. Blasien 77 f. 302[R], für L. Bertalot von A. Holder kopiert.
[2] A. Bömer in der Zeitschrift f. deutsches Altertum. XLIX (1907) S. 202.

Gebetsparodien sind die Bacchusanrufungen. So die Verse[1] Reinhers, eines Kanzlers der Landgrafen von Thüringen

> ‚Bache veni, Deus alme veni! Quid carcere tardas?
> Linque ciphum, perfunde cibum, illabere venis
> et duplex operare bonum. Nam colluis escas
> cordaque mesticie discussa nube serenas.‘

So ferner das Lied der Benediktbeurer Sammlung[2] mit dem Anfang

> ‚Bache, bene venies
> gratus et optatus,
> per quem noster animus
> fit letificatus‘

und dem Schluß

> ‚Bache, Deus inclite,
> omnes hic astantes
> laeti sumus munera
> tua praelibantes.
> Omnes tibi canimus
> maxima praeconia,
> te laudantes merito
> tempora per omnia.‘

Und ist es nicht eine parodistische Übertragung der Allmacht Gottvaters, der Wunderkraft Jesu Christi auf den Gott des Weines, wenn es in den Benediktbeurer Liedern[3] ertönt:

> ‚Tu das, Bache, loqui, tu comprimis ora loquacis,
>   ditas, deditas, tristia laeta facis.
> Concilias hostes, tu rumpis foedera pacis,
>   et qui nulla sciunt, omnia scire facis.
> Multis clausa seris, tibi panditur archa tenacis,
>   tu das, ut detur, nil dare posse facis.
> Das caeco visum, das claudo crura salacis.
>   crederis esse Deus, haec quia cuncta facis.
> Ergo bibamus‘ usw.?

---

[1] W. Wattenbach aus München lat. 4394 saec. XV im Anzeiger f. Kunde d. deutschen Vorzeit. 1879 S. 100.

[2] C. B. no. 178. Über Ovidianisches darin vgl. Hermann Unger, De Ovidiana in carminibus Buranis quae dicuntur imitatione, Berliner Diss. 1914, S. 23.

[3] C. B. no. 178 a.

Das Trinklied[1] ‚Denudata veritate‘ preist den Wein als Gott. Ein ausgelassener Poet erkühnt sich, zu sagen[2]

> ‚Cum ergo salutamus
> vinum, tunc cantamus:
> „Te Deum laudamus“‘,

wie es auch in einer Variation[3] der Beichte des Erzpoeten heißt

> ‚Vinum super omnia
> bonum diligamus.
> Nam purgantur viscera,
> dum vinum potamus.
> Cum nobis sit copia,
> vinum dum clamamus:
> „Qui vivis in gloria,
> te Deum laudamus.“‘

Die Mischung von Frechheit und Frische in der ursprünglichen Beichte selbst versteigt sich nur zu dem Wunsche, daß der Tod den Zecher beim Kneipen ereile und die Engel ihm ein Requiem sängen und Fürbitte für ihn einlegten[4].

Mit scheinbarem Ernst beginnt ein anderer Dichter seine Aufforderung zum Pokulieren mit einem Zitat der moralischen Disticha Catonis[5]

> ‚„Cum animadverterem“, dicit Cato.‘

Der Schluß parodiert die Doxologie eines Hymnus

> ‚Conventus iste nobilis
> laetetur his conviviis
> et mera mente gaudeat
> et dignas laudes referat
> summo patris filio
> et hospiti largissimo
> tali dicto nomine,
> ut longo vivat tempore.‘

[1] MG. SS. XXXII 430 sqq.
[2] C. B. no. 182.
[3] Poems attrib. to Walter Mapes, ed Wright. p. XLV.
[4] Vgl. die dem Kapitel von uns vorausgeschickten Verse.
[5] C. B. no. 195.

Die berühmte Weinparodie ,Vinum bonum et suave' gab spätestens zu Anfang des 14. Jahrhunderts in England die Strophenform, den durchlaufenden Reim der Siebensilber und vermutlich die Melodie auch der langen launigen Burleske vom Abt und Prior und den Mönchen, die beim Kneipen in Zank geraten:

> ,Quondam fuit factus festus
> et vocatus ad comestus
> abbas prior de Leycestris
> cum tota familia.'

Eine Parodie ist dieses Gedicht, über das uns W. Meyer – ohne die reiche Überlieferung ganz zu kennen – eine scharfsinnige Abhandlung geschenkt hat, eigentlich nicht, sondern eine derb-humoristische Erzählung mit parodistischem Einschlag. Parodistisch könnte man z.B. nennen die Verwendung des Pauluswortes 1. Kor. X 12 ,Qui se existimat stare, videat ne cadat' in Str. 2

> ,Qui stat, vide ne cadatis.
> Multum enim de prelatis
> sunt deorsum descendatis
> propter avaricia;'

in Str. 14 das Gebet

> ,Rogo, deus maiestatis,
> qui nos fecit et creatis,
> ut hoc vinum, quod bibatis,
> possit vos strangulia.'

Ist auch die Sprache, die absichtlich in der lustigsten Weise gegen die Regeln der Grammatik verstößt, Parodie? Insofern ja, als der Dichter des Spasses halber das korrekte Latein verzerrt, nein, insofern er schwerlich durch Vergröbern und Häufen von Sprachschnitzern sich über miserables Mönchslatein lustig machen will. Es gibt noch mehr Proben von solchem Spott- und Scherzlatein aus dem Mittelalter. Zur Verhöhnung klerikaler Unbildung oder als Waffe gegen Übereleganz und Maniriertheit ist das Scherzlatein aber erst seit den Tagen der Renaissance und des Humanismus ausgebildet, angewandt worden, z.B. im ,Codrus' des Johannes Kerckmeister zu Münster i.W. (1485), wo ich das früheste – meist übersehene – Beispiel[1] für die Benennung schlechten Lateins nach der Küche feststelle, in Schülergesprächen, dann mit Meisterschaft bei Folengo, in den Dunkelmännerbriefen, bei Rabelais u.a.

Heute macht die Burleske ,Quondam fuit factus festus' den Eindruck eines Ulkes. Daß anfänglich mit diesem eine satirische Absicht wenigstens nebenbei verbunden gewesen wäre, möchte ich nicht verneinen, ebenso wie die von

---

[1] Archiv für Literaturgeschichte XI (1882) S. 340.

Thomas Wright veröffentlichte[1] Prosaerzählung ‚Magister Golyas de quodam abbate. Circa horam diei secundam vel tertiam' einen bestimmten Abt aufs Korn genommen haben dürfte. Dieser Schwank schildert grotesk den Tageslauf eines Abtes, vor allem sein maßloses Saufen und Fressen. Des Prälaten Gedanken drehen sich darum, wie er seinen Bauch füllen kann. ‚Plus meditatur de eo quam de Deo, plus de salsamentis quam de sacramentis, plus de salmone quam de Salomone.' Das sind die Meditationen, von denen Filippo Ermini[2] in einer Weise spricht, daß man denken könnte, ein Parodist hätte einem Traktat De sacramentis et de Salomone förmlich längere Meditationen De salsamentis et de salmone entgegengesetzt. Es handelt sich bloß um eine der vielen scherzhaften Antithesen des Goliasulkes, wobei das sehr beliebte[3] Wortspiel Salomo – salmo gebraucht wird. Der Spötter fährt fort: ‚Der Bauch ist sein Gott, sein Ruhm liegt auf seinem Gaumen, und so erfüllt er, was da geschrieben steht „Suchet zuerst das Reich Gottes". Wie da Matthäus VI 33 ironisch-parodistisch angeführt ist, so im weiteren Verlaufe noch manches andere Wort, z. B. ‚O quam bonus pastor et quam digne electus, qui non solum non ponit animam pro ovibus, sed cui parum est, quod totus grex moriatur, ut ipse solus vivat abunde' nach dem 10. Kapitel des Johannesevangeliums. Gemäß Deuteron. XXXII 14, einer gern zitierten Stelle, ist der Abbas ‚pinguis et rotundus, incrassatus et dilatatus', er kann mit dem Apostel ausrufen ‚quis infirmatur, et ego non firmor, quis scandalizatur, et ego non gratulor' (2 Kor. XI 29) usw. Den breitesten Raum nimmt ein, wie sich der Abt üppig kleidet, – ‚sed de hiis alias expressimus in posterioribus analectis videlicet iuvencularum nostrarum in libro quarto de lenocinio' (p. XLI), ein fiktiver Hinweis, – wie er sich wollüstig Bacchus und Venus widmet und das alles unter steter Umgehung der Ordensregeln und Mönchsgewohnheiten[4], z. B. ‚abstinetne ab omni carne? Non, sed a quadrupedibus tantum. Comeditne volatilia pennata? Non, sed si fuerint deplumata et cocta, tunc vescitur ipsis, quia oriuntur ab aquis, sicut et pisces, quibus uti est illis satis licitum. Sumunt etiam sui erroris defensionem ab auctoritate b. Ambrosii qui ait „Magne Deus, potenter qui ex aquis ortum genus partim remittis gurgiti partim levas in aera". Remittis itaque, domine abbas, gutturi tui ea quae sursum levantur in aera sicut et ea quae remittuntur gurgiti, utraque enim ex

---

[1] The poems attributed to Walter Mapes p. XL sqq.

[2] La cultura. I (1922) p. 173.

[3] Vgl. Petrus de Riga, Historia de Susanna, Migne CLXXI 1291; Alanus de Insula, Summa de arte praedicatoria cap. 36, Migne. CCX 180; Godefridus de Thenis, Omne punctum v. 320 sqq., ed. Fr. Jacob, Lübeck 1838, p. 54; das Gedicht ‚Sunt qui rectum non attendunt'. Anzeiger f. Kunde d. deutschen Vorzeit. N. F. XVIII (1871) S. 232; der Dominikaner Johannes von Paris, genannt Pungens asinum, saec. XIII in einer Predigt, vgl. Histoire littéraire de la France. XXV 253 (die Bekanntschaft mit dieser Stelle verdanke ich der Güte des Herrn Prof. M. Grabmann); König Ludwig IX. von Frankreich in einem Schreiben an die Kardinale, l. c.

[4] Nähere Untersuchung und Vergleichung würde sich lohnen.

aquis orta sunt; remittis, inquam, gurgiti tuo pavones, cignos, grues et anseres, gallinas et gallinaceos, id est gallos castratos. Gallos autem veros non comedit. Quare? Quia caro ipsius durior est et minus saporifera palato. Est ratio et altera: Si gallos comederet simul cum gallinis, tunc tota eorum destrueretur propago, quod optaret serius quam calefieri ad caminum ignis. Est et tertia que versimilior videtur, videlicet: quod ideo gallos non comedit, quia plus valent gallinacii qui fiunt de gallis, cum fuerint castrati. Non enim eorum reformidat propaginis defectum, dum gulae placeat et castiget ingluviem. Corvos vero iurat se nullo modo velle comedere, quia cum missus esset de archa Noe invento cadavere noluit reverti, sicque probat, quod nequam sit et nutilis' (p. XLII) usw. ,Praeter praedicta ova comedit saepissime, quia regularia sunt et conservatoria sanitatis; cibus enim comfortabilis est et digestibilis et teste Ovidio aliquid habet in se petulantiae, quod in hiis plus placet. Sed quia rigore regulae coarctatur, ne quinarium numerum excedat, comedit V dura, V mollia, V frixa, V lixa, V cumino dealbata, V pipere denigrata, V in artocreis, V in artocaseis, V pulmentata, V sorbilia, V in brachiolis conflata; quae licet per computationem sint LV, divisim tamen sumpta non sunt nisi V' (p. XLIII) usw. Außer den Speisen, bei denen das ,moretum Virgilii' nicht fehlt, trinkt der Abt die köstlichsten Weine in unendlichen Mengen, und zwar die liturgischen Fürbitten parodierend ,bibit semel, sed multum pro pace et stabilitate ecclesiae, bis pro praelatis, ter pro sibi subditis, quater pro captivis, quinquies pro infirmis, sexies pro aeris serenitate, septies pro maris tranquillitate, novies pro peregrinantibus, decies pro domi sedentibus, undecies ut parum comedant monachi, duodecies ut multum comedat ipse, tredecies pro universis Christianis, quaterdecies pro rebus humanis, quinquies et decies, ut Dominus Deus rorem mittat super montem Gelboe, quo messes albeant, vineae floreant et germinent mala punica et sic numero impari numerum potationum concludit iuxta illud „Numero Deus impari gaudet" (p. XLIII) usw. Ähnlich ließ der Garsiastraktat[1] den Erzbischof von Toledo ,Grimoardus' vor den Kardinälen trinken für das Heil der Welt, für die Erlösung der Seelen, für die Kranken, für die Erdfrüchte, für den Frieden, und überhaupt hat das Zechen in dieser Satire des 11. Jahrhunderts ähnliche Züge wie das Saufen des Abtes in dem jüngeren Goliasschwank, ohne daß Abhängigkeit bestehen dürfte: Als der Abt stets von neuem trinkt, ruft der Goliarde aus ,Hae sunt passiones quas patitur pro Christo' (p. XLIII), in der antikurialen Parodie des Garsias[2] ermuntert Papst Urban die saufenden Kardinäle ,Vere beati, quia multas potationes passi estis propter iustitiam'. Andere Seligpreisungen folgen[3]: ,Bibite, bibite, beati cardinales mei, vere beati, intelligitis enim super Albinum et Rufinum. – – – Beati qui bene po-

---

[1] Vgl. oben S. 96.
[2] MG. Libelli de lite. II 431.
[3] L. c. 432 Z. 16 u. 434 Z. 6f.

tant, qui sapiunt vina. Non est Romanae auctoritatis sobrium esse'. Als
gegen Schluß Gregor zum Papste sagt ‚Domine, ecce unus potator hic', antwortet dieser[1] ‚Deo gracias! Scriptum est enim „Domus mea domus potacionis vocabitur"'.

Häufiger als Papst und Kardinäle werden in der Poesie Abt und Mönche
beim Schwelgen geschildert.

> ‚Abbatum video mores et opera,
> quorum est quisque dux gregis ad infera;
> in claustro mobilis, fixus in camera
> et in capitulo tanquam effimera.

> 345 Hii mundi gaudia sprevere penitus,
> quod probat passio silentis spiritus,
> cordis contritio, aquarum exitus,
> tonsurae vilitas et turpis habitus.

> Sed cum sit habitus illorum turpior,
> 350 in ipsis habitat Venus securior,
> si male convenit tonsura celsior,
> pronus ad calicem frons est liberior.

> Si flentes cor habent contritum solito,
> arrident calici semper apposito,
> 355 si linguam spiritu refrenant tacito,
> multa convitia loquuntur digito.

> Quibus prandentibus voto praecipiti
> fauces celerrimae, dentes solliciti,
> sepulcrum patens est guttur, par gurgiti
> 360 spumoso stomachus et rastris digiti.

> Dum coenas celebrat abbas cum fratribus,
> torquentur calices a propinantibus
> vinumque geminis extollit manibus
> et sic grandissonis exclamat vocibus:

> 365 „O quam glorifica lucerna Domini
> calix inebrians in manu strenui!
> he! o Bache! dux sis nostro conventui
> stirpis Daviticae prole nos prolui!"

---

[1] L. c. 434 Z. 30 sq.

Resumens poculum tractum a Cerere
370 clamat: „Hunc calicem in suo genere
quem biblurus sum, potestis bibere?“
Respondent: „Possumus! ha! hi! fac propere!“

Sed ne potandi sit illa conditio,
qui tenet, teneat, donec de medio
375 fiat, hinc esset lis et contradictio;
ad plenum bibitur sine litigio.

Tunc legem statuunt pactumque mutuum,
ne sit in calice quicquam residuum.
Sic sine requie ventris et manuum
380 vas plenum vacuant et replent vacuum.‘

So die Goliasapokalypse[1]! Verwandt ist die Schilderung eines lasterhaften
Prälaten in dem Liede ‚De grege pontificum‘ der Arundelsammlung[2]:

‚Cum apponi faciat
sibi quod sufficiat
tribus Epicuris,
cuncta passim demetit,
35 nisi quod plus appetit
ea, que sunt pluris.

Invitatur precio
venter in convivio,
Venus in cubili.
40 Et hoc empto carius
delectatur amplius
quam hac merce vili.

Postquam mundet bibulus,
tunc deducet oculus
45 exitus aquarum.
Extunc nec discrecio
sexus nec excepcio
fiet personarum.
– – – – – –

---

[1] Poems attrib. to Walter Mapes, ed. Th. Wright p. 16 sqq.
[2] W. Meyer, Die Arundel-Sammlung mittellat. Lieder S. 43 ff.

55 Totus est venerius
nec cursum alterius
sequitur planete.
Totus est libidinis;
hinc tota lex hominis
60 pendet et prophete.

Si denominacio
fiat ab officio,
quod sit omni mane,
deputare poteris
65 septem dies Veneris
omni septimane.

Cui si forte predices,
quod debent pontifices
esse luxu puri,
70 id habens pro frivolo
mavult cum apostolo
nubere quam uri.

Sed si dicas „contine",
dicet: „In volumine
Pauli continetur
non, ut quis contineat,
sed ut suam habeat
cum qua fornicetur".'

Wie in jenen Versen der Goliasapokalypse v. 347, 359, 366 u. a. biblische
Worte (Ps. CXVIII 136, V 11, XXII 5, LXXIV 9) verarbeitet sind, so auch
in diesem Gedicht, v. 44 wiederum Ps. CXVIII 136 ‚exitus aquarum deduxe-
runt oculi mei', 59f. Matth. XXII 40 ‚in his duobus mandatis universa lex
pendet et prophetae', 72 1 Kor. VII 9 ‚melius est enim nubere quam uri',
74 sqq. 1 Kor. VII 2 ‚propter fornicationem autem unusquisque suam uxorem
habeat'. Aus dem Cambridger Codex C. C. C. 450 saec. XIV hat mir H. Walther freundlichst ein Spottepitaph auf Golias zur Verfügung gestellt.

Qui iacet hic, plenus fuit ingeniis, sed egenus.
In serie morum, flos cleri, fons viciorum.
Ventris servus erat. Si quis de nomine querat.
Nomen Gulie tenuit, vas philosophie,
quem tamen armatum viciis, male morigeratum
novimus. Hunc gratum, Deus, accipe! Tolle reatum!

Daß in Weinlaune auch profane Dichtungen zur Erzielung drastisch-komischer Wirkungen ihre Parodie erhielten, hat L. Ehrenthal in einer vorzüglichen Abhandlung betont[1] und durch eine sehr interessante Vergleichung nachzuweisen versucht. Schon 1882 hatte W. Meyer[2] vermutet, das Kneiplied der Carmina Burana no. 176 „Dum domus lapidea" wäre, „die scherzhafte Nachbildung eines Gedichtes von feinen Formen", erkannte aber das Vorbild nicht, bis Ehrenthal es in derselben Benediktbeurer Anthologie als no. 37 entdeckte.

C. B. no. 37 (= 62 H.-Sch.)	C. B. no. 176.
'Dum Dianae vitrea sero lampas oritur, et a fratris rosea luce dum succenditur, dulcis aura zephyri, spirant omnes aetheri nubes tollit, sic emollit vi chordarum pectora et inmutat cor, quod nutat ad amoris pignora.	'Dum domus lapidea foro sita cernitur, et a fratris rosea visus dum allicitur, "dulcis", ferunt socii, "locus hic hospitii. Bachus tollat, Venus molliat vi bursarum pectora et inmutet et computet vestes in pignora".
Laetum iubar hesperi gratiorem dat humorem roris soporiferi mortalium generi.	Molles cibos edere impinguari, dilatari studeamus ex adipe alacriter bibere.
O quam felix est antidotum soporis, quod curarum tempestates sedat et doloris. Dum surrepit clausis aculorum poris, ipsum gaudio aequiparat, dulcedine amoris'. usw.	Heu quam felix est iam vita potatoris, qui curarum tempestatem sedat et maeroris, dum flavescit vinum in vitro subrubei coloris'. usw.

Hier der Mondschein über den Bäumen, der zur Liebe lockt, dort das steinerne Wirtshaus am Markte, das zum Kneipen einladet. Hier feinfühlige Verquickung von Naturstimmung und Liebesgefühlen, dort ein immer wilder werdender Zechgesang. Die ersten drei oder vier Strophen zeigen deutlich Zusammenhang, von Strophe 5 ab gehen die Lieder auch im Versmaß weiter und weiter voneinander fort. Mir zweifellos, hat ein fröhlicher Kumpan seinen

[1] Studien zu den Liedern der Vaganten, Bromberg 1891.
[2] Vgl. Ges. Abhandlungen zur mittellat. Rhythmik. I 249.

Kantus vom Wirtshaus nach der Melodie des Liebesliedes gesungen und namentlich im Anfang sich stark in Worten und Reimen angelehnt. War den Hörern und Lesern des Kneipliedes das Gedicht ‚Dum Dianae vitrea' wohlvertraut, war es vielleicht unmittelbar vorher gesungen worden, dann war ein Lacherfolg der Imitation unvermeidlich, dann kann und muß man von Parodie reden. Diese Aufeinanderfolge, die bewußte Kontrastierung kann man jedoch nur vermuten. Es gibt Fälle genug, wo im Mittelalter ein Lied sich in Ton und Wort streng nach einem anderen gerichtet hat, ohne daß an parodistische Variation zu denken wäre. Ganz ähnlich wie zwischen ‚Dum Dianae vitrea' und ‚Dum domus lapidea' ist das Verhältnis zweier anderer Stücke der Carmina Burana. W. Meyer[1] sieht in dem Gedicht ‚Si quis Deciorum' (no. 174) eine Parodie des Leiches ‚Si quem Pieridum' (no. 36). Wiederum singt die Vorlage von der Liebe, die Umdichtung von den Freuden des Zechers und vor allem des Spielers. Hält man die Texte nebeneinander, erkennt man die Korrespondenz der beiden Gedichte ohne weiteres.

C. B. no. 36 (61 H.-Sch.)	C. B. no. 174.
1.	**1.**
'Si quem Pieridum	'Si quis Deciorum
ditavit concio,	dives officio
nulli Teieridum	gaudes in vagorum
aptetur otio;	esse consortio,
par Phoebi cytharae	vina nunquam spernas,
sum in verno nectare.	diligas tabernas.
2.	**2.**
Cui prae cunctis	Bachi qui est
virginum obedio,	spiritus infusio
vita me potest	gentes allicit
alere vel mortis taedio,	bibendi studio
sed decus hoc intimum	curarumque taedium
mavult potissimum.	solvit et dat gaudium.
3.	**3.**
Terminum vidit	Terminum nullum
brumae desolatio,	teneat nostra concio,
gaudent funditus	bibat funditus
in florum exordio	confisa Decio;
qui norunt Cypridem	nam ferre scimus eum
plaudentes eidem.	fortunae clypeum.
4.	**4.**
Nunquam tanti cordis	Circa frequens studium
fuit prius Jupiter, (fui pro J.)	sis sedula,
de spe Venerea	apta digitos
opinor; iugiter.	gens eris aemula
Me vita fertilis	ad fraudem Decii
alit et spes habilis.	sub spe stipendii.

---

[1] Ges. Abhandlungen. I 249f. und 330.

<table>
<tr><td>

7.

Ne miretur ducis tantae
quis sublimitatem
quae me sibi vi praestante
doctum reddit plus quam ante
stillans largitatem.

</td><td>

7.

Ne miretur homo talis,
quem tus es nudavit;
nam sors item cogit talis
dare penam factis malis
Jovemque beavit.

</td></tr>
<tr><td>

22.

Huic me corde flagrante
nosco intricatum,
cuius nutu me versante
et ad votum conspirante
me fero beatum.'

</td><td>

17.

Corde si quis tam devoto
ludum imitatur,
huius rei testis Otto,
colum cuius regit Clotho,
quod saepe nudatur.'

</td></tr>
</table>

Alle 23 Strophen der Parodie haben durch Strophenbildung, Zeilenbau, oft durch Reimsilben und Wortbeginn ihre auffälligen Entsprechungen oder Ähnlichkeiten mit dem Vorbilde. In der Mitte hat dieses mit Str. 14–16, am Schluß mit 29–31 Überschüsse. Man könnte in diesem wie im vorigen Falle von einer burlesken Imitation reden, aber man darf wohl auch bei der Bezeichnung Parodie bleiben. Ausgesprochen parodistisch ist Str. 22 von ‚Si quis Deciorum':

> ‚Tunc rorant scyphi desuper
> et canna pluit mustum,
> et qui potaverit nuper
> bibat plus quam sit iustum.'

Die Verse bilden eine Scherzwendung des Gotteswortes aus Isaias LXV 8: ‚Rorate, caeli, desuper, et nubes pluant iustum.' Dieselben parodistischen Verse erscheinen in der noch zu besprechenden humoristischen Lectio[1] Danielis prophetae ‚Fratres, ex nihilo vobis timendum est' und als Antiphon einer Saufmesse. Jenes Gedicht ‚Dum domus lapidea', das zuerst ein zartes Liebeslied nachahmt, hat übrigens einen ganz wüsten Ausgang: Betrunken verlassen die Zecher das Wirtshaus und fallen in die Gosse.

> ‚Ex domo strepunt gressu inaequali
> nasturtio procumbunt plateali,
> fratres nudi carent penula,
> ad terram proni flectunt genua
> In luto strati dicunt „Orate".
> Per posteriora dorsi vox auditur „Levate",
> exauditae iam vestrae sunt orationes,
> quia respexit Bachus vestras conpunctiones.
> Omnes dicunt „Surgite, eamus,
> venter exposcit, ut paululum edamus"' usw.

---

[1] Anzeiger f. Kunde der deutschen Vorzeit. N. F. XV (1868) S. 9.

Nach dem Muster der Fastenzeit, wo der Priester auffordert ‚Oremus' und der Diakonus ‚Flectamus genua', der Subdiakonus ‚Levate', läßt der Parodist die Bezechten die Knie in den Straßendreck beugen und beten, läßt den Hintern das ‚Levate' sprechen. Auch die Worte ‚Euere Bitten sind erhört' usw. klingen an die Bibel an, das ‚Surgite, eamus' wohl an Joh. XIV 31.

Man sieht: Die mittellateinischen Dichter kommen, wie weltlich sie sich auch gebärden, vom Geistlichen, Kirchlichen nicht recht los. Manchmal verraten nur leise Anspielungen, gelegentliche Entlehnungen, daß es zumeist Kleriker gewesen sind, die gedichtet, Kleriker, die zugehört haben. Oft aber kann man den „kirchlichen" Charakter des unkirchlichen Schrifttums der Sinnenfreude geradezu mit den Händen greifen.

Die Superlative der Kneipliteratur sind Parodien der heiligen Messe der Evangelienlesungen, der Litaneien, der Predigten u. dgl.

Mittelalterliche Sauf- und Spielmessen liegen in verschiedenen Handschriften vor. Bereits die Benediktbeurer Sammlung aus dem ersten Drittel des 13. Jahrhunderts bringt (C. B. no. 189) ein ‚Officium lusorum'. Die übrigen Handschriften führen ins 15. und 16. Jahrhundert: eine ‚Missa de potatoribus' in London Harleian Ms. 913, ‚Missa Gulonis' in London Harleian Ms. 2851, eine titellose Meßparodie in dem Hohenfurter Kodex Rom Pal. lat. 719 und eine ‚Potatorum missa' in Ms. 71 des Domgymnasiums zu Halberstadt. Dazu kommen Teile und Bruchstücke aus Wettingen in der Kantonalbibliothek zu Aarau, aus St. Gallen in Zürich C. 101 – in Gall Kemlis Katalog ‚Officium Ribaldorum cum suis requisitis' genannt[1] –, aus Prag, ferner aus Westfalen in München lat. 10751 (saec. XVI gesammelt).

Während das Benediktbeurer Offizium und die Londoner Texte aus romanischem Gebiete stammen, sind die übrigen deutscher, deutschböhmischer, deutschschweizerischer Herkunft. Die Urbilder aller werden wohl in Frankreich entstanden sein, das in seinen Universitäten seit dem 12./13. Jahrhundert den fruchtbarsten Nährboden für solche Späße gebildet hat. Wenn der St. Galler Mönch Gall Kemli, ein viel umhergeworfenes Menschenkind, bemerkt[2] ‚Istud officium fuit quondam conpositum a quodam magistro magno in studio Parisiensi', gibt er damit eine vermutlich richtige Tradition wieder. Fraglich ist die Tragweite seiner weiteren Behauptung ‚cuius scolares et studentes tabernam et ludos frequentantes, qui nullo modo poterant corrigi per lecturam optimorum librorum et ipsis convocatis legit eis ad presentiam hoc officium. Unde multi eorum correxerunt vitam suam et ad bonum statum pervenerunt'. Das Verlesen von Parodien zur Abschreckung entspricht dem Verfahren der spätmittelalterlichen Lehrer und Prediger. Es sei hier nochmals an die Ausführungen von Gottschalk Hollen und Bernardinus von Siena

---

[1] Mittelalterliche Bibliothekskataloge Deutschlands und der Schweiz. I 125 Z. 10.
[2] Vgl. Jak. Werner, Beiträge zur Kunde der lat. Literatur des Mittelalters, Aarau 1905, S. 211.

erinnert. Das aber kann ich mir nicht recht vorstellen, daß die Zuhörer gerade durch die Parodien von Reue ergriffen worden wären. Und entstanden
sind die Verhunzungen der Messe gewißlich in übermütiger Stimmung für
tolle Ulke, Saufereien u. dgl. Toll sind diese Parodien, nicht nur insofern als
sie Heiliges entwürdigen, toll auch, weil sie in ganz krassem Maße in das
Jauchzen über die Genüsse des Zechens Spott und Schadenfreude über die
Sitten und Schicksale der Spieler und Trinker mischen.

Wer sie heutzutage einigermaßen verstehen will, muß über ein gutes Maß
liturgischer Kenntnisse verfügen. Mir ward das Verständnis weniger durch
die früheren Herausgeber erleichtert als durch hilfsbereite theologische Kollegen und Hörer, namentlich durch meinen Schüler Herrn Kaplan Leo Kozelka, den ich oftmals um Rat fragen durfte, wenn ich mich allein nicht mehr
oder nicht schnell genug in Missale und Brevier zurechtfand. Die Mühen
waren auch deshalb groß, weil die Parodisten keineswegs etwa ein einzelnes
bestimmtes Formular nachahmten, sondern sich die Muster aus verschiedenen
Messen, Brevierteilen usw. zusammengestellt haben und gelegentlich sich
begnügten, den liturgischen Ton zu treffen, ohne den Wortlaut der Vorlage
deutlich durchschimmern zu lassen, groß auch, weil die Meßparodien unter
sich variieren und die Missalia und Breviaria heute in vielem nicht mit den
mittelalterlichen übereinstimmen.

Wir durchgehen besonders die größeren Texte der Harleiani, des Palatinus,
Halberstadiensis und Buranus.

Am ausführlichsten hat das Meßformular der Palatinus, ihm sehr nahe
verwandt ist der etwas kürzere Halberstadiensis, etwas weiter stehen die
Harleiani ab, am weitesten der Benediktbeurer Text. Dieser ist mehr Spielermesse, jene sind mehr Trinkermessen. Jedoch fehlt weder Decius, der Gott
des Würfelns, hier noch Bacchus dort.

In den englischen Handschriften beginnt die Messe mit einer Parodie des
Stufengebetes als Einleitung zur heiligen Handlung am Altar des Bacchus,
der des Menschen Herz erfreut:

'V. Introibo ad altare Bachi | Ant. Introibo ad altare Dei.
R. Ad eum qui letificat cor hominis.' | Resp. Ad Deum qui laetificat iuventutem
 | meam.'

Dann kommt sowohl in den Harleiani wie den Codices Halberstadiensis und
Palatinus ein bacchantisches Schuldbekenntnis nebst Absolution, dem Confiteor und der Absolutio innerhalb des Stufengebets genau nachgebildet. Das
darauffolgende Gebet ‚Nimm, o Bacchus, uns alle Kleider, und laß uns nackt
in die Kneipe ziehen' steht allein in den englischen Handschriften, entspricht
aber vollauf dem ‚Aufer a nobis' usw., das der Priester betet, wenn er nach
dem Stufengebet zum Altar hinaufgeht. Der Introitus imitiert in allen vier
Textzeugen, auch in dem hier beginnenden ‚Officium lusorum' des Buranus

das ‚Gaudeamus in Domino' usw. z. B. des Allerheiligenfestes und fordert
nicht etwa zur Freude in Gott, sondern zur Trauer über das Unglück beim
Spiel auf. In den dazu gehörigen Versikeln und in der Oratio gehen die Fassung Palatinus und Halberstadiensis, der Buranus und die Harleiani auseinander. So haben diese zuerst eine Parodie von Ps. LXXXIII 5 und I 2,
Palatinus und Halberstad nur von LXXXIII 5, der Buranus von Ps. XXXIII 2.
Die Oration der englischen Überlieferung fleht um Ausbeutung der Bauern,
um Genießen der Bauernweiber durch die Kleriker. Die übrigen Zeugen
bringen Spielergebete. Wie hier sind in einem fort die liturgischen Formeln
verdreht, heilige und ehrerbietige Worte durch freche Zurufe vom Kneip- und
Würfeltisch verdreht: ‚Potemus' statt ‚Oremus', ‚Dolus vobiscum – Et cum
gemitu tuo' statt ‚Dominus vobiscum – Et cum spiritu tuo' ‚Per dolium
nostrum avumque Bachum qui tecum bibit et cartat per omnia pocula poculorum. Stramen' statt ‚Per Dominum nostrum Jesum Christum qui tecum
vivit et regnat per omnia saecula saeculorum. Amen', ‚Gloria potori et filio
Londri' statt ‚Gloria patri et filio' usw. Die nach Act. ap. IV 32 u. VI 8 sqq.
gebildete und verschieden betitelte Epistel führt überall eine Spielerszene im
Wirtshaus vor. Beim Graduale haben alle vollständigen Handschriften zuerst
das Wort ‚Wirf deine Gedanken auf den Würfelgott, und er wird dich täuschen',
wodurch die im Graduale z. B. am dritten Sonntag nach Pfingsten gebräuch-
liche Stelle Ps. LIV 23 parodiert wird. Im weiteren Wortlaut finden sich mehrere Unterschiede: Palatinus und Halberstadiensis fahren mit einer Verzerrung von Ps. CXVII 23 fort, der Buranus vermengt und parodiert die nach
Ps. LIV 17 ff. und CXIX 1 f. gebildeten Gradualversikel des zweiten und
dritten Sonntags nach Pfingsten, der eine Harleianus fügt an die Parodie von
Ps. LIV 23 direkt die von CXIX 1, der andere entstellt die letzte Psalmstelle
stärker und fährt fort mit ‚Rorate ciphi desuper et nubes pluant mustum,
aperiatur terra et germinet potatorem', einer feuchtfröhlichen Spottwendung
von Js. XLV 8, welche Worte als Introitus in der Adventszeit üblich waren
und sind. Statt des Alleluia wird in drei Codices Allecia, d. i. Heringe, gesungen. Palatinus, Halberstadiensis und das Fragment in München lat. 17501
lassen die Weinsequenz ‚Vinum bonum et suave' in verschiedenen Fassungen
folgen, das Benediktbeurer Offizium eine Spielersequenz, die sich die schöne
Ostersequenz Wipos ‚Victimae paschali' frech zum Muster genommen hat.
Die Evangelienperikope parodiert im Palatinus, Halberstadiensis und den
Harleiani die Lukaserzählung von der Hirten Anbetung des Jesukindleins in
Bethlehem durch eine Geschichte von Trinkern, die zum vollen Faß ziehen,
sich besaufen, ihre Kleider versetzen müssen, Bacchus preisen, Decius ver-
wünschen. Im Buranus ist die Erscheinung des auferstandenen Christus im
Kreise seiner Jünger, der Unglaube des Thomas (Joh. XX 19 ff.) und das
Gleichnis vom Sämann (Matth. XIII 8 f.) zugrunde gelegt[1]. Decius selbst

---

[1] Am Schluß wohl noch Imitation von Joh. XII 36.

erscheint in der Mitte der Spieler. Der dabei abwesende Primas glaubt das nachher nicht. Schließlich würfeln sie, der eine wird ausgebeutet und verliert sogar seine Kleidung. Das Offertorium ist in der Benediktbeurer Parodie dem Spielgott nach Ps. XVII 28, sonst Bacchus gewidmet. Das Bacchusoffertorium fällt dem Aufbau nach in drei Codices aus dem gewöhnlichen Stil des Offertoriums heraus, parodiert die O-Antiphonen der Adventszeit. Der eine Harleianus scheint Eccli. X 19 zu parodieren. Während sie im Buranus und den Harleiani fehlt, folgt im Halberstadiensis und Palatinus eine Bacchuspräfation, die sich am Schluß nach der Dreifaltigkeitspräfation richtet. Das ‚Sanctus‘ wird im Palatinus am ausführlichsten und stilgerechtesten, im Halberstadiensis nur durch dreimaliges ‚Bachus‘ parodiert. In dem einen Harleianus heißt es ausdrücklich: ‚Sanctus‘ und ‚Agnus‘ werden nicht gesungen, sondern bloß der Friedenskuß mit Schwertern und Knüppeln gegeben. Das Benediktbeurer Officium bietet hier nichts, vielmehr nach dem Offertorium direkt – wohl an Stelle der Sekret – eine Oration gegen die Habgierigen und Geizigen, die an das ‚Effunde iram tuam‘ von Ps. LXXVIII 6 anknüpft. Der ‚Canon missae‘ fehlt überall! Der Halberstädter Text läßt auch Paternoster, Communio, Postcommunio fort. Im Palatinus und den Harleiani wird das Paternoster zu einem Vaterunser des Weingottes. Das Agnus Dei parodiert der Palatinus durch ein: ‚O Wirt des Bacchus, der du die Nüchternheit der Welt beseitigst, gib uns zu trinken‘ usw. Die Communio desselben Codex: ‚Kommt her zu mir, ihr Bacchuskinder, und nehmet den Wein, der für euch bereitet ist seit der Schöpfung des Weinstockes‘, hat die z. B. als Introitus gebrauchten Worte Matth. XXV 34 zum Vorbild. Die Communio des Buranus parodierte die des 3., 4., 5., 6. Sonntags nach Epiphanie Luk. IV 22, und schloß damit das Officium. Als Postcommunio steht im Palatinus das bekannte bauernfeindliche Gebet, das übrigens im Buranus vor der Epistel nachgetragen ist, im Harleianus dagegen eine Verwünschung der Würfelspieler. Das ‚Ite, missa est‘ parodiert sowohl der Palatinus durch ‚Ite, potus tempus est‘, der Harleianus durch ‚Ite, bursa vacua‘. Palatinus und Halberstadiensis schließen die Bitte an: ‚O herrlicher Wein, wie süß bist du zu trinken; du machst aus einem Laien einen Logiker, aus einem Bauern einen Esel, aus einem Mönche einen Abt. Komm, mach uns trunken und zögere nicht‘, womit wieder an die große Antiphon erinnert wird.

Das St. Gallen-Züricher Fragment bringt leider nur einen Fetzen vom Schluß und zeigt doch, daß dieses Officium Ribaldorum mit keinem anderen Textzeugen vollständig übereinstimmte. München lat. 10751 enthält ausgewählte Stücke aus einem parodistischen Meßformular: die Ermahnung zum Trinken ‚Quicumque vult esse bonus frater, bibat semel, bis, ter, quater‘, Gebete vor der Epistel, die Weinsequenz, ein Trinker-Vaterunser und einen bauernfeindlichen Dank.

Ein von Feifalik veröffentlichtes böhmisches Stück ist ein parodistischliturgisches Potpourri, das von Spielern und Zechern handelt. Es beginnt bei

dem parodierten Invitatorium der Matutin in Verbindung mit Ps. XCIV; statt
der erwarteten Doxologie ‚Gloria patri‘ folgen eine Parodie der Worte ‚Requiem aeternam dona eis, Domine, et lux perpetua luceat eis‘, mit denen die
Psalmen das Totenoffizium schließen, Parodie von Ps. LXXXIV 8, schließlich zwei Bacchuskollekten. Als Ergänzung des Officium lusorum kann man
vom Schluß der Carmina Burana no. 196 ‚Ego sum abbas Cucaniensis et consilium meum est cum bibulis et in secta Decii voluntas mea est et qui mane
me quaesierit in taberna, post vesperam nudus egredietur et sic denudatus
veste clamabit‘ usw. hinzunehmen. Das ist gleichsam eine Antiphon zur
Spielermesse. Benutzt sind die Bibelstellen Prov. VIII 12 ‚Ego sapientia‘,
14 ‚meum est consilium‘, 17 ‚qui mane vigilant ad me, invenient me‘.

Auf die Wiedergabe bacchantischer Evangelienperikopen haben sich die
Schreiber zweier englischer Handschriften beschränkt. Unter der Überschrift
‚Sequencia leti evangelii secundum Luc⟨i⟩um‘ und nach der Einleitungsformel ‚In illo tempore‘ wird in Cambridge Corpus Christi College Ms. 343
saec. XIVf. 72R vom ‚Pharisaeus Lucius voragine princeps potatorum‘ berichtet und von den Lehren, die er, Christi Worte parodierend, seinen Jüngern
gegeben: Sei nicht gerecht und töte nicht, sondern ehebreche, begehre nicht
der Habe deines Nächsten, sondern seiner Frau. Verflucht sei der Baum, der
keine Frucht trägt. Was ich einem unter euch sage, das sage ich allen. Jeder
habe seine Geliebte. Und wiederum: Esset tüchtig und trinket viel usw. Das
kurze, unten zum ersten Male veröffentlichte Stück schließt mit einem ‚Ich
glaube an Gott Bacchus, den Vater der Allessäufer‘. Die andere Perikope,
die schon Wright und Halliwell[1] bekanntgaben, beginnt ‚Initium fallacis
evangelii secundum Lupum. Fraus tibi, Bache! In illo tempore cum natus
esset Bachus in Waltona‘ scheint ein Oxforder Studentenscherz etwa aus der
ersten Hälfte des 14. Jahrhunderts zu sein und meldet, wie von allen Enden
der Welt die großen Trinker gleich den drei Weisen aus dem Morgenlande den
neugeborenen Bacchus suchten. ‚Ubi est qui natus est rex ribaldorum, dux
potatorum, harlotorum, glotinorum, villanorum? Et vidimus signum eius in
oriente et in omnibus partibus villae Oxoniae‘ usw. Zum Schluß, als sie die
Geschenke dargebracht haben, sind sie alle betrunken, einer von ihnen fällt
in den Schmutz, so daß ihm der Wein aus Mund und Nase hinausläuft.

Im Codex Oxford Bodl. Add. Ms. A. 44 saec. XIII hat sich ein Spaßvogel
an eine ‚Collacio iocosa de diligendo Lieo‘ herangewagt, wo im Predigtstil
unter geschickter Benutzung und Verzerrung der verschiedensten Bibelstellen
als erstes und hauptsächliches Gebot der Satz ‚Liebe den Herrn Lieus mit
deinem ganzen Munde und deinem ganzen Bauche und allen Eingeweiden‘
eingeprägt und begründet wird bis zu einer Gebetsparodie für den weinmächtigen Lieus: ‚der du uns, deinen Dienern, durch deines Weines Kraft Vergessen schenkst usw., der du lebst und regierst per omnia pocula poculorum‘.

[1] Reliquiae antiquae. II 58.

Das Lob des Rebensaftes, des Trinkens und Schlemmens durchzieht ferner
die Scherzreden, die ernste Predigten ins Burleske ziehen und bald nur zum
Lesen bestimmt waren, bald wie die Monologe der Mirakelspiele Vorträge und
Aufführungen eröffneten. Die heilige Traube, der heilige Hering, Schinken,
Bacchus und Becher werden komisch gepriesen. Schon 1313 schuf Geoffroy
de Paris ‚Le martyre de Saint Baccus'. Aus der Mitte des 15. Jahrhunderts
haben wir einen Sermon, der mit den Worten „Si vivere sanus tu vis". Hec
verba scribuntur in Cathone ultimo capitulo' beginnt. Um 1460 schreibt Je-
han de Molinet in Valenciennes einen ‚Sermon de Billouart „Introivit in ta-
bernaculo, lacrimante recessit oculo". Süddeutschen Ursprungs – Augsburg,
15. Jahr. – ist eine predigtartige lateinische Ermahnungsrede[1] nicht zu fa-
sten, sondern tüchtig zu essen und zu trinken, ein Ulk, der sich auf die Bibel,
auf Aristoteles, Boethius und andere Autoritäten stützt! Und noch um 1543
hebt in Lyon ein ‚Sermon joyeux et de grande value à tous les foulx qui sont
dessoubz la nue' an. ‚In nomine Bachi et Ciphi atque S. Doli. Amen. „Ve qui
sapientes estis in oculis vestris." Hec verba Esaye originaliter quinto capitulo scribuntur et recitative ad nostre collacionis fondamentaliter exordium
assumentur.' Andere – nicht alle – Beispiele erwähne ich im letzten Kapitel.
In den eben zitierten Stücken mit Ausnahme der Augsburger ‚Predigt' wird
das meiste in den Vulgärsprachen vorgetragen, nur eingeleitet und durchsetzt
von lateinischen Zitaten und Zitatenparodien. Wollten wir die nichtlatei-
nischen Texte des späten Mittelalters einbeziehen, wäre viel zu nennen, Predigten wie Kneiplieder, ganz französische, italienische, englische, deutsche und
vor allem Mischpoesie. Ich lasse da bewußt eine Lücke, die andere ausfüllen
mögen.

Aus dem Kreise der frohen Zecher und Schlemmer sind schließlich auch
Urkundenparodien hervorgegangen, so das unveröffentlicht in Paris liegende,
mir aus einer Abschrift bekannte Schreiben saec. XV ‚Nos Gorgias ingurgi-
tantium abbas, bachantium antistes, tociusque plage australis montis Pernasi
et Caucasi summus pontifex, omnibus ac singulis religiosis, conventualibus nec
non conversis nostris salutem et sinistre cubiti amplissimam benedictionem.
Quemadmodum desiderat cervus montes aquarum, sic semper sitivit pulmo
meus vos, filii mei omnes, apostolicum fontem' usw., Befehl und Empfehlung
zu trinken und zu schmausen und zu lieben unter Hinweis auf die Heilige
Schrift[2], so das Aufnahmediplom in den Säuferorden für Andreas Tobler aus
München[3].

---

[1] W. Wattenbach im Anzeiger f. Kunde d. deutschen Vorzeit. N. F. XIII (1866) S.
393 ff.

[2] Auszug in der Histoire littéraire de la France. XXII 156.

[3] Handschriftlich in Fulda. C 11 saec. XV; vgl. Steinmeyer, Althochdeutsche Glossen.
IV 437 f.

3. Goliarden- und Studentenleben

Ecce homo
sine domo,
sine rerum pondere
huc accedit,
quia credit
aliquid accipere.

Bone pater,
cuius mater
sancta est ecclesia,
vide natum
spoliatum
talorum discordia

Est cum talus
mihi malus,
perdo meam gratiam,
quando bonus
sum patronus
vocatus ad gloriam.

Tunc est hospes
mihi sospes,
tunc me iubet bibere,
non obaudit,
sed exaudit
quidquid volo dicere.

Tunc unitus
est amicus
mihi pro pecunia,
tunc rivalis
est sodalis
mihi data gratia.

Sed cum nudum
me per ludum
mei vident socii,
vado plorans
et laborans
vacuus consilii.

Pauper ego
multa lego
quaerens necessaria,
omne carum
sumo parum,
tanta est malitia.

O persona,
mihi dona,
mihi fer solatium,
solo nummo
Deo summo
reparante pretium.

Camisia
detur! Pia
virgo solvet pretium.

Dieses ‚Dictum Goliardi', das B. Hauréau aus einer Pariser Handschrift herausgegeben hat[1], streift mehrfach die Parodie. Nicht der dornengekrönte, zum Spott in einen Purpurmantel gekleidete Schmerzensmann, den Pilatus laut Joh. XIX 5 den Juden mit dem Ausruf ‚Ecce homo' vorstellte, nicht Jesus Christus ist es, der in den Versen klagt, sondern ein Goliarde bettelt bei einem geistlichen Herrn. Für ihn ist allein das Geld Gott, der höchste Gott, aber er ist leider ohne Moneten, hat alles beim Spiel verloren. Ein Hemd, ein Gewand ist es, um das er bittet. Und leichtsinnig fügt er hinzu: die Jungfrau Maria wird's zahlen.

Die Schilderung der materiellen Nöte und Wünsche nimmt einen breiten Raum in den lateinischen Gedichten und Briefen des Mittelalters ein. Die Poeten, mögen sie nun fahrende Schüler oder Begleiter geistlicher und welt-

[1] In seinen Notices et extraits. VI 318.

licher Großer gewesen sein, haben sich nicht gescheut, Klassiker und biblische
Bücher zu zitieren, kirchliche Hymnen und heilige Texte verschiedener Art
zu imitieren, wenn es sich um Geld, um Essen und Trinken, um Kleider usw.
handelte.

Es ist bereits oben betont, wie lebhaft im mittellateinischen Schrifttum die
Macht des Geldes die Literaten beschäftigt hat. Hier sei wenigstens das
Pariser Geldevangelium schnell besprochen, das aus einem Codex von Bé-
sançon im Anhang mitgeteilt wird.

Es ist eine freie Nachahmung des um mehrere Jahrhunderte älteren Geldevangeliums. War dieses gegen den Mammonismus der Kurie gerichtet, so
benutzt in jenem Stück ein Pariser Student namens Johannes die Form der
Evangelienperikope und eine Fülle mehr oder weniger mißhandelter Sätze
des Alten und Neuen Testaments, um seinem Bruder, dem Erzpriester B.,
seine Geldverlegenheiten zu schildern. Gen Himmel die Augen erhebend,
spricht er – nach dem Vorbild der sich beim Herrn darüber beklagenden
Martha, daß ihre Schwester sie allein dienen ließe (Luk. X 40) –: ‚Herr,
warum bekümmert es dich nicht, daß mein Bruder mich in Paris ohne Geld
studieren läßt? Sag' ihm doch, daß er mir helfe.' Und Jesus antwortete ihm
und sprach: ‚Nun aber sind die Denare für die Pariser Studenten notwendig'
(vgl. Luk. X 41). Und Simon Petrus sagte: ‚Wäre der Bruder des Johannes
ein Prophet, dann wüßte er wahrlich, welche Not die Pariser Scolaren be-
drängt' (vgl. Luk. VII 39). – In diesem Stile geht es mit einzelnen biblischen
Phrasen und mit ganzen Bibelworten, die willkürlich angewandt und nach
Belieben umgestaltet sind, weiter. Zwei Landsleute des Studenten namens
Johannes und Philippus, die ihm Geld gepumpt haben, kommen, dieses wieder
einzutreiben, finden aber die Tür seiner Bude verschlossen wie Maria Mag-
dalena und Maria Jakobi einen großen Stein vor Christi Grab. Auf den Ruf
‚Rabbi, öffne uns' antwortete er von drinnen: ‚Wahrlich, wahrlich, ich sage
euch, wohin meine Moneten gekommen sind, weiß ich nicht!' Schließlich
öffnet er, das Matthäusevangelium (XI 7f.) parodierend, mit dem Ausruf ‚Was
seid ihr in die Wüste ausgezogen einen Menschen in weichen Kleidern zu
sehen? Schauet her, Leute in weichen Kleidern sind hier nicht.' Und da
sahen sie – ähnlich wie die Frauen in Christi Grab den Engel in Jünglings-
gestalt (Mark. XVI 5f.) – einen Menschen in seiner Kammer sitzend, mit
dünnem Rocke bekleidet, und sie erschraken. Er aber sagte zu ihnen: ‚Fürchtet
euch nicht, ihr suchet einen Üppigen und Reichen. Er ist fort und nicht hier.
Hier ist kein Ort, wo Geld verborgen ist. Gehet hin und meldet euern Genossen und Philippus, daß er euch zum Hause der Juden vorausgegangen sei.
Dort werden sie mich sehen, wie ich ihnen gesagt habe.' Und sitzend unterwies
er sie und sprach: ‚Selig sind die Barmherzigen; denn sie werden Barmherzig-
keit erlangen (Matth. V 7). Und selig, die nicht ihre Schuldner erbittern und
belästigen. Die Schulden werden schnell bezahlt werden. Erbarmet euch
meiner, erbarmt euch wenigstens ihr, meine Freunde; denn die leere Börse

hat mich berührt (vgl. Job XIX 21). Sehet doch, auf meiner Haut ist nur noch ein Rock, und auf meinen Beinen sind nur zwei Tücher geblieben (vgl. Job XIX 20). Betrübt euch und erschreckt deswegen nicht. Täglich wandele und gehe ich zu euch; was ich schulde, erkenne ich wieder, und meine Schuld ist immer wider mich. Doch ich weiß, daß mein Bote lebt (vgl.: Ich weiß, daß mein Erlöser lebt) und in kurzer Frist zurückkehrt. Dann werde ich mich wieder kleiden und jedem von euch, was sein ist, zurückgeben. Gehet also hin und meldet euern Brüdern, was ihr gehört und gesehen habt' (vgl. Matth. XXVIII 10). Auf die Spitze wird die Parodie gegen Schluß getrieben, als Geld eintrifft und Philippus und Johannes Bezahlung fordern. Die Speisung der 5000 und die Szene von Gethsemane werden komisch vermengt: ‚Als Johannes sah, daß sie unablässig ihr Geld verlangten, da begann er traurig zu werden. Es war aber viel Stroh in Johannes' Kammer. Und er sagte seinen Genossen: ‚Lasset meine Gläubiger sich legen', und sie legten sich, etwa 5000 Mann. Und als sie sich niedergelassen hatten, begannen sie um das Geld zu streiten. Johannes sagte ihnen: ‚Bleibt ihr. Ich will gehen und beten.' Und drei von seinen Jüngern beiseite nehmend, sagte er: ‚Meine Seele ist traurig bis zur Erschöpfung meiner Börse.' Niederkniend betete er und sprach: ‚Vater, Vater, wenn es sein kann, mögen diese Gläubiger an mir vorübergehen. Der Finger ist zum Zählen willig, aber die Börse ist schwach.' Dann wandte er sich zu seinen Groschen und sagte: ‚Geht nun aus meinem Kasten und zieht fort. Denn es kommt die Stunde, wo ich euch in die Hände meiner Gläubiger geben muß.' Und er warf das Geld hin und sagte: ‚Nehmet alle davon!' Da entstand Streit unter ihnen, wer zuerst sein Geld bekommen sollte. – Und nun aus der Passion der Streit um die Kleider Christi: sie breiteten den Rock des Johannes über seinen Kasten aus und losten, auf daß erfüllt werde, was geschrieben steht: „Über meinen Rock haben sie Lose geworfen." Als sie fertig waren, sagte er zu seinen Freunden: ‚Sammelt die Reste, auf daß sie nicht umkommen!' Und sie füllten zwölf Beutel, und so blieben leere übrig. Da sprach er zu seinen Gläubigern: ‚Habt Geduld mit mir, und ich will euch alles zurückgeben. Viel Geld ist bestellt, aber nur wenig geschickt' (vgl. Matth. XX 6). – – –

Was die Goliarden besonders verstimmte, war der Geiz der Satten und Simonisten.

'Artifex qui condidit hominem ex luto
et linivit oculos ceci sacro sputo,
salvet vestras animas crimine soluto.
Pax vobis omnibus! Ego vos saluto,

O praelati nobiles viri litterati,
summi regis legati, o presbyteri beati,
genus praeelectum, me omnibus abiectum
consulens despectum virtutis vestrae per effectum.

Pauperie mea conteste   patet manifeste
quod eo sine veste   satis inhoneste;
si me vultis audire,   contestor me scire.
viros probitatis mirae.

Qui virtutes faciunt   nobiles appello,
qui autem me despiciant   avaros evello
de libro viventium   ad inferos repello,
ut bii permaneant   Plutonis in cancello'

singt ein Dichter. Sein Zorn war ehrlich, aber darum war J. A. Schmeller doch nicht berechtigt, das Lied unter die ‚Seria‘ der Carmina Burana (no. CXCVII) zu reihen. Wie schon Laistner erkannt hat[1], ist es ein humoristisches Bettellied, das nach der Kneipe schmeckt.

Mit dem etwa in der zweiten Hälfte des 12. Jahrhunderts entstandenen Gedichte[2] ‚Raptor mei pilei morte moriatur‘ kommen wir auf die Kleidersorgen der mittelalterlichen Poeten. Denn die Überschrift, die Matthias Flacius Illyricus und Thomas Wright haben ‚Golias in raptorem suae bursae‘, ist offensichtlich falsch. Der Dichter verwünscht, wie die ersten beiden Strophen deutlich genug sagen, einen Bösewicht, der ihm seine Kappe, seinen Hut gemaust hatte. Parodistisch sind die Verse durch den gemacht feierlichen Ton der Verfluchung. Schwer schreiten die Rhythmen einher und wünschen dem Langfinger das Schlimmste auf den Hals.

‚Excommunicatus sit in agro et tecto
nullus eum videat lumine directo!‘ usw.

Wie eine kirchliche Exkommunikation läuft das Ganze aus:

‚Hoc si quis audierit excommunicamen
et non observaverit praesulis examen,
nisi resipuerit corrigens peccamen,
anathema fuerit! Fiat! Fiat! Amen.‘

Darin mit Hauréau ‚une plaisante satire contre l’abus des excommunications‘ zu sehen, geht m. E. nicht an. Der Autor parodiert schwerlich die Exkommunikationen, um sie zu verspotten, sondern um seinem Goliardenärger über den Dieb Ausdruck zu geben.

Gegen die Geizhälse, die getragene Kleider immer wieder ändern lassen, statt sie bedürftigen Dichtern zu schenken, ist das Gedicht ‚De vestium transformatione‘ gerichtet, das Th. Wright unter die ‚Political songs of England‘

---

[1] Golias, Stuttgart 1879, S. 101.
[2] The Latin poems attrib. to Walter Mapes, ed. Wright, p. 75. Beste Ausgabe von B. Hauréau in den Notices et extraits. XXIX 2 p. 272 sq. Deutsche Übersetzung von L. Laistner, a. a. O. S. 68 f.

versetzte, und das seitdem als Satire gegen die Schneider betrachtet wurde, bis W. Meyer[1] und gleichzeitig A. Boemer[2] die Sache richtigstellten, Boemer statt der 15 Strophen des Wrightschen Textes 39 edierte. Den Anfang

> ‚In nova fert animus mutatas dicere formas
> corpora; di ceptis, nam vos mutastis et illas
> aspirate meis!
> Ego dixi: dii estis,
> quae dicenda sunt in festis'

kann man einen parodistischen Mißbrauch der ersten Worte von Ovids Metamorphosen nennen. Außerdem parodiert der Dichter die Rechtssätze der Kirche, z.B. indem er sagt, daß der alte zurechtgestutzte und gewaschene Mantel mit einem neuen Pelz sich verheirate und, da der alte Pelz noch am Leben sei, sich des Verbrechens der Bigamie schuldig mache, und indem er die Kleiderumwandlungen mit dem Eingehen der wunderbarsten Verwandtschaftsverhältnisse vergleicht. Ohne alle Bedenken würden Kleiderehen gebrochen. Die Mäntel sollten doch zu ihren ersten Frauen zurückkehren:

> ‚De mantellis mandatum do
> ad incestas qui secundo
> transierunt nuptias:
> revertantur ad uxores,
> aut mandati transgressores
> non intrent per ecclesias.
> Je iuge par droit et par voir,
> k'eglise ne doit recivoir,
> qui vivis uxoribus
> criminale comiserunt,
> dum secundis adheserunt
> relictis prioribus' usw.

Er schließt mit einem komisch-pathetischen:

> ‚Do decretum ad extrema,
> quod sit dives anathema,
> qui has vestes induit;
> quasi satus sit per Sathan,
> sit illius pars cum Dathan,
> quem tellus absorbuit.'

[1] Nachrichten der K. Ges. d. Wissenschaften zu Göttingen. Philol.-hist. Kl. 1907 S. 87.
[2] Zeitschrift für deutsches Altertum. XLIX 178 ff.

Darf man vom Anfang dieses Gedichtes sagen, er stehe zum mindesten der
Parodie nahe, wie der Verfasser überhaupt humorvoll parodiert, so ist doch
nicht jede Nachahmung des berühmten ‚In nova fert animus‘ für mich parodistisch. Es gibt deren im Mittelalter gar nicht wenige. ‚In nova fert animus‘
beginnt der Prolog[1] einer – von den Bollandisten in ihrer Bibliotheca hagio-
graphica Latina, auch im Supplement nicht verzeichneten – metrischen Vita
S. Oswaldi regis. Peter von Blois sagt[2] in Str. 9 seines Gedichtes ‚Contra
clericos voluptati deditos‘:

> ‚In nova fert animus
> ructare querimoniam‘,

ein anderer, vielleicht Philippe de Grève († 1236)[3]:

> ‚In nova fert animus
> via gressus dirigere,
> non pudet, quia lusimus,
> sed ludum non incidere,
> si temere
> de cetero
> distulero‘ usw.;

ein anderer religiöser Dichter[4] saec. XIII in.:

> ‚In novas fert animus
> formas versum hominem
> dicere, quem novimus
> factum ad ymaginem
> Dei, quem creatio
> prima sine vitio
> fecit vas egregium‘ usw.;

Mathaeolus von Boulogne am Ende des 13. Jahrhunderts in seinen Lamentationes[5] v. 13 sq.

> ‚In nova flens animus mutatam dicere formam
> cepit, sed minimus plebis ego nescio normam
> hinc fandi‘ usw.

---

[1] Vgl. H. Schenkl, Bibliotheca patrum Latinorum Britannica, Wien 1891–1908, S. 92
nach Bodl. 40 saec. XIII.

[2] Migne, Patrol. lat. CCVII 1131 u. The English Historical Review. V a (1890) p. 326.

[3] Analecta hymnica. XX 32.

[4] Laur.-Med. XXIX 1 f. 323 V, vgl. Analecta hymnica XX 12.

[5] Ed. A.-G. van Hamel, Bibliothèque de l'Ecole des Hautes-Etudes fasc. 95, p. 3.

Dagegen ist wie die zuerst genannte Satire parodistisch bzw. halbparodistisch die Strophe

>,Forma cum in varias
formas sint mutata
vestimenta divitum
vice variata,
in nova fert animus
dicere mutata
vetera, vel potius
sint inveterata‘,

die man in einem Gedichte der Carmina Burana (no. CXCIV) antrifft. Schmeller hat da zwei Gedichte zu einem gemacht. Das erste beginnt

>,Sepe de miseria
meae paupertatis
conqueror in carmine
viris literatis‘;

das zweite mit Str. 5:

>,Nullus ita parcus est,
qui non ad natale
emat cappam, pallium,
pelles vel quid tale.‘

Die Trennung nehme ich nach W. Meyer[1] vor. ‚Nullus ita parcus est‘ beklagt sich über die Kleideränderungen der Knausrigen und schließt:

>,Hoc Galtherus subprior
iubet in decretis,
ne mantellos veteres
vos refarinetis,
renovari prohibens
calce vel in cretis.
Hoc decretum vacat iam,
sicut vos videtis.

>Excommunicamus hos
et recappatores
et capparum veterum
repalliatores
et omnes huiusmodi
reciprocatores.
Omnes anathema sint,
donec mutent mores!‘

[1] A.a.O. S. 87.

Hier ist eine halb ernste, halb scherzende Exkommunikation, hier ist ferner
ein direkter Hinweis auf das ‚In nova fert animus' beginnende Gedicht ‚De
vestium transformatione'. Denn dort heißt es in der Strophe 37 der Boemer-
schen Ausgabe:

> ‚Cum hoc fiat per incestum
> nichil magis inhonestum
> quam vestis adultera.
> Semper nova constat esse,
> ergo numquam est necesse
> renovari vetera.'

Boemer[1] hat den Hinweis nicht erkannt, W. Meyer vielleicht. Meyer sagt,
in ‚Nullus ita parcus est' werde mit Str. 14 das Gedicht von den Kleidermeta-
morphosen angekündigt, und zwar lautet in einer – von ihm seltsamerweise
nicht namhaft gemachten Handschrift – die fragliche Stelle statt ‚Hoc Galtherus' usw. ausdrücklich:

> ‚Primas in Remensibus
> iusserat decretis,
> ne mantellos veteres
> vos renovaretis.'

Danach sei und ist meiner Ansicht nach der berühmte Hugo Primas der
Verfasser der Kleidersatire ‚In nova fert animus'. Die Lesart ‚Hoc Galtherus
subprior iubet in decretis' ist trotzdem durchaus nicht belanglos; denn Dekrete eines Subpriors erscheinen auch sonst[2]. Vielleicht war er ein Nachahmer
des Primas.

Goliardendekrete sind verfaßt worden. Hat es etwa sogar einen förmlichen
Orden der Goliarden, der Vaganten gegeben? Scheinbar ja!

Der englische Goliarde Richard hat eine rhythmische Empfehlung für Wil-
lelmus de Conflatis an die französischen Goliarden geschrieben[3] und darin am
Ende gesagt:

> ‚Nunc, fratres karissimi, scribere studete,
> ordo vester qualis est modusque dietae;
> si fas est comedere coctas in lebete
> carnes vel pisciculos fugatos ad rete,
> de Lyaeo bibere vel de unda Thetae,
> utrum frui liceat Rosa vel Agnete,
> cum formosa domina ludere secrete.

---

[1] Er sah wohl den Zusammenhang der Kleidergedichte, hielt aber das Stück der C. B.
p. 74 sqq. für älter als ‚De vestium transformatione'.
[2] Vgl. oben S. 157 u. S. Jaffé, Die Vaganten S. 26.
[3] The Latin poems attrib. to Walter Mapes p. 69 sq.

Continenter vivere nullatenus iubete!
Qualiter me debeam gerere docete,
ne magis in ordine vivam indiscrete.
Donec ad vos veniam, sum sine quiete.
Quid vobis dicam amplius? In Domino valete!
Summa solus omnium, filius Mariae,
pascat, potet, vestiat pueros Golyae
et conservet socios sanctae confratriae
ad dies usque ultimos Enoch et Helyae!
                    Amen.'

Ein tüchtiger deutscher Gelehrter, Nikolaus Spiegel[1], hat tatsächlich gemeint, daß geradezu ein festorganisierter Vagantenorden bestanden hätte, „eine Parodie auf die gleichzeitig entstandenen sog. Mendikantenorden". Mit der Mehrzahl der Forscher lehne ich diese Hypothese ab.

Die Goliarden vergleichen sich bloß mit den geistlichen Orden, die seit dem 12. und 13. Jahrhundert so gewaltig an Zahl und Einfluß zunahmen. Wohl taten sich die Vaganten häufig zusammen und hatten ihren Komment. Aber sie flatterten gewöhnlich nach wenigen Monaten oder Wochen oder gar Tagen wieder auseinander, waren viel zu unbeständig und eigensinnig, um sich für die Dauer zu organisieren und an Statuten festzuhalten. Ihr Ziel war ein freies Leben, ein freches Genießen der Daseinswonnen, die der Goliarde Richard nicht übel in seinem poetischen Schreiben aufgezählt und dann nochmals in den letzten Zeilen mit gemachter Frömmigkeit sich keck von Jesus Christus gewünscht hat.

Daß der Vagantenorden ein Witz ist, der in verschiedener Weise heute hier, morgen da wiederholt wurde, zeigt z. B. das humoristische Exemptionsprivileg, das fahrende Schüler angeblich und vielleicht tatsächlich im Jahre 1209 für das Chorherrenstift St. Pölten ausstellten[2], wohl als Dank für Bewirtung und Beschenkung. ‚In nomine summae et individuae vanitatis. Surianus, diutina fatuorum favente dementia per Austriam, Stiriam, Bawariam et Moraviam praesul et archiprimas vagorum scholarium omnibus eiusdem sectae professoribus sociis et successoribus universis fame, siti, frigore, nuditate perpetuo laborare.' Surianus meldet seinen Genossen „wie ihm zufolge der ihm beiwohnenden Faulheit und Torheit noch nicht seines Vorsatzes gereue, sich vom Tische anderer zu nähren, wie er vielmehr fest in demselben beharre und ein unstetes Leben gleich den Schwalben in der Luft führe, umherge-

[1] Die Vaganten und ihr Orden, Speyer 1892 (Progr. zum Jahresber. des Kgl. Human. Gymn. Speyer für 1891/92).
[2] Vgl. Archiv für Kunde österreichischer Geschichtsquellen VI 316 ff.; W. Giesebrecht in der Allgem. Monatsschrift für Wissenschaft und Literatur, Jahrg. 1853 S. 35 f.; Pangerl im Anzeiger für Kunde der deutschen Vorzeit. N. F. XV (1868) S. 198 f., Wattenbach ebenda S. 288.

trieben wie ein Blatt, das vom Winde ergriffen ist oder wie die Flamien im
Rohrgebüsch; er berichtet ferner, wie er nach der harten Regel seines unordentlichen Ordens oft Spott und Stöße erdulden müsse, wie sie nicht Sarmentus
und der gemeine Galba am schlimmen Tische des Cäsar ertragen hätten, wie
er darbend, geängstigt und gequält, reich nur an Hunger, dahinschwindend
vor Mangel an Speise und Trank, vor Kälte bebend und erstarrt, mit offenem
Munde, in erbärmlichem Aufzuge, nur ein Hemdchen auf nacktem Leibe und
den einen Fuß unbeschuht, in den Häusern der Laien keine Aufnahme fände
und oft auch von der Pforte der Geistlichen verstoßen würde, da ihn niemand
als seinesgleichen anerkennen wolle, gleich den Fledermäusen, die weder bei
den vierfüßigen Tieren noch bei den Vögeln ihre Stelle fänden, und wie er
deshalb genötigt sei, immerdar, gleich als sei er in der Bittwoche geboren, um
ein Almosen zu betteln. Deshalb, fährt er mit wundersamer Ironie fort, sei
es denn auch billig, daß er den gerechten Bitten derer, die ihn angingen, in
Gnaden Gehör schenke, und so tue er durch gegenwärtige Urkunde kund
und zu wissen, daß er auf Bitten des ehrwürdigen Bruders Sighard, des Archi-
diakonus der Kirche des heiligen Hippolytus in Österreich, der vielen Ver-
dienste eingedenk, welche diese Kirche fast von der Wiege an ihm geleistet,
sie mit allen ihren Beamten von jeder Besteuerung und Bedrückung, die sie
bis dahin von ihm am Feste des Heiligen, der Kirchweih oder vielmehr im
ganzen Kreislauf des Jahres erlitten habe, aus reiner Gnade und mit der
Zustimmung der Domherren seiner Genossenschaft fortan völlig freispräche
und jeden Übertreter dieses seines Gebots auf immerdar vom Weinhaus aus-
schließe; kein Mitglied seines unordentlichen Ordens solle bei seinem höchsten
Narrenzorn sich jemals unterfangen, diesen Gnadenbrief anzutasten oder
gegen denselben freventlich zu handeln. Die Urkunde ist ausgestellt im Jahre
1209 im elften Jahre Papst Innozenz' III. unter der Regierung Kaiser Heinrichs und der herzoglichen Gewalt Leopolds, im letzten Jahre, fügt der Archiprimas hinzu, unseres Pontifikats. Gegeben unter freiem Himmel durch den
Geist, unsern Protonotarius, unter Anhängung unseres eigenen Siegels und
des Siegels unsrer Genossenschaft und von glaubwürdigen Zeugen unter-
zeichnet." (Giesebrecht.) Die oben (S. 207) erwähnte Gorgiasurkunde französischen Ursprungs, das Aufnahmediplom in den Münchener Säuferorden
und ähnliche Stücke sind ebensowenig ernsthaft, ebensowenig Zeugnisse für
einen Orden.

Der Übermut ist so weit gegangen, daß man, zum Gebrauch in den Uni-
versitätsstädten und auf der Wanderschaft, Ordensregeln frei parodierte. Schon
das St. Pöltener Exemptionsprivileg nimmt Bezug auf „Regeln". Kurz und
bündig sagt ein Student[1]

---

[1] Vgl. Feifalik in den Sitz.-Ber. d. Kaiserl. Akad. d. Wiss. XXXVI (1861) S. 175.

‚Regula bursalis est omni tempore talis:
Si sint presentes plures quam deficientes,
nunquam presentes debeant exspectare absentes.
Absentes careant, presentes omnia tollant.'

Sehr viel weniger harmlos sind die Regeln des heiligen Liederlich und das Bundeslied.

Die Regula b. Libertini hat Matthias Flacius Illyricus 1556 veröffentlicht[1]. Statt Augustin ist Libertin, der heilige Liederlich, zum Schutzpatron gewählt. In seinem Orden zecht der Abt, tanzt die Äbtissin, ist der Propst ein großes Tier und säuft, geizt der Kustos, gehen die Chorherren in üppigen Kleidern und Schuhwerk einher, ruft der Kämmerer unaufhörlich ‚Schenk ein!‘, bringt der Koch köstliche Speisen auf den Tisch. Dieses Ordensleben hat seinesgleichen nicht. Der Orden nimmt alle auf, Prämonstratenser, Zisterzienser, Dominikaner und Franziskaner, Diebe und Räuber, jung und alt. Der Orden verbietet die Matutinen. Wer früh aufsteht, ist ein Esel. Das erste Wort, der erste Wunsch, die erste Lesung am Morgen ist ein guter Trunk, dem folgt als Responsorium ein Spiel. Da wird gewürfelt und nicht Gott gepriesen.

V. 22 und 24f. decken sich mit Str. 4 v. 5 und 8 v. 1f., 7f. des im Benediktbeurer Kodex stehenden Gedichtes (no. 193)

‚Cum in orbem universum
decantatur ite.'

Das ist das sog. Bundeslied des Vagantenordens[2]. Es beginnt mit einer prahlerischen Anpreisung der Vagantensekte. Seit W. Giesebrecht sieht man vielfach in den Anfangszeilen eine Anspielung auf die Kreuzzüge. ‚Wir erkennen aus diesem Gedicht zuerst leicht die Zeit, in welcher das Vagantentreiben sich ausbildete. Es war in den letzten Jahren des elften Jahrhunderts, als jener Ruf „Macht euch auf die Wanderung!" in der abendländischen Christenheit laut wurde und die Gemüter der Menschen wie eine göttliche Kraft mit unwiderstehlicher Gewalt fortriß – – –. Dieser Ruf war es also auch,

[1] In den ‚Varia doctorum piorumque virorum de corrupto ecclesiae statu poemata‘ (Nachdruck von 1754 p. 498sq.).

[2] Text außer in Schmellers Carmina Burana bei J. Grimm, Gedichte des Mittelalters auf König Friedrich I. den Staufer, Berlin 1844 (Abhandl. der Kgl. Akademie der Wiss. zu Berlin aus dem Jahre 1843 S. 233f., nur Teilabdruck); bei L. Uhland, Alte hoch- und niederdeutsche Volkslieder, Stuttgart und Tübingen 1844/45, S. 959–961, nach einer Abschrift von Franz Pfeiffer; im Allg. deutschen Kommersbuch p. 178; in (G. Groebers) Carmina clericorum, Heilbronn 1876, p. 5sqq.; in (R. Peipers) Gaudeamus, Leipzig 1877, p. 3sqq. Deutsche Übersetzung bei W. Giesebrecht in der Allgem. Monatsschrift für Wissenschaft und Literatur, Jahrgang 1853, S. 12f.; bei L. Laistner, Golias, Stuttgart 1879, S. 1ff. Erörterungen außerdem bei J. Schreiber, Vagantenstrophe S. 80ff.; bei Frantzen im Neophilologus. V. 66 Neue Ausgabe, lat. u. deutsch nach L. Laistner von Eb. Brost, Heidelberg o. J. (1954).

der die Vaganten erweckte, deren früheste Lieder daher nicht über die Mitte
des zwölften Jahrhunderts hinausreichen.' Selbst noch 1917 sagt Holm Süßmilch[1]: ‚Der ungeheure Wandertrieb des Kreuzzugzeitalters setzt auch die
Scharen der Vaganten in Bewegung. Jetzt, wo über den ganzen Erdkreis der
Ruf „Ite" ertönt, machen sich auch Priester und Mönche auf' usw. Süßmilch
drückt sich noch verhältnismäßig vorsichtig aus, aber die Beziehung zum
mindesten des fraglichen Gedichtes auf die Kreuzzugsbewegung ist bedenklich und jedenfalls seine Übersetzung falsch. Ich übersetze nicht: „Jetzt, wo
der Ruf ertönt', sondern: ‚Wenn der Ruf ertönt, „Gehet hin in alle Welt" usw.
Der Anfang ist einfach eine parodistische Anwendung des Christuswortes,
das bei Mark. XVI 15 aufgezeichnet steht: ‚Euntes in mundum universum
praedicate evangelium creaturae', eines Wortes des Evangeliums von Christi
Himmelfahrt, und z.B. für Mittwoch nach Pfingsten umgegossen ist in die
Responsion ‚Ite in universum orbem et praedicate evangelium, alleluia'. Mit
den Kreuzzügen hat das hier kaum etwas zu tun, eher schon mit der Früh-
lingszeit, in der die Vaganten natürlich gern auf die Wanderschaft gingen. Die
erste Strophe schließt mit der Behauptung, das Vagantenleben bedeute das
Heil des Lebens. Str. 2, die als Vorbedingung der Aufnahme und als Haupt-
grundsatz der Sekte Haß gegen geizige Pfaffen predigt, parodiert gleich am
Beginn 1 Thess. V 21 ‚Omnia autem probate, quod bonum est tenete'. Str. 5,
vielleicht vor 3 zu setzen, ruft die einzelnen deutschen Stämme auf, die neuen
Dekretalien – wieder eine Parodie – zu hören: Ein Pereat den Knauserigen.
Nachdem der Orden als milde und aufnahmebereit gepriesen ist, wird in
Str. 3, 4, 6, 10 aufgezählt, wer in den Orden kann. Die Strophen 7, 8, 9, 11–14
geben die Satzungen, die selbstverständlich im Gegensatz zum geistlichen
Leben der echten Orden ein Bummlerleben vorschreiben. Der Schluß ist
bibelparodistisch:

> ‚Ad quos preveneritis, dicatis eis, quare
> singulorum cupitis mores exprobrare:
> „reprobare reprobos et probos probare
> et probos ab improbis veni segregare"'.

Der Vagant maßt sich die Richterrolle an. Dabei wird der Dichter nicht
unmittelbar Matth. XXV 31 ff. ‚Cum autem venerit filius hominis in maiestate
sua et omnes angeli cum eo, tunc sedebit super sedem maiestatis suae. Et
congregabuntur ante eum omnes gentes, et separabit omnes ab invicem, sicut
pastor segregat oves ab haedis et statuet oves quidem a dextris suis, haedos
autem a sinistris' im Auge gehabt haben, sondern Verse, die einerseits dem
Wortlaut des Evangeliums, andrerseits der Strophe des Bundesliedes nahe-

---

[1] Die lateinische Vagantenpoesie des 12. und 13. Jahrhunderts als Kulturerscheinung
S. 16. Gute Berichtigungen und Ergänzungen gibt Frantzen im Neophilologus. V (1919)
S. 58 ff.

stehen. Schon W. Giesebrecht[1] und O. Hubatsch[2] machten auf den Anfang eines durch Wright[3] bekanntgewordenen Rügeliedes gegen die geistlichen und weltlichen Stände aufmerksam:

> ‚A la feste sui venue et ostendam, quare
> singulorum singulos mores explicare,
> reprobare reprobos et probos probare
> et haedos ab ovibus veni segregare.'

Ob das Bundeslied deutscher Herkunft sich gerade an die französisch beginnende Fassung anlehnt[4], ist freilich nicht glaubhaft. Man tut besser, eine mit Strophen der Beichte ‚Estuans intrinsecus ira vehementi' anfangende ‚Invectio contra prelatos' der Herdringer Sammlung heranzuziehen, wo es in Str. 3 heißt[5]:

> ‚Ad hoc festum venio et ostendam, quare
> singulorum singulis mores explicare,
> reprobare reprobos et probos probare
> et edos ab ovibus veni segregare.'

So wie der Text in den C. B. steht, ist er weniger abwechslungsreich in den Worten als die Rügen. Der Nachahmer hat den Wortlaut nicht gerade gut geändert. Aber in der Verwendung des Gedankens ist er geschickt. Man kann und muß m. E., was Schreiber nicht getan hat, von einer Parodie reden. Statt der leidlich ernsten Strafrede schimpft das Bundeslied offen humoristisch. Die elfte Strophe, die gegen Kleiderluxus eifert mit den Worten:

> ‚Ordo noster prohibet uti dupla veste.
> Tunicam qui recipit, ut vadat vix honeste,
> pallium mox reicit, Decio conteste,
> cingulum huic detrahit ludus manifeste',

hängt sicherlich mit der dritten Strophe des auch in den C. B. stehenden und oben mitgeteilten Bettelliedes ‚Artifex qui condidit' zusammen. L. Laistner meint[6], der Dichter dieses Stückes habe frech parodierend die Reime ‚conteste, manifeste, veste, honeste' aus dem Bundeslied entlehnt. Ich halte das Umgekehrte für wahrscheinlicher: Der Poet des ‚Cum in orbem universum', der auch sonst Gedanken und Worte anderer ohne Bedenken übernommen

---

[1] A. a. O. S. 14.
[2] Die lat. Vagantenlieder S. 40.
[3] Reliquiae antiquae. II 43.
[4] Jakob Schreiber, Die Vagantenstrophe der mittellateinischen Dichtung, Straßburg 1894 S. 81, behauptete es, kannte aber den Herdringer Text noch nicht.
[5] A. Bömer in der Zeitschrift für deutsches Altertum. XLIX (1908) S. 190.
[6] Golias S. 101.

hat, fand das Bettellied vor und parodierte die weinerliche Bitte um ein
Kleidungsstück zu den Sätzen um: der Vagant soll keine Kleiderüppigkeit
zeigen. Wer zwei Gewänder hat, wird sie beim Spiel verlieren.

Das ist freilich über dieser Feststellung nicht zu vergessen, daß das Bundeslied gewirkt und auch außerhalb der Carmina Burana weitergeklungen hat,
nicht bloß in der Regula Libertini, sondern auch in dem durch eine böhmische
Handschrift des 15. Jahrhunderts überlieferten Kneipliede[1]:

> ‚Plenitudo temporis, venite, exultemus,
> licet ramos nemoris calvari videmus,
> quamvis promptuaria tanta non habemus;
> venite ergo, socii, fortiter bibemus!
>
> De vagorum ordine dicam vobis iura,
> quorum ordo nobilis, dulcis est natura,
> quos delectat amplius tritici mensura
> vel quos benefaciat pingwis assatura.
>
> Igitur ad poculum mane transeamus
> et usque in crepusculum fortiter bibamus,
> donec in parietibus lucem videamus
> et prostratis manibus stratum capiamus.
>
> Audivi sero bibulum valde conquerentem,
> ut leonis catulum valde rugientem:
> quid est hoc, quod video neminem bibentem
> vinum, quod facit hominem omnia scientem?
>
> Si tu nummis careas, hoc est veniale;
> pone, si quid habeas, in memoriale;
> tunicam vel iopulam, si quid habes tale,
> pincerna totum capiet, tandem femorale.
>
> Si tu nummis careas, iubeas taxillum
> fortiter in tabula gerere vexillum;
> si [tunc] sors supervenerit, quod tu vincas illum,
> letus et intrepidus curras ad ducillum.
>
> Porta nostri hospitis nitet margaritis
> et apertis hostiis clamat: Unde sitis?
> Hic non est ieiunium, fames neque sitis,
> ymmo totum gaudium, quare non venitis?

---

[1] Veröffentlicht von Feifalik in den Sitz.-Ber. der Kaiserl. Akad. d. Wiss. XXXVI
(Wien 1861) S. 176f. Auch in Prag und Leipzig erhalten.

Noster ordo prohibet matutinas ire (lies: plane),
sunt quedam fantasmata que insurgunt mane,
unde nobis veniunt visiones vane.
Si quis tunc surrexerit, non est mentis sane.

Nostra docet regula valde manifeste
nullum inter socios uti dupla veste,
tunica vel iopula non   inceste,
in sola camisia, sic sedes honeste.

Nostrum est propositum in thaberna mori,
ubi potus non deest sicienti ori,
ubi sonant cithare et resonant chori
decantantes dulcia mihi potatori.

Vel aliter:
Nostrum est propositum in thaberna mori,
ubi sonant cithare et resonant chori,
ubi potus non deest sicienti ori.
Deus sit propicius mihi potatori!

Omnibus postpositis diligo thabernam,
quam in nullo tempore sprevi neque spernam,
donec sanctos angelos venientes cernam,
cantantes pro bibulo requiem eternam.'

V. 5–8 stammen aus Str. 7 des Bundesliedes, v. 29–32 aus Str. 8, v. 33–36 aus Str. 11. Die Schlußverse sind der Beichte des Erzpoeten entnommen.

W. Giesebrecht hat das Bundeslied durch nachstehende Übersetzung den Lesern näherzubringen versucht:

„Macht euch auf die Wanderung!" tönt's auf allen Stegen,
und die Bibel sieht man flugs auf die Seite legen
Priester, Mönch und Diakon, und auf allen Wegen
ziehn sie unsrer Sekte nach, ihrem Heil entgegen.

„Prüfet alles!" Dies Gebot wird bei uns gelehret.
Prüft dann unsern Lebenslauf, niemand sei's gewehret,
doch den falschen Priester haßt, so der Lieb entbehret
und auch nicht mit offner Hand milde Gunst gewähret.

Wir nur hegen dieser Zeit christliches Erbarmen;
denn wir nehmen groß und klein auf mit offnen Armen,
wer da reich an Geld und Gut, wie die hilflos Armen,
den erstarrt an Klostertür man nicht ließ erwarmen.

Uns willkommen ist der Mönch, stattlich tonsurieret,
und der Priester, der sein Weib uns am Arm zuführet,
Pfründner und Kanoniker, und wer magistrieret,
doch ein Schüler allermeist, den sein Wämslein zieret.

Stille Leute, wilde Art folgen unsern Bahnen,
deutsche Männer, böhmisch Volk, Slawen und Romanen,
wie der Herr sie wachsen ließ: Zwerge und Titanen,
die hoch fahren und die still sich nichts Großes ahnen.

Ihr Markgrafen und ihr Herrn, die zu frohen Mahlen
Sachsen, Baiern, Östreich uns sandte allzumalen,
merket, denn ich melde euch neue Dekretalen:
„Jeder Knauser ist verdammt und die kärglich zahlen."

Orden ohne Skrupel man unsre Sekte nennet,
ob auch so verschieden Volk hier zusammenrennet,
doch da beiderlei Geschlecht keine Scheidung trennet,
was Geschlechts der Orden sei niemand recht erkennet.

Des Vagantenordens Recht will ich auch verraten,
der ein herrlich Leben führt, wo man wohl beraten,
wo mehr als ein Scheffel Korn gilt ein fetter Braten;
höret die Gesetze denn und des Ordens Taten.

Unser Orden untersagt streng die Metten halten;
denn am Morgen gehen um arge Spukgestalten,
und den Sinn berücken dann höllische Gewalten,
darum muß ein kluger Mann früh im Bett sich halten.

Da uns also untersagt streng das Mettesingen,
ziehn wir flugs zum kühlen Platz, wenn vom Bett wir springen,
Hähnchen lassen wir dorthin und ein Weinfaß bringen,
droht der Würfel Unheil nicht, voll von guten Dingen,

Unser Orden untersagt Doppelkleider tragen,
wer, ein Wams am Leib, sich kann vor die Leute wagen,
dann bringt bald das Würfelspiel um den Mantelkragen,
und des Gürtels selbst wird er öffentlich entsagen.

Und wie man es droben hält, geht es drunten eben,
wer ein Hemde hat, der braucht Hosen nicht daneben,
und wer Stiefel trägt, der kann seine Schuhe geben:
Jeder Übertreter soll unterm Bannfluch leben!

Keiner greife ohne Trunk früh zum Wanderstabe,
hat er nichts, so scheid' er nicht ohne milde Gabe,
solcher Dreier bringt gar oft schnell zu reicher Habe,
wenn zu guter Stunde sich setzt zum Spiel der Knabe.

Keiner ziehe seines Wegs gegen Sturm und Regen,
und wer darbt, soll nicht die Stirn drob in Falten legen
sondern wie ein kluger Mann still die Hoffnung hegen,
folgt nach schwerem Leid doch meist reicher Glückessegen.

Saget jedem Menschenkind, das euch aufgenommen,
weshalb zu erforschen ihr jedes Tun entglommen:
„Allen Sündern, sprecht, zum Schimpf, doch zum Lob der Frommen,
und zu scheiden Gut und Bös bin zur Welt ich kommen!"

4. Unterhaltende Züge und Stücke verschiedener Art

Während im Anfange die unterhaltenden Züge, Stücke und Gattungen in
der mittellateinischen Literatur dürftig waren, bildeten sie sich in nachkaro-
lingischer Zeit stark und mannigfaltig aus. Vieles, was davon als parodistisch
anzusprechen ist, haben wir schon gestreift, da Bissiges und Launiges nicht
immer leicht zu trennen sind. So bei der Tierdichtung. Sie mischt Scherz und
Ernst. Zuerst wiegt das Belehrende und das Unterhaltende vor. Z.B. das
Gedicht des Sedulius Scottus (um 850) über den Widder, der von Hunden
zerrissen wird, mündet nach frischer Erzählung in eine christliche Deutung
aus und hängt dann ein humoristisches Epitaph an, das den irdischen Appetit
des Dichters auf einen leckeren Hammelbraten offen bekundet[1].
   Die im 11. Jahrhundert entstandene Ecbasis captivi ist eine Art behag-
licher Allegorie ohne starke satirische Würze. Zu den Parodien im engeren
Sinne ist diese Dichtung nicht zu nehmen, wiewohl sie Tiere ein breit ge-
schildertes Klosterleben führen, Tiere höfische Dienste verrichten läßt, weltliche und geistliche Texte ironisch verwendet und wieder ein Scherzepitaph,
auf den Wolf v. 1166–1170, bringt. Es würde überhaupt viel zu weit führen,
wenn ich alle die lateinischen Tierdichtungen des Mittelalters hier behandeln
wollte. Ich hebe nur einige Beispiele und Arten, die für die Parodie von
Interesse sind, heraus.
   Der Ysengrimus (12. Jahrh.) hat ohne Zweifel kräftige Kampftöne. Jedoch
hüte man sich, mit L. Willems[2] das Satirische zu überschätzen. Vor allem
möchte ich bemerken, daß für uns im Ysengrimus und anderen verwandten

---

[1] MG. Poetae. III 207.
[2] Étude sur l'Ysengrimus, Gent 1895.

Stücken der Reiz der zumal durch die Verquickung von Menschen- und Tierleben komischen Schilderung so groß ist, daß man heutzutage die zugrunde liegende lehrhafte oder kritisch-polemische Tendenz nur zum Teil mühelos begreift und das Ganze wie einzelnes als Unterhaltungsliteratur genießt, so groß, daß wohl auch schon für das Mittelalter sehr bald bei der Lektüre das Satirische, zum wenigsten die ursprünglichen satirischen Sonderabsichten hinter dem rein Humoristischen zurücktraten.

Wenn im Ysengrimus P. Bovo, statt an den Sonntagen jedesmal ein besonderes Prozessionslied zu singen, aus Faulheit an jedem Sonntage, selbst im Februar, das Osterprocessionale wählt, und wenn bei dieser Gelegenheit der Hymnus ‚Salve festa dies, toto venerabilis aevo, qua Deus infernum vicit et astra tenet' parodiert wird, so ist das in erster Linie vergnüglich:

I 735   ‚Emergente die Reinardus, ut arte ferocem
              eliciat turbam, proxima rura subit,
          iamque sacerdotis stantis secus atria gallum
              ecclesiam populo circueunte rapit,
          intenditque fugae; non laudat facta sacerdos,
              nec laudanda putat nec patienda ioco.
          „Salve, festa dies" cantabat, ut usque solebat
              in primis feriis et „kyri" vulgus „ole";
          „salve, festa dies" animo defecit et ori
              et dolor ingeminat „vae tibi, maesta dies,
          vae tibi, maesta dies toto miserabilis aevo,
              qua laetus spolio raptor ad antra redit."
          Cum michi festa dies vel maximus hospes adesset,
              abstinui gallo, quem tulit ille Satan;
          sic praesul doleat, qui me suspendere cantu
              debuit! en galli missa ruina fuit,
          non me missa iuvat sed vulpem altaria iuro:
              malueram missas ter tacuisse novem.'

Mehr der Unterhaltung als beißendem Spott dient die Schilderung der Pfarrersköchin, die, das Latein der Messe, mißverstehend, Excelsis, Osanna, Alleluia, Celebrant als Heilige anruft (II 61 ff.) und ‚Pater nuster', ‚Credinde', ‚Dei paces', ‚miserele', ‚oratrus fratrus', ‚paz vobas', ‚Deu gracis' statt ‚Pater noster', ‚Credo in Deum', ‚Da pacem', ‚Miserere nobis', ‚Orate fratres', ‚Pax vobis', ‚Deo gracias' gebraucht (II 97 ff.). Ähnlich verballhornt der Pastor Ysengrimus (V 547 ff.) das ‚Dominus vobiscum' zu ‚Cominus ovis kum', und er betont das ‚Amen' so, daß ‚agne' verstanden wird. An spaßigen Anspielungen auf bekannte Gebräuche und Wörter von Kirche und Welt ist das Werk von Anfang bis Ende voll. So führt I 1001 ff. den Wolf als messezelebrierenden Priester der Schafe vor, IV den Wolf auf einer Wallfahrt, V im Kloster, III die

Tiere auf einem Hoftag, die V 1045 ff. erzählte Züchtigung wird zuerst wie eine bischöfliche Konsekration dargestellt, VII parodiert die Messe vom Introitus bis zum Alleluia des Graduale, VII 417–422 lesen wir ein Spottepitaph auf Ysengrimus:

> ‚Unum pontificem satis unum claudere marmor
> sueverat, ex merito quisque notandus erit.
> Undecies senis iacet Ysengrimus in urnis.
> Virtutum turbam multa sepulcra notant.
> Nono Idus Junias exortu veris is inter
> Cluniacum et sancti festa Johannis obit.‘

Noch stärker als im Ysengrimus ist der unterhaltende Charakter der Parodie in dem um ein halbes Jahrhundert jüngeren Speculum stultorum des Nigellus Wireker. Da haben wir unter anderem die natürlich nicht ernst gemeinte Grabschrift für eine Kuh (ed. Wright p. 31):

> ‚Epitaphium Bicornis.
> Quae dum stulta fuit, doctos docuisse probatur,
> haec postquam sapuit, vermibus esca datur‘;

ein Gebet (p. 36 sq.):

> ‚Omnipotens Dominus meritis sanctisque Juliani
> det nobis veniam hospitiumque bonum‘ usw.;

ein Jubellied (p. 48 sq.):

> ‚Cantemus, socii, festum celebremus, aselli,
> vocibus et votis organa nostra sonent‘ usw.;

ein Selbstgespräch des Esels Burnellus (p. 50 sqq.); Gutachten und Urteile vom Hahn (p. 61 sq.), vom Raben (p. 112 sq.); da haben wir auch ein spaßiges Rezept Galens für den nach einem langen Schwanze verlangenden Esel (p. 33):

> ‚Haec sunt quae referes variis signata sigillis,
> ne pereant obiicit cura laborque tuus:
> marmoris arvinam, furni septemplicis umbram,
> quod peperit mulo mula subacta suo;
> anseris et milvi modicum de lacte recenti,
> de lucis cursu deque timore lupi
> de canis et leporis septenni foedere drachmam;
> oscula quae niso misit alauda suo;
> pavonis propria libram de voce sonora,
> ante tamen cauda quam sit adepta sibi;
> de non contexta rubra sine flamine mappa,
> nam risus asini tu dabis ipse tibi;

allecis vel apum croceo de spermate libram,
de ciroli iecore, sanguine sive pede;
natalis Domini modicum de nocte salubri;
quae nimis est longa iure valebit ad hoc.
In reditu de monte Jovis de vertice summo
accipies libras quatuor asse minus.
Alpibus in mediis sancti de nocte Johannis
de nive quae cecidit, tu simul inde feras;
Serpentisque rubrae nec non de cauda colubrae.
Utile est valde nec tamen illud eme.
Haec bene collecta pariterque recentia quaeque
impones humeris sarcinulisque tuis.'

Ironisch und parodistisch ist auch der Segensspruch, den der große Arzt
dem Esel mit auf den Weg nach Salerno gibt (p. 34 sq.):

„Omnipotens odia tibi mille det, et tua cauda
obtineat per se millia dena sibi!
Sit tibi potus aqua! Sit magnus carduus esca,
Marmora stramenta, tegmina ros et aqua!
Grando, nives, pluviae tecum comitentur ubique,
protegat et noctu cana pruina, gelu!
Saepius exosus veniat post terga molossus!"
Oscula dando tamen dixit asellus. Amen.'

Die Beziehungen dieses Narrenspiegels, der nach der Hauptperson oft
‚Brunellus' oder ‚Burnellus' heißt, zu einer anderen ‚Brunellus' genannten
Dichtung sind nicht erwiesen[1]. Sie beginnt mit dem Distichon

‚Instabat festiva dies, animalia bruta
conveniunt culpas depositura suas'

und bringt eine Beichte von Wolf, Fuchs und Esel. Die Parabeln des Eng-
länders Odo von Cheriton[2] saec. XII ex. dienen der Belehrung, aber sie suchen
das didaktische Ziel zu erreichen durch unterhaltende Erzählung von Tierfabeln und parodieren dabei kirchliche Versammlungen, Messen, Totenfeiern,
Königswahlen u. a. Rein scherzhaft endlich ist ein Gedicht vom Esel, das vom
13.–16. Jahrhundert in Deutschland, Böhmen und Italien viel Anklang gefunden hat. Die kürzeste Fassung ist durch P. von Winterfeld[3] hübsch verdeutscht worden. In ihr klagt der Bauer um seinen toten Esel, läßt für ihn
die Kirchenglocke läuten, eine Seelenmesse feiern usw.

---

[1] Vgl. Ernst Voigt, Kleinere lateinische Denkmäler der Thiersage aus dem 12. bis 14.
Jahrhundert, Straßburg 1878, S. 23 ff., 81 ff. und Patetta in Atti della R. Accademia
delle scienze di Torino. LIII (1917/18) p. 641 sqq.

[2] Voigt, a. a. O. S. 113 ff.

[3] Deutsche Dichter des lat. Mittelalters S. 228.

,O tu, bone presbyter,
fac sibi pulsare ter,
cantare solempniter.

Ad ecclesiam ibimus,
requiem cantabimus,
asinum servabimus.

Caro datur vermibus
cutisque sutoribus,
anima demonibus.

O vos cuncti Bavari,
sumite caudam asini,
cum ea suspendimini !'

schließt der Text[1]. Für ursprünglicher halte ich mit Novati die längere Redaktion[2]. Fehlt in ihr die Parodie des Requiems und der Messe, so hat sie
dafür die Auferstehung des Herrn Esels und sein Testament.

,Testamentum domini asini'

Rusticus dum asinum
suum videt mortuum,
flevit eius obitum:
    Ohe, ohe, morieris asine?

5 Si te scivissem, asine,
moriturum frigore,
te induissem syndone.
    Ohe!

Exclamavit rustica
10 voce satis querula,
obstante vicinia:
    Ohe!

Ululavit rusticus
magnisque clamoribus:
15 trahens crines manibus:
    Ohe!

Surge tanto tempore,
quod tu possis bibere
et testamentum condere.
20   Ohe!

Mox consurgens asinus
testamentum protinus
condidit oratenus:
    Ohe!

---

[1] F. Novati, Carmina medii aevii, Florenz 1883, p. 73.
[2] Novati S. 79 ff. In einer Wolfenbüttler Handschrift lautet (nach Emil Henrici,
Sprachmischung S. 18) das Testament:

    ,Caput do papalibus,
    aures cardinalibus,
    vocem cantoribus,
    merdam stercorantibus,
    ossa lustralibus,
    cutem Scharhansibus,
    daß eine pauchen daraus machen !'

25 „Crucem do papalibus,
    aures cardinalibus
    caudamque minoribus."
    Ohe!

    „Caput meum iudicantibus,
30 vocem meam cantantibus
    linguamque predicantibus."
    Ohe!

    „Dorsum meum portantibus,
    carnes meas ieiunantibus,
35 pedes autem ambulantibus."
    Ohe!

    „Pellem meam sutoribus,
    crines sellatoribus,
    ossa quoque canibus."
40 Ohe!

    „Viscera vulturibus
    priapumque viduis
    una cum testiculis."
    Ohe!

45 His legatis omnibus,
    que habebat, asinus
    obdormivit cum fratribus.
    Ohe!

    Abbas tunc et clerici
50 prebent panem tritici
    cum vellet ipse mori.
    Ohe!

    Rusticus et famuli
    portant corpus asini
55 ad pasturamque lupi.
    Ohe!'

Der Witz des Tiervermächtnisses ist uralt; nach Zeugnissen des Hieronymus ergötzten sich schon im 4. Jahrhundert die Schüler an einem Testamentum porcelli[1]. Dieses ist noch im Mittelalter abgeschrieben worden und hat die Anregung zum Testamentum asini gegeben. Die Legate des Schweines ‚de meis visceribus dabo donabo sutoribus setas, rixatoribus capitinas, surdis auriculas, causidicis et verbosis linguam, botulariis intestina, esicariis femora, mulieribus lumbulos. pueris vesicam, puellis caudam' usw. sind die Vorbilder zu den in v. 25–43 versifizierten Versprechungen des Herrn Esels.

Ulkige Rezepte in lateinischer Sprache hat es im Mittelalter gewiß noch manche außer dem einen im Speculum stultorum gegeben. Ich kenne allerdings zur Zeit nur wenige. Parodistisch ist ein bis ins 12. oder 13. Jahrhundert zurückgehendes Gedicht, das mit tönenden Worten ein neues Mittel gegen Kahlköpfigkeit anpreist[2], parodistisch auch das später zu erwähnende Rezept in einem Druck der Nemo-Predigt. In den Versen ‚Anser sumatur veteranus qui videatur' usw. über die Herstellung von Gänsefett[3] erblicke ich einen offenen Scherz, nicht eigentlich eine Parodie.

An Alter übertrifft die bisher in diesem Kapitel behandelten Stücke die Parodierung König Salomos und seiner Weisheitssprüche. Schon das ‚Decretum Gelasianum de libris recipiendis' verbietet eine ‚Scriptura quae appellatur Salomonis Interdictio' oder ‚Contradictio'. Der älteste bekannte Zeuge dafür, daß ein Marcolf als Sprecher gegen den Weisen des Alten Testaments vorgeführt wird, ist der St. Galler Mönch Notker Labeo († 1022). In der zweiten

[1] Vgl. Mauricii Hauptii opuscula. II (Leipzig 1876) S. 175–183.
[2] Vgl. Textanhang.
[3] Überliefert in St. Omer 115 saec. XIII, vgl. Archiv d. Ges. f. ältere deutsche Geschichtskunde. VIII 409, und Wien 4774 saec. XVI, vgl. St. Endlicher, Catalogus codicum philologicorum Latinorum bibl. Pal. Vindobonensis, Wien 1836, p. 188.

Hälfte des 12. Jahrhunderts vermutete Wilhelm von Tyrus Identität des Abdimus von Tyrus mit Marcolfus, von dem fabulöse Volkserzählungen berichteten, wie er Salomos Rätsel gelöst und dem König mit Rätselaufgaben geantwortet hätte. „Ein halbes Jahrhundert später bemerkte der schwäbische Dichter Freidank ‚Salomon Weisheit lehrte, Marcolf diese verkehrte. Die Sitte haben heute leider genügend Leute.‘ Aber welches die Sprüche waren, ob zunächst wirkliche Fragen und Antworten gewechselt wurden, ob diese ernsten oder burlesken Inhalts waren, darüber läßt sich nichts sagen." Diese Behauptung W. Benarys[1] trifft glücklicherweise nicht zu. Denn Guido von Bazoches († 1203) vermerkt – was außer Benary auch Cosquin und andere Forscher übersehen haben – in seiner Apologie[2]: ‚Hiis liquet exemplis in moribus instituendis natura quid iuris habeat, nutritura quid possit, nec tantum in rationali, sed in ratione carente vim habet eandem et dominium animali, quod memoriali precipue declaratur illo de multis, que de sapientissimo Salomone celebrantur ore multorum, et quodam cum eo sofistice confligente. Nam cum Salomon nutriture preferre naturam intenderet et ille contenderet econverso nature preferens nutrituram, promisit, quod verba regis rebus obtunderet et ostenderet, quod proponebat magis opere quam sermone. Dicebat enim habere se domi murilegum ad vocem iubentis et honorem bibentis erecto corpore super pedes extremos lumen elevare prioribus institutum; propter quod invitatus a rege venit ad cenam, sedit ad mensam, animal suum collocavit, aptavit, ut super pedes inferiores et lumen superioribus elevaret. Ad hoc provida regis sollercia preparaverat in absconso murem vivum et educto de latibulo vestimenti fugiendi copiam dedit. Quo viso murilegus abrenuntians legibus preceptoris et in naturalia iura concedens, abiecto ministerio fugientem assequi preparavit.‘ Die Anekdote von der kerzentragenden Katze erscheint im zweiten Teile[3] des zur Zeit aus Handschriften des 14. und 15. Jahrhunderts bekannten mittellateinischen ‚Salomon et Marcolfus‘ wieder. Da der Pariser Kodex der Apologie ausdrücklich zu obigem Bericht die originale Randbemerkung ‚De Salomone rege et Abdemone Tyrio qui Marculphus vulgariter appellatur‘ hat, ist zu behaupten, daß die Erzählungen von Salomon et Marcolfus bereits gegen 1200 mindestens zum Teil denselben Inhalt wie um 1400 gehabt haben, wenn auch Form und Umfang im Laufe der Zeit verändert sein mögen. Ohne eine genauere Datierung und Lokalisierung des überlieferten Unterhaltungsbuches wagen zu können, möchte ich einstweilen soviel sagen: Die zwei Teile, aus denen der Text jetzt besteht, werden

---

[1] Salomon et Marcolfus, Heidelberg 1914 (Sammlung mittellat. Texte, her. von A. Hilka, Heft 8), S. VIIf.

[2] W. Wattenbach in den Sitz.-Berichten der Kgl. Preuß. Akademie d. Wiss. zu Berlin. 1893. S. 405f.

[3] Benary S. 30f. Warum hat der in München arbeitende Benary für seine Ausgabe nicht München lat. 5354 fol. 282 sqq. benutzt? Fol. 286[R] stehen die p. XVIII gedruckten Verse ‚Sum Marcolfus sycophanta‘.

verschieden alt sein. Als Notker Labeo (952–1022) auf Marcolfs Streit gegen
die Proverbia Salomonis anspielte, kannte er wohl nur ein Wortgefecht zwischen Salomo und Marcolf, wie es nunmehr an erster Stelle des Ganzen steht;
als Wilhelm von Tyrus und Guido von Bazoches ihr Zeugnis abgaben, bestand
schon ein Komplex von Anekdoten über Salomon und Marcolf, gleich oder
ähnlich dem zweiten Teil. Zeugt Guido für das frühe Vorhandensein der
Katzenerzählung und ihrer Beziehung auf Salomon und Marcolf, so ist Wilhelm zu entnehmen, daß es sich damals schon nicht mehr um einzelne, sondern um vereinigte Geschichten handelte: ‚Marcolfum – – – de quo dicitur,
quod Salomonis solvebat aenigmata et ei respondebat, aequipollenter ei iterum solvenda proponens.‘

Parodistisch sind beide Teile. Gleich der Prolog beginnt mit einigen von
Benary nicht notierten Anklängen an die Bibel: ‚Cum staret rex Salomon
super solium David patris sui, plenus sapiencia et diviciis, vidit quendam
hominem Marcolfum nomine a parte orientis venientem, valde turpissimum
et deformem, sed eloquentissimum.‘[1] Vgl. damit 3 Reg. II 12 ‚Salomon autem
sedit super thronum David patris sui‘; ib. 24 ‚collocavit me super solium David patris mei‘; 3 Reg. X 23 ‚magnificatus est ergo rex Salomon super omnes
reges terrae, divitiis et sapientia‘; 3 Reg. VII 13f. ‚misit – – – Salomon et
tulit Hiram de Tyro filium mulieris viduae – – – plenum sapientia et intelli-
gentia‘. Daß zu Beginn des Dialogs[2] der Stammbaum Salomos nach Matth. I
gegeben ist, merkt Benary an. Für uns ist wichtig, daß diese biblische Genealogie durch einen erfundenen Stammbaum Marcolfs und seiner Frau parodiert
wird[3]. In der nun folgenden Rede und Gegenrede des Königs und Marcolfs
bedient sich Salomo naturgemäß fast durchweg der biblischen Weisheit: außer
den Prov. sind Sap., Eccli., Cant., Eccl., Job, ja auch neutestamentliche
Bücher herangezogen. Benarys Feststellungen genügen nicht[4]. Zur parodistischen Literatur gehört das Zwiegespräch deshalb vor allem, weil Marcolf jedem
Worte Salomos irdische, grobsinnliche Erfahrungen, derbe Witze entgegen-
stellt, oft dem Wortlaut der Bibel nahebleibend, den Lehrinhalt der Salomonischen Sätze aber immer paralysierend. So:

13 S.: ‚Mulierem fortem quis inveniet?‘

M.: ‚Quis cattum super lac fidelem reperiet?‘

S.: ‚Nullus.‘

M.: ‚Et mulierem raro.‘

---

[1] A.a.O. S. 1.

[2] A.a.O. S. 3f.

[3] A.a.O. S. 4f.

[4] Für 5a vgl. 3 Reg. III; 6a 3 Reg. III 12f.; 15a Prov. XXI 9 und XXV 24; 86a
Prov. XXVII 4; 94a 1 Cor. XV 32; 116a Matth. XII 34 oder Luk. VI 45; 119a 1 Reg.
IX 20; 127a Eccli. XXX 12; 137 2 Cor. X 6. Bei weiteren Nachforschungen sind wohl
noch mehr Ergänzungen zu finden.

15 S.: ‚Subtrahe pedem tuum a muliere litigiosa!'
    M.: ‚Subtrahe nasum tuum a culo iussoso!'
17 S.: ‚Qui seminat iniquitatem, metet mala.'
    M.: ‚Qui seminat paleas, metet miseriam.'
20 S.: ‚Laudet te alienus et non os tuum!'
    M.: ‚Si me ipsum vitupero, nulli umquam placebo.'
26 S.: ‚Inter bonos et malos repletur domus.'
    M.: ‚Inter podiscos et merdam repletur latrina.'
46 S.: ‚Eice derisorem, et exibit cum eo iurgium cessabuntque cause et
        contumelie.'
    M.: ‚Eice inflacionem de ventre, et exibit cum ea merda cessabuntque
        torciones et iusse.'
79 S.: ‚Pro amore Dei dileccio omnibus exhibenda est.'
    M.: ‚Si amas illum qui te non amat, perdis dileccionem tuam.'
128 S.: ‚Celum quando nubilat, pluviam facere vult.'
    M.: ‚Canis quando crupitat, cacare vult.'
140 S.: ‚Omnia tempora tempus habent.'
    M.: „Diem hodie et diem cras" dicit bos qui leporem sequitur.'

Das sind Beispiele und längst nicht die schlimmsten der Zoten und Derb-
heiten. Der Schluß des ersten Teiles führt aus 3 Reg. IV und XII ‚Banaias,
filius Joiade, et Zabud, amicus regis, et Adoniram, filius Abda, qui erat super
tributa' vor. Wenn diese zu Marcolf sagen: „Ergone tu eris tercius in regno
domini nostri?" so muß – Benary schweigt – auf Daniel V 16 ‚tertius in regno
meo princeps eris' verwiesen werden. Die Fortsetzung der Diener Salomos:
„Ante eruantur tui pessimi oculi de tuo pessimo capite. Melius decet te iacere
cum ursabus domini nostri quam sublimari aliquo honore" erinnert mich
stark an den bekannten Satz der Bergpredigt Matth. V 29: ‚Quodsi oculus
tuus dexter scandalizat te, erue eum et proice abs te; expedit enim tibi, ut
pereat unum membrorum tuorum, quam totum corpus tuum mittatur in
gehennam.' Auch der Schluß (S. 21$_8$–22$_3$) ist biblisch, vgl. 3 Reg. IV 8–19.
    Im zweiten Teil ist die Darstellung freier, selbständiger, jedoch auch da
wird immer Salomo durch Marcolf parodiert. Besonders bezeichnend ist die
burleske Behandlung der Geschichte von Salomo und den sich um ihr Kind
streitenden Müttern sowie die Verdrehung der Salomonischen Urteile über
Frauen im allgemeinen. Salomo wird geradezu eine Schwankfigur als Frauen-
jäger. Die Bibel ist textlich parodiert, indem Marcolf den König dazu bringt,
erst gut, dann schlecht von den Frauen zu sprechen, wie wenn er wirklich in
seiner Meinung geschwankt hätte. Tatsächlich aber hat Salomo in der Bibel
bei den verschiedenartigen Aussprüchen genau geschieden zwischen den guten
und den schlechten Frauen. Der Herausgeber Benary hätte m. E. auch hier
zeigen müssen, daß und wie bei diesen Anekdoten immer wieder Bibelworte
gebraucht, mißbraucht werden. Grandios wird die possenhafte Parodie abge-

schlossen durch die Suche der Salomonischen Diener und Marcolfs nach dem
Baum, an dem dieser zur Strafe aufgehängt werden soll. Sie durchschreiten
das Tal Josaphat, die Abhänge des Ölberges usw. bis nach Jericho und finden
den Baum nicht. Die Wanderschaft geht weiter durch den Jordan und ganz
Arabien, umsonst. Der Weg führt auf den Berg Carmel, den Libanon und zu
vielen anderen aus der Bibel (nicht bloß aus Jos. XII ff., wie Benary meint)
bekannten Stätten. Da sie keinen Baum finden, den Marcolf wählt, lassen sie
ihn schließlich laufen. So entrinnt der freche Schelm den Händen König
Salomos.

Das Buch der Bücher hat noch oft für Narreteien und Späße herhalten
müssen.

Um 1290 verfaßte ein gewisser Radulfus, wohl ein Franzose, einen Sermo
oder eine Historia de Nemine, den recht kennenzulernen die Welt jetzt erst
das Glück hätte. Nemo wäre wesensgleich mit dem Sohne in der Trinität und
hätte ganz außerordentliche Eigenschaften und Fähigkeiten. Radulf hatte
von ihm dadurch erfahren, daß er in einer großen Reihe von Stellen namentlich der Bibel und Liturgie, außerdem bei Cicero, Horaz, Maximian, in den
Disticha Catonis, bei Priscian und Augustin u. a. das Wörtchen ,nemo' keineswegs als Negation, sondern als einen Personennamen ansah. Diese ,Auctori-
tates' hatte er sich angeblich von geistlichen Personen gekauft und war so
imstande, einen Traktat über Niemand zu verfassen und dem Kardinal-
diakon Benedikt Gaietani zu widmen. Ja, er hatte solchen Erfolg, daß ein
gewisser Peter von Limoges u. a. sich dem Nemo-Kult anschlossen, daß förmlich eine ,Secta Neminiana' entstand. Da veröffentlichte Stephanus de S. Ge-
orgio eine Gegenschrift in der Absicht, durch sie die Verdammung und Ver-
brennung der Neminianer auf der Provinzialsynode von Paris zu erreichen.
Er gab sich die größte Mühe, die einzelnen Nemostellen Radulfs durch Glos-
sierung zu widerlegen und zweitens durch andere Stellen zu beweisen, daß der
Nemo ein ganz verworfenes Subjekt wäre. Radulfs Sermo kennen wir aus der
erhaltenen Gegenschrift Stephans und aus mehreren späteren Bearbeitungen
der Nemogeschichte. Diese, die in vielen bisher nur zum Teil herangezogenen
Handschriften saec. XIV–XVI von mindestens vier Fassungen vorliegen, sind
nun aber keineswegs mehr ernst gemeint. G. H. Pertz, W. Wattenbach,
J. Bolte u. a. behaupteten, man hätte es mit Parodien von Heiligenlegenden
zu tun, verfaßt, um der Verbreitung der hagiographischen Literatur Abbruch
zu tun. In H. Denifle dem Streitbaren fanden sie einen Widersacher[1], der
neue Aufschlüsse brachte durch die Entdeckung der Schrift Stephans gegen
Radulf und, ohne die Unterhaltungstendenz der jüngeren Redaktionen zu
leugnen, auf die ernste Absicht des Urtextes hinwies. Ich zweifle, ob Denifle
in allem recht gehabt hat: Trotzdem Stephan den Sermon Radulfs ernst
nahm, kann dieser eine übermütige Parodie gewesen sein, auf die Stephan in

[1] Archiv für Literatur- und Kirchengeschichte des Mittelalters. IV (1888) S. 330ff.

seinem Eifer hineingefallen ist. Darin stimme ich dem gelehrten Dominikaner unbedingt zu, daß die Nemospielereien niemals bestimmt waren, Heiligenverehrung und Heiligenlegenden zu verhöhnen und zu bekämpfen. War irgendwie Spott beabsichtigt, dann wohl nur darüber, daß gewisse Exegeten oft alles, was sie wollten, aus der Heiligen Schrift und anderen Werken herauslasen. Der Hauptgrund, warum man seit dem 14. Jahrhundert die Nemotexte so häufig abschrieb, ummodelte, ergänzte, übersetzte, war der, daß man in ihnen humoristische Parodien sah, scherzhafte Einkleidung und Zusammenfassung parodistischer Interpretationen in das Gewand einer Legende, in die äußeren Formen einer Predigt zur Verehrung eines Schutzpatrons. Seitdem der Apostel Paulus den Hebräerbrief begonnen hatte mit den Worten, die in der Vulgata lauteten ‚Multifariam multisque modis olim Deus loquens patribus in prophetis: novissimis diebus istis locutus est nobis in filio, quem constituit heredem universorum, per quem fecit et saecula‘, fingen nicht selten Sermone, Briefe, Heiligenleben so oder so ähnlich an, was man z. B. aus den Initienverzeichnissen von Vattasso und Little sehen kann. Es war also schlau von dem Parodisten, seinen Text einzuleiten durch die Worte ‚Multifarie multisque modis, charissimi, loquebatur olim Deus per prophetas, qui velut in enigmate et quasi sub nebulosa voce unigenitum Dei filium pro redimendis laborantibus in tenebris et in umbra mortis sedentibus preconizarunt venturum; novissimis autem diebus per suam sacram scripturam palam alloquitur et beatissimum Neminem, ut sibi comparem ante secula genitum‘ usw. Auch die Worte ‚Vir quidam erat, in oriente nomine Nemo‘ der Fassung C bildeten einen guten Eingang, da sie gleich an das Buch Hiob denken ließen. In dieser Lobrede, die auch als ‚Sermo pauperis Henrici de S. Nemine cum preservativo regimine eiusdem ab epidimia‘, also mit einem Scherzrezept, und mit einer ‚Figura Neminis, quia nemo in ea depictus‘, einem leeren Viereck, um 1500 gedruckt worden ist[1], wird Nemo nicht mehr als Quasi-Gott, sondern als heiliger Mensch aufgefaßt. Die Belegstellen sind zumeist dieselben, nur haben sie z. T. eine andere Reihenfolge erhalten. Stilgerecht schließt Denifles Fassung a mit den Sätzen[2] ‚Estote igitur viri fortes in agone velud doctor noster Nemo et robusti. Et certamen illius qui nullis falsis probacionibus nec scripturis subsistit, non recusetis subire. Rerservemus etiam in nostri pectoris scrinio ad laudem et gloriam patroni nostri beatissimi Neminis et suorum tot et tantas autoritates, tam divinas canonicasve quam civiles, cum infinitis sanctorum sanctionibus patrum philosophicis insuper et naturalibus argumentis. Infinitis autem virtutibus posset et laudibus sanctissimus Nemo iste preconizari – – –. Ad cuius beatitudinem et gloriam qui sine fine bibit et restat nos vosque pervenire concedat per omnia pocula poculorum.‘

So und ähnlich ist der spaßhafte Charakter angedeutet. Wenn man, wie es

---

[1] Vgl. J. Bolte in der Alemannia, her. von A. Birlinger, XVI (1888) S. 199 ff.
[2] Anzeiger für Kunde der deutschen Vorzeit. 1866 S. 367.

tatsächlich sehr bald im Mittelalter geschah, die närrische Ketzerei vergaß, die den ersten Nemotext ins Leben gerufen haben soll, konnte man bei bescheidenen Ansprüchen sein Vergnügen an der Lektüre dieser Klitterungen finden und hat es gefunden. Die eine Willkür, daß man ‚nemo‘ als Namen oder Bezeichnung einer bestimmten Persönlichkeit auffaßte, ermöglichte die tollsten Feststellungen. Von Nemo dem Göttlichen, von dem in Ps. CXXXVII gesagt werde „Dies formabuntur et Nemo in eis“, im Johannesevangelium „Nemo ascendit caelum“ – „Nemo Deum vidit“, bei Matthäus „Nemo novit patrem – – – Nemo novit filium“. „Virtuosus et potentissimus Nemo tanta audacia et securitate claruit et illuxit ita, quod, dum Judaei maledicti Jesum capere venientes non essent ausi invadere, solus iste Nemo audacissimus qui cum eis aderat cepit eum, ut dicitur Joh. septimo et octavo „Nemo misit in eum manus“. Von demselben Heiligen hören wir „Nemo potest duobus dominis servire“. Er ist ein großer Kriegsmann, ein Prophet, ein Wesen frei von Sünde, ein Seliger, ein Gelehrter in allen möglichen Künsten: „Nemo tenetur propriis stipendiis exercere – – –. Nemo est acceptus propheta in patria – – –. Nemo sine crimine vivit – – –. Nemo ex omni parte beatus“ – – –. ‚De eo eciam lucide testatur Priscianus, quod ei fuit consimilis in grammatica et socius, cum dicit in maiore volumine‘: „Neminem inveni michi socium.“ ‚Fuit eciam astronomus sicut legitur‘: „Nemo observat lunam“ usw. Ewiges Leben ist ihm beschieden. Denn „Nemo est qui semper vivat“. Er darf Bigamie treiben: „Nemini permittitur binas habere uxores.“ Gemäß der Benediktinerregel darf er ungescheut nach dem Abendgebet reden: „Post completorium Nemo loquatur.“ Ja: „Nemo poterit se similem Deo fingere; Nemo vincit Deum; ipse solus factus est Deus et Nemo eum corrigere potest.“ Auf die verschiedenen lateinischen Rezensionen, auf die Übersetzungen ins Deutsche, Niederländische, Französische und andere Sprachen einzugehen, möchte ich verzichten. Aber ich sage nicht mit H. Denifle (S. 338): „Es ist auch wahrhaftig nicht der Mühe wert; man hat sich ohnehin schon zu viel mit diesen Spielereien abgegeben.“ Der Literaturhistoriker hat sich nicht stets nur mit tiefsinnigen Werken zu beschäftigen. Die Nemogeschichten haben dem Geschmacke von Tausenden entsprochen und weitergelebt, als viele originellere, ernstere Schriften längst vergessen waren.

Häufig überliefert, haben die Nemolegenden und Nemopredigten andere geistesverwandte nach sich gezogen. So erfahren wir durch einen Sermon, den W. Wattenbach[1] aus der Liesborner Handschrift München lat. 10751 saec. XVI abdruckte, ich außerdem aus den hundert Jahre älteren Codices, Bésançon 592 (dank Dr. J. Werner, Zürich) und Köln Hist. Archiv G. B. 8⁰ 61 (dank Dr. L. Bertalot und Dr. J. Theele) kenne, von einem Paulusschüler Invicem, der von dem Apostelfürsten ausgeschickt und angelegentlich empfohlen ward, aber Gegner fand, so daß Paulus selbst kommen mußte und

---

[1] Anzeiger für Kunde der deutschen Vorzeit. N. F. XV (1868) S. 39 ff.

schließlich nach einem Verhör von neuem befahl, seinen Jünger zu lieben und zu ehren. Wirklich existiert hat dieser Invicem ebensowenig wie Nemo und ist niemals verehrt, sondern nur des Ulkes halber aus allerlei Bibelstellen, wo das Wörtchen ‚invicem‘ = gegenseitig vorkommt, erschlossen worden. Mitten ins Reich des blühenden Blödsinns führt die parodistische Anwendung und Auslegung mit den beiden Predigten über das Nichts, die[1] ‚Lectio Danielis prophetae. Fratres, ex nihilo vobis timendum est‘ und der[2] ‚Sermo plurimum utilis ex diversis collectus de nihil. Fratres ex nihilo nihil fit‘. Auch der verschollene ‚Sermo lusorius‘ des englischen Augustiners Peters Pateshull, eines Wiklefiten, der auch in Böhmen gewirkt haben soll, wird in dieselbe oder eine verwandte Kategorie gehören[3]; diese von J. Bale einmal ‚Risus natalicii‘ genannte Predigt begann mit den Worten ‚De nihilo nihil est et nihil semper erit‘. Alle knüpfen sie also an den gern erörterten Grundsatz an, den Epikur an die Spitze der Physik gestellt hatte: οὐδὲν γίνεται ἐκ τοῦ μὴ ὄντος. Daß der Satz namentlich seit dem 13. Jahrhundert gern und lebhaft diskutiert wurde, kann man z. B. aus den Werken Thomas von Aquins sehen und aus dem Kuriengedichte Heinrichs von Neumünster, wo v. 841 als Streitfrage der Nachtischgespräche im Palast des Papstes aufgeführt wird[4]:

‚Cum nihil ex nihilo, sed sit res omnis ab ente.‘

Die Texte, die wir zu besprechen haben, sind gewissermaßen Parodien auf die scholastischen Erörterungen. Die Verfasser haben sich nicht mehr die Mühe gemacht, die einzelnen Sätze fest miteinander zu verbinden, vom Nichts kommen sie auf alles zu sprechen, namentlich auf die sinnlichen Freuden des Daseins, und sie wirbeln dabei die verschiedenartigsten Bibelstellen u. a. wild durcheinander. Heilige Sätze werden mutwillig verändert und überdies Quellen zitiert, die es niemals gegeben hat. Die Danielslesung leistet sich z. B. die Worte: ‚Scriptum est enim „Si esurit inimicus tuus, appone ei ferrum et lapides. Si sitit, silices da ei bibere. Lapides enim et sal est vita hominis. In his quoque duobus tota lex pendet et prophetae.“‘ − − − Unde dicit Vergilius in canticis canticorum: „Si videris fratrem tuum necesse habere, erue ei oculum et proice abste. Et si perseveraverit pulsans, erue ei et alterum.“
Der Sermo de Nihil bringt für ungefähr dasselbe andere Gewährsmänner. ‚Unde Galienus in canonica sua super Lucam scribens ait „Si esurit inimicus tuus erue ei oculum, et si perseveraverit pulsans erue ei et alterum. Qui enim ista fecerit, legem adimplevit.“ Cui Rabanus concordans extra de largitate cap. Nihil quicquam ulli dederis „Si sitit inimicus tuus, appone ei ligna et

[1] Wattenbach, a. a. O. S. 9 ff.
[2] Derselbe, a. a. O. XIV (1867) S. 344 ff.
[3] Vgl. Jo. Baleus, Scriptorum illustrium maioris Brytanniae etc. catalogus, Basel 1557 p. 509 sq.; derselbe, Index Britanniae scriptorum ed. R. L. Poole, p. 322; Dictionary of National Biography. XLIV 29.
[4] Vgl. H. v. Grauerts Abhandlung und Ausgabe S. 98, 125 ff.

lapides inquiens: Dic, ut lapides isti panes fiant. Si infirmatur inimicus tuus, appone ei lapides et sal, so hefft he de gerichte all. In his duobus mandatis universa lex pendet et prophetae". Unde dicit Alexander in canticis canticorum „Si vis perfectus esse, vade et fac tu similiter". Diese paar Proben können zugleich zeigen, daß die beiden Texte eng zusammenhängen. Der Sermo, der auch die Geschichte von Salomon und Marcolf kennt, steigert den Unsinn der Lectio zumeist noch. So mag diese ein älteres Stadium derselben Scherzpredigt vorstellen. Einer Neuausgabe und längeren Besprechung würdige ich die beiden Texte einstweilen nicht. Anderseits wäre es falsch, sie hochmütig ganz unbeachtet zu lassen. Die Stücke sind weder witzlos noch wirkungslos, sind kulturhistorisch und literarhistorisch wichtig. Man muß sie hinzurechnen zu den alten Predigtparodien, den scherzhaften und den boshaften Messen, zur Goliassatire vom Schwelgerabte, zur Collatio iocosa de diligendo Lieo, zu der pastoralen Beichte und Verteidigung des Erzpoeten u. a. Der literargeschichtliche Wert beruht vor allem darin, daß sie und ähnliche Stücke lange in der komischen Literatur Anklang und Nachhall fanden, auch noch als bereits die neuen germanisch-romanischen Sprachen gesiegt hatten. Haben sich die humoristischen Parodien in lateinischer Sprache gegen Ende des Mittelalters nicht mehr zu großen Leistungen erhoben, leben sie nur bescheiden in den Fastnachtsscherzen und Studentenulken weiter, ihre Wirkung ist noch zu spüren bis Abraham a Santa Clara und über ihn hinaus.

PARODISTISCHE TEXTE
IN AUSWAHL

Die Parodistischen Texte bieten sowohl unveröffentlichte wie bereits früher veröffentlichte Stücke der mittelalterlichen Literatur. Sie sollen die Ausführungen in ‚Die Parodie im Mittelalter' stützen, ergänzen, beleuchten, sollen vor allem auch zu erneutem Nachforschen und Untersuchen anreizen. Ich habe mich auf eine Auswahl aus den von mir besprochenen Texten beschränkt. Um mit Raum und Zeit zu sparen, habe ich fernerhin die sachlichen Erklärungen der Einzelheiten fortgelassen und nur auf die nachgeahmten Textstellen, die ich ermitteln konnte, und auf die Varianten hingewiesen. Daß ich verschiedene Stücke im Wortlaut ganz neu, von anderen schon gedruckten mehrere unbenutzt gebliebene Handschriften kennen lernte, verdanke ich z. T. der treuen, uneigennützigen Hilfe befreundeter, jetzt, 1963, zumeist nicht mehr lebender Gelehrter, die mir auf meinen Wunsch Abschriften und Photographien lieferten. Ich nenne mit herzlichem Dank: L. Bertalot (München), F. Ehrle (Rom), F. Eichler (Graz), C. Jellouschek (Wien), W. M. Lindsay (St. Andrews), E. A. Lowe (Oxford), R. Newald (Linz), F. Pelster (Rom), A. Souter (Aberdeen), J. Theele (Köln), H. Walther (Göttingen), J. Werner (Zürich), Th. Werner (Hannover), A. Wilmart (Farnborough).

1. GELDEVANGELIUM

a) *Kürzeste und älteste Fassung*

Überlieferung: München lat. 4660f. 11^{R-V} saec. XIII in., neuverglichen.
Veröffentlichungen: Chr. von Aretin, Beiträge zur Geschichte und Literatur. I (München 1803) 5. Stück S. 78f.; E. du Méril, Poésies populaires antérieures au douzième siècle. Paris 1843, p. 407sq.; E. Dümmler im Neuen Archiv der Ges. f. ältere deutsche Geschichtskunde. XXIII (1898) S. 208ff. – Vgl. Lehmann, Die Parodie, S. 32ff.

Ewangelium

Initium s. evangelii secundum marcas argenti. In illo tempore: Dixit papa Romanis: ‚Cum venerit filius hominis ad sedem maiestatis nostre, primum dicite „Amice, ad quid venisti?" At ille si perseveraverit pulsans nil dans vobis, eicite eum in tenebras exteriores.' Factum est autem, ut quidam pauper 5 clericus veniret ad curiam domini pape, et clamavit dicens: ‚Miseremini mei saltem vos, hostiarii papae, quia manus paupertatis tetigit me. Ego vero egenus et pauper sum, ideo peto, ut subveniatis calamitati et miseriae meae.' Illi autem audientes indignati sunt valde et dixerunt: ‚Amice, paupertas tua tecum sit in perditione. Vade retro, Sathanas, quia non sapis ea que sapiunt 10 nummi. Amen, amen, dico tibi: Non intrabis in gaudium domini tui, donec dederis novissimum quadrantem.' Pauper vero abiit et vendidit pallium et tunicam et universa que habuit et dedit cardinalibus et hostiariis et camerariis. At illi dixerunt: ‚Et hoc, quid est inter tantos?' Et eiecerunt eum ante fores, et egressus foras flevit amare et non habens consolationem. Postea 15 venit ad curiam quidam clericus dives, incrassatus, inpinguatus, dilatatus, qui propter seditionem fecerat homicidium. Hic primo dedit hostiario, secundo camerario, tercio cardinalibus. At illi arbitrati sunt inter eos, quod essent plus accepturi. Audiens autem dominus papa cardinales et ministros plurima dona a clerico accepisse infirmatus est usque ad mortem. Dives vero misit sibi 20 electuarium aureum et argenteum et statim sanatus est. Tunc dominus papa

1 a   *2* Vgl. den liturg. Eingang der Evangelienperikopen. *3* Matth. XXV 31. *4* Matth. XXVI 50. *4f.* Luc. XI 8. *5* Matth. XXV 30. *5f.* biblisch, vgl. z.B. Luc. X 30f. *6f.* Matth. XV 22. *6f.* Job. XIX 21. *7f.* Ps. LXIX 6. *7* Soph. I 15. *9f.* Matth. XX 24. *10* Act. VIII 20. *11f.* Marc. VIII 33. *12f.* Matth. V 26. *13f.* Matth. XIII 46. *14* Joh. VI 9. *14f.* Joh. IX 34. *15f.* Matth. XXVI 75. *17* Deut. XXXII 15. *18f.* Marc. XV 7. *18f.* Matth. XXV 15. *19* Matth. XX 10. *20* Philipp. II 27. *21f.* Joh. V 9.

ad se vocavit cardinales et ministros et dixit eis: ‚Fratres, videte, ne aliquis vos seducat inanibus verbis. Exemplum enim do vobis, ut quemadmodum ego capio, ita et vos capiatis.'

b) Weitest verbreitete jüngere Fassung

Vorweg möchte ich bemerken, daß es sich in Wahrheit um mehrere Fassungen handelt, aus denen hier gewissermaßen ein Normaltext ausgewählt ist. Da ich noch nicht alle Zeugen kenne, diese Beispielsammlung nicht überlasten möchte und auf die Probleme des Textes später zurückzukommen hoffe, lasse ich den komplizierten Variantenapparat einstweilen fort.

Überlieferung: Bésançon Ms. 592 f.5^V–6^V saec. XV (Bs; kopiert durch Dom A.Wilmart); Breslau? (Br; verschollene Grundlage des Druckes von 1788); Frankfurt a. M.? saec. XV (F; verschollene Grundlage des Druckes von 1815); Ivrea Kapitularbibl. Ms. 15 f.114sqq. saec. XIII/XIV (J; mir noch nicht zugänglich); Leipzig Univ.-Bibl. Hs. 176 f.17^V saec. XV (L); London Harleian Ms. 3678 saec. XIII/XIV (H); München lat. 952 f.15^R–16^R saec. XV (M); Paris lat. 3195 fol. 17 saec. XV (P; Abschrift durch Dom A.Wilmart vermittelt); Rom Ottobon lat. 1472 saec. XIV in (O); Schlägl Ms. 232 saec. XV (S; Abschrift durch Dr. R. Newald vermittelt); Venedig Marc. cl. XI 66 und XI 120 saec. XV und XVI in (Ve und Marc; mir noch nicht zugänglich, erwähnt bei F. Novati, La parodia sacra p. 195); Wien Pal. lat. 4459f. 106^R bis 106^V saec. XV in. (V; Abschrift von P. Dr. theol. Carl Jellouschek). – Ferner die verschollene Grundlage des Freiburger Druckes von 1544 (Fr).

Auch in München lat. 14654 saec. XV fol. 239 mit einigen Abweichungen vom Text von Bésançon 592, so fehlt die einleitende Epistel und die Parodie beginnt mit ‚Inicium s. ewangelii secundum marcam argenti. In illo tempore – – studens Lipczensis sine pecunia' und das Ganze handelt von einem Leipziger Studenten. Die Kollation kenne ich durch B. Bischoff.

Veröffentlichungen: (Caelius Secundus Curio) Pasquillorum tomi duo, Freiburg i.Br. 1544, p. 302 nach Fr; H. von der Hardt, Magnum concilium Constantiense. I (Frankfurt u. Leipzig 1700) p. 498sq. nach L; Von Schlesien vor und nach dem Jahre 1740. II (Freiburg 1788) S. 483ff. nach Br; J. C. von Fichard im Frankfurtischen Archiv f. ä. deutsche Literatur und Geschichte. III (1815) S. 215ff. nach Fr; E. Dümmler im Neuen Archiv d. Ges. f. ä. deutsche Geschichtskunde. XXIII (1898) S. 208ff. nach H und O; W. Gundlach, Heldenlieder der deutschen Kaiserzeit. III (Innsbruck 1899) S. 796ff., hauptsächlich nach Br; P. vonWinterfeld, Deutsche Dichter des lateinischen Mittelalters, München 1913, S. 224ff., deutsch nach H, O und dem Buranus. – Vgl. Lehmann, Die Parodie, S. 33ff.

In illo turbine: Dixit papa Romanis: ‚Cum venerit filius hominis ad sedem

22f. Eph. V 6. 23f. Joh. XIII 15.
1 b Parodie des Eingangs der liturgischen Evangelienperikopen. 1f. Matth. XXV 31.
2f. Matth. XXVI 50.

maiestatis nostrae, tunc dicat hostiarius illi: „„Amice, ad quid venisti?"" Et si
perseveraverit pulsans nichil dans vobis, proicite eum in tenebras exteriores;
ibi erit fletus et stridor dentium.' Cardinales dixerunt: ,Domine, quid faciendo
pecuniam possidebimus?' Papa respondit: ,In lege quid scriptum est? Quo- 5
modo legis? Dilige aurum et argentum ex toto corde tuo et ex tota anima tua
et divitem sicut te ipsum. Hoc fac et vives.' Tunc venit quidam clericus ab
episcopo suo manifeste oppressus et non potuit intrare ante illum, quia pauper
erat. Hostiarii vero veniebant et percutiebant eum dicentes: ,Vade retro,
Sathanas, quia non sapis ea que nummi sunt.' Pauper autem ille clamabat: 10
,Miseremini mei, miseremini mei saltem vos, hostiarii domini pape, quia manus
paupertatis tetigit me.' At illi dixerunt: ,Paupertas tua tecum sit in perditionem; non intrabis, donec reddas novissimum quadrantem.' Pauper vero clericus abiit et vendidit omnia que habuit. Et reversus primo dedit hostiariis,
postea cardinalibus. At illi dixerunt: ,Sed haec quid sunt inter tantos?' Et 15
eiecerunt eum foras, et egressus flevit amare. Tunc venit quidam episcopus
pinguis simonialis, qui per sedicionem fecerat homicidium, et erat valde
dives. Cardinales hoc audientes dixerunt: ,Benedictus qui venit in nomine
auri et argenti.' Episcopus ille apertis thesauris suis primo dedit hostiariis,
postea cardinalibus. Camerarius autem et cancellarius arbitrati sunt, quod 20
plus essent accepturi; dedit enim unicuique decem talenta. Papa autem infirmabatur usque ad mortem. Audiens ille episcopus, quod dominus papa
infirmaretur, misit ei electuarium auri et argenti, et statim sanus factus est
homo et dedit gloriam auro et argento et osculatus est eum dicens: ,Amice,
bene venisti.' Cardinales dixerunt: ,Vere iste homo iustus est.' Papa respondit: 25
,Quodcumque petierit in nomine meo, fiat ei.' Et sedens pro tribunali in loco
qui dicitur Avaritia, id est calvarie locus, dixit cardinalibus: ,Beati divites,
quoniam ipsi saturabuntur. Beati tenentes, quoniam ipsi vacui non erunt.
Beati, qui habent pecuniam, quoniam ipsorum est curia Romana. Vae illi qui
non habet. Expedit, ut suspendatur mola asinaria in collo eius et demergatur 30
in profundum maris. Videte, ne quis vos seducat inanibus verbis. Qui habent,
habeant, et qui non habeant, ceci fiant. Et quicunque voluerit vobis dare
pecuniam, hunc ad nos introducite.' Cardinales dixerunt: ,Hec omnia servavimus a iuventute nostra.' Papa respondit: ,Amen, amen, dico vobis, non inveni tantam fidem in Israel. Hoc habeatis in commemoracione. Exemplum 35
enim dedi vobis, ut, quemadmodum ego capio, ita et vos capiatis.'

2f. Luc. XI 8.   *3f.* Matth. XXV 30.   *4f.* Luc. X 25.   *5–7* Luc. X 26f.   *8* Matth. XXVII
57.   *8* Num. XXVII 17.   *9* Luc. XXII 64.   *9f.* Marc. VIII 33.   *12f.* Job XIX 21.
12 Act. CIII 20.   *13* Matth. V 26.   *15* Matth. XIII 46.   *15* Joh. VI 9.   *15f.* Joh.
IX 34.   *16* Matth. XXVI 75.   *17* Marc. XV 7.   *18* biblisch.   *18f.* Matth. XXI 9.
19f. Matth. II 11.   *20* Matth. XX 10.   *20f.* Matth. XXV 15.   *21f.* Philipp. II 27.   *26*
Joh. V 9.   *23f.* Joh. IX 24.   *25* Matth. XXVI 49f.   *25* Luc. XXIII 47.   *26* Joh. XIV
12f.   *26f.* Joh. XIX 13 u. 17.   *27f.* Matth. V 6, 3.   *29f.* Matth. XVIII 6.   *31* Eph. V 6.
33f. Joh. IX 39.   *33f.* Marc. X 20.   *34* Matth. VIII 10.   *35* Luc. XXII 19.
35f. Joh. XIII 15.

c) Längste und jüngste Fassung

Überlieferung: Lübeck Stadtbibl. Ms. 152f. 248^{R-V} saec. XV. Veröffentlichung fehlte bisher. – Vgl. Lehmann, Die Parodie, S. 33 ff. – Der Text laut
B. Bischoff als ‚Passio in Romana curia sec. aurum et argentum' auch in Berlin Bor. 2⁰ 720 (Rose 845 a).

**Passio domini nostri pape Romanorum secundum marcam ar-
genti et auri.**

In illo tempore: Cum sero esset die una sabbatorum et fores essent clause
ibique essent cardinales congregati secundum ritum prelatorum, tunc venit
5 dominus papa et stetit in medio illorum et dixit eis ‚Pax vobis' et responde-
runt ‚et in terra pax hominibus bene nummatis.' Et dixit eis iterum: ‚Attendite, popule meus, legem meam. Cum venerit filius hominis ad sedem maiestatis vestre et pulsaverit ad hostium, tunc dicat ille hostiarius „Amice ad
quid venisti", et si perseveraverit pulsans nichil nobis dans, proicite eum in
10 tenebras exteriores, ubi est fletus et stridor dencium et misera vita degencium,
quia scriptum est „Domus mea domus donacionis vocabitur". In ea omnis qui
tribuit, accipit et qui petit inveniet et danti aperietur.' Et cum hoc dixisset,
gavisi sunt gaudio magno dicentes: ‚Vere dignum et iustum est.' Dixit eis
iterum sermonem hunc: ‚Donantibus quorum remiseritis peccata remittuntur
15 et quorum retinueritis retenta sunt.' Hoc dicto dixerunt ad eum: ‚Quam bene
dixit et fecit. Satishabentes implevit bonis et esurientes dimisit inanes.' Tunc
dixit unus ex cardinalibus suis: ‚Domine quid est faciendum, ut divicias possideamus?' Respondit papa: ‚Tu es magister in Israel et hoc ignoras? Scriptum
est enim in lege quam vobis modo legi: „Dilige aurum et argentum ex toto
20 corde tuo et tota anima tua et divitem sicud temetipsum; fac et vives et
beatus es et bene tibi erit." Et adhuc eo loquente venit unus pauper clericus
manifeste oppressus ab episcopo suo et stetit ad hostium pulsans et non potuit
intrare ad illum, quia pauper erat. Hostiarius vero dicebat et interrogabat
eum dicens: ‚Amice ad quid venisti?' Ille autem respondit: ‚Ut videam volun-
25 tatem Domini et visitem templum eius et narrabo eius mirabilia et ab inimicis
meis salvus ero.' Respondit hostiarius: ‚Quid vis tu mihi dare, et eris cito cum
domino papa?' Pauper ille contristatus inclinato capite respondit: ‚Aurum et
argentum non est mihi. Quod autem habeo, tibi do.' Porrexitque ei grossum

1 c   3 Parodie des Eingangs der Evangelienperikopen.   3–6 Joh. XX 19 ff.   5 Luc. II
14.   6f. Ps. LXXVII 1.   7 Matth. XXV 31.   8f. Matth. XXVI 50.   9 Luc. XI 8.   10
Matth. XXV 30.   11 Matth. XXI 13.   12 Luc. XI 10.   13 Matth. II 10.   13 Parodie
des Praefationsbeginns.   13f. Joann. XX 23.   15 Luc. I 53.   17 Luc. X 25.   18
Joh. III 10.   18f. Luc. X 26f.   24 Ps. CXXVII 2.   21f. Marc. XIV 43.   24ff. Vgl.
Matth. XXVII 57 u. Num. XXVII 17.   26f. Marc. IX 10.   24 Matth. XXVI 50.
24f. Ps. XXVI 4.   25 Ps. IX 2.   25f. Ps. XVII 4.   27 Joh. XIX 30.   27f. Act.
III 6.

cum obulo, et dixit hostiarius: ‚Melius est il quam nil.‘ Hoc audito quamplures
hostiarii venerunt exuentes eum clamidem et stridebant dentibus in eum et   30
ceperunt quidam spuere in faciem eius, et dedit ei unus alapam. Percucientes
autem eum dicebant: ‚Vade retro, Sathanas, quia nescis quam bene nummi sapiunt.‘ Quidam vero ex eis dixerunt: ‚Ligatur manibus et pedibus et proicia-
tur in locum, et amplius non erit ipsius memoria, quia nolumus eum regnare
super nos.‘ Pauper ille clamabat voce magna dicens: ‚Miseremini mei, misere-   35
mini mei saltem vos amici mei, quia manus paupertatis tetigit me.‘ Illi dixerunt: ‚Quid ad nos? tu videbis. Paupertas tecum sit in perdicionem. Non intrabis, donec reddideris novissimum quadrantem. Amen, amen dico tibi: Nisi
habundaverit pecunia tua plus quam inopia, non intrabis in requiem domini
pape, et quidquid pecieris absque dubio carebis.‘ Pauper ille notavit omnia   40
verba hec in corde suo, abiit et vendidit universam quam possidebat et reversus est ante pallacium pape. Primo dedit hostiariis, secundo cardinalibus. Ac
illi retinentes dixerunt: ‚Quid hec inter tantos?‘ et eiecerunt eum foras et
clausa est ianua. Egressus pauper foras flevit amare. Facta autem conten-
cione venit quidam episcopus pingwis, symoniacus, incrassatus, impingwatus et   45
dilatatus, qui per sedicionem quandam fecerat homicidium et ad sedem apostolicam accessit, et erat valde dives, et viderunt eum a longe venientem et
cucurrerunt ei duo obviam, et unus cucurrit cicius alio, unus a dextris, alius a
sinistris, dicentes: ‚Advenisti desiderabilis. Noli timere, invenisti enim gra-
ciam apud dominum.‘ Et ayt episcopus ministris suis: ‚Primo detis hostiariis,   50
postea cardinalibus.‘ Et illi retinentes dixerunt: ‚Benedictus qui venit in
nomine argenti et auri.‘ At ille clamavit: ‚Ymo beati sat habentes et custo-
diunt illud et exponunt in tempore oportunitatis.‘ Camerarii vero et castellanus
arbitrati sunt, quod plus essent accepturi. Et hii duo qui preteriebant incre-
pabant eum dicentes: ‚Ecce secuti sumus te. Quid ergo erit nobis?‘ et dedit   55
eis denarios septuaginta vel paulo plus. Et dixerunt: ‚Iste est qui ante dominum magnas virtutes operatus est.‘ Papa autem infirmabatur. Sciens episcopus, quod papa infirmabatur, dixit: ‚Hec infirmitas non est ad mortem‘,
misit tamen ei electuarium auri et argenti. Sic ille recipiens dedit gloriam
domino, et statim sanatus est homo iste et osculatus est eum papa dicens: 60
‚Amice, bene venisti.‘ Ac ille genubus flexis coniunctisque manibus prostratus
est ante eum dicens: ‚Ab occultis meis munda me, domine, quia dilexi deco-

30f. Matth. XXVII 31.   *30* Act. VII 54.   *31* Matth. XXVI 67.   *31* Joh. XVIII 22.   *32*
Marc. VIII 33.   *33* Joh. XI 14 u. Matth. XXII 13.   *40* clamabat voce magna, evangelisch.
35 Job XIX 21.   *37* Matth. XXVII 4.   *37* Act. VIII 20.   *37f.* Matth. V 26.   *38* Matth. V 20.
40 Marc. VI 23.   *40f.* Luc. II 51.   *41* Matth. XIII 46.   *43* Joh. VI 9.   *43* Joh. IX 34.
44 Matth. XXV 10.   *44* Matth. XXVI 75.   *44f.* Luc. XXII 24.   *45* Deut. XXXII 15.
46 Marc. XV 7.   *46* biblisch.   *47* Marc. V 6.   *48* Matth. XXVII 38.   *49* Luc. I 30.
51 Matth. XXI 9.   *51f.* Luc. XI 28 u. Ps. CV 3.   *53f.* Matth. XX 10.   *54f.* Luc. XVIII 39.
55 Matth. XIX 27.   *56* Matth. XIV 2.   *57* Philipp. II 27.   *60* Joh. IX 24.   *60* Joh. V 9.
61 Matth. XXVI 49f.   *62* Ps. XVIII 13.   *62f.* Ps. XXV 8.

rem domus tue et locum habitacionis glorie tue.' Et cum sublevasset eum,
papa dixit: Surge velociter, sede a dextris meis, remittuntur tibi peccata
65 multa, quia vas electionis es mihi.' Et dixit episcopus: ‚Cor contritum et hu-
miliatum non despicies magnus dominus et laudabilis nimis et magnitudinis
eius non est finis, et qui dat escam omni carni, quoniam in eternum misericordia eius.' Et dixit ei iterum papa: ‚Amen, amen dico tibi, quod multi ab
oriente et occidenti venerint, que tu vides et non viderunt et cupiebant habere
70 que tu habes et non habuerunt. Ad hoc ayt illi: ‚Utique domine' et dixit papa:
‚Ecce vere Israhelita, in quo mihi dolus non est.' Cardinales dixerunt: ‚Vere,
vere homo iustus est iste.' Papa respondit: ‚Inter natos mulieris non surrexit
maior homine isto. Propterea dico vobis: quidquid pecierit homo iste in nomine meo, fiet sibi, quia hic est filius meus dilectus, in quo mihi bene com-
75 placui. Ipsum audite.' Papa autem sedens pro tribunali loco, qui calvarie id
est avaricie locus dicitur, dixit cardinalibus suis: ‚Beati tenentes, quoniam
vacui ipsi non erunt. Beati qui habent pecuniam, quoniam curia Romana
ipsorum est. Beati divites, quoniam ipsi me videbunt. Beati largi, quoniam
ipsi misericordiam consequentur. Beati aliquid potantes, quoniam filii mei
80 vocabuntur. Ve illis non habentibus pecuniam, quoniam suspendetur mola
azinaria in colla eorum et dirigentur in profundum maris. Mementote sermonis
mei; videte, ne quis seducat vos inanibus verbis.' Cardinales dixerunt: ‚Omnia
servavimus a iuventute nostra usque modum et non delebitur in nobis, sed
magis augebitur.' Papa respondit: ‚Amen, amen dico vobis non inveni tantam
85 fidem in Israhel sicud in vobis. Exemplum enim dedi vobis, ut quemadmodum
ego rapui, et vos ita rapiatis.' Et dixerunt: ‚Tu solus dominus super terram.'
Et dixit papa: ‚Non est servus maior domino suo.' Et hiis dictis papa per
medium illorum ibat, episcopus autem magnificus eum manifestabat et per
eandem viam reversus est in regionem suam.

2. AUS DER SATIRE DES FRANZISKANERS PETRUS
AUS DEM ENDE DES 13. JAHRHUNDERTS

Überlieferung: Le Mans Ms. 164; saec. XV. Veröffentlichung: Auszug von
Ch.-V. Langlois in der Revue historique. L. (1892) p. 281sqq. Abschrift des
Ganzen mir von Dr. H. Walther (Halberstadt) zur Verfügung gestellt. – Vgl.
Lehmann, Die Parodie, S. 42f.

63 Joh. VI 5. *64* Matth. XXII 44. *64* Act. XII 7. *64* Luc. VII 47. *65* Ps. L 19.
65f. Act. IX 15. *66* Ps. CXLIV 3. *67* Ps. CXXXV 25. *68* Matth. VIII 11. *68f.* Matth.
XIII 17. *70* Joh. XI 27. *71* Joh. I 47. *71f.* Luc. XXIII 47. *72* Matth. XI 11. *73* Joh.
XIV 14. *74* Matth. XVII 5. *75* Joh. XIX 13. *76f.* Matth. V 3ff. *80* Matth. XVIII 6.
81 Joh. XV 20. *82* Eph. V 6. *82f.* Marc. X 20. *84f.* Matth. VIII 10. *85* Joh. XIII 15.
86 Ps. LXXXII 19 u. Js. XXXVII 16. *87* Luc. IV 30. *88f.* Matth. II 12.

Facto die congregatur cetus cardinalium,
in aurora celebratur divinum officium,
post per ipsos visitatur papa, pater omnium,
1425 coram ipso revelatur hoc magnum misterium.
Dicunt pape cardinales cum complosis manibus:
‚Pater sancte, miserere istis peccatoribus,
recordare Jhesu Christi, qui pro transgressoribus
patrem suum exoravit et pro crucifixoribus
1430 donans tibi formam talem, ut tu velis parcere
et peccata subditorum fletibus diluere;
ad hoc datur tibi clavis, ut velis absolvere,
et gremium redeunti nunquam debes claudere.‘
Qui repondens in hec verba dicit suis fratribus:
1435 ‚Horum fama fit acerva coram multis gentibus
cogitemus, ne dampnemus nos pravis muneribus.
Puniantur transgressores pro suis excessibus.‘
‚Pater‘, dicunt cardinales, ‚dentur his inducie!
Dabunt nobis atque vobis et donabunt curie.
1440 Habent mulos, palafridos, sunt magne potencie.
Dabunt nobis pingues equos vel nostre familie.
Se purgabunt, ut ius docet, post hec ab infamia,
et dum bene purgabuntur ipsorum marsupia,
erit horum a peccatis munda conscientia.
1445 Sic in puris et in nudis redibunt ad propria.‘
Verbum istud approbatur a sacro consilio
et vocantur tunc prelati cum suo consorcio.
Istis verbum demonstratur in pape pretorio.
Ipsi dicunt: ‚Liberavit nos auri libatio;
1450 est igitur thesaurorum bona congregacio;
nam de nobis iam fuisset facta deposicio,
nisi condam esset nostra super hiis provisio,
et nunc quare non parcemus nec iusto nec impio.
Venit pauper de longinco propulsans ad hostium,
1455 statim mittunt cardinales Robertum portarium.
Cui dicunt: ‚Ille pauper iam habet demonium.
Cave, ne quis alter intret, ni portet encennium.‘
Quidam venit paranimphus Anglorum de curia
dicens: ‚Cum consanguineo suo regis filia
1460 coram multis magnis viris contraxit sponsalia.‘
Quo audito cardinales extrahunt capucia,
quem presentant amplectentes Romano pontifici
dicentes: ‚Sunt liberales et divites Anglici,
iustum petit et de iure bene potest perfici!

1465 Quare, pater, causam istam committatis iudici.'
Hoc audito vocat ipsos sigillatim nuncius
dicens illis: ‚Sum Johannes, regis thesaurarius,
mille libras sterlingorum dabo vobis citius,
ut dispenset in hoc casu summus presul plenius;
1470 et ad dictum vestrum dabo domno pape munera,
palafridos sive mulos auri sive pondera.
Ipse quippe novit cuncta dispensandi genera;
mea namque longa restant ad domum itinera.'
Tunc respondent cardinales habito consilio:
1475 ‚Fiat nobis dicte summe promisse solutio.'
Ille statim solvit summam non minus denario,
scriptitatur et bullatur eius dispensatio.
Post venit quidam electus equali concordia,
homo iustus, pius, mitis, ornatus facundia,
1480 decretales et decretum qui legit in curia,
parva vero sive nulla deferens marsupia.
Post hunc venit quidam abbas auri pleno sacculo,
nunquam Rome talis saccus visus est a seculo.
Quem videntes cardinales intricato speculo,
1485 sibi mandant, ut ad papam veniat diluculo.
Venit abbas, ipsi currunt, intrant consistorium.
Cardinales dicunt pape: ‚Nostrum est consilium
quod abbati qui nunc venit detis beneficium
et electus ut provectus suum regat studium.'
1490 Dicit papa: ‚Qualis erit super ipsis ratio,
ut privemus suo iure dignum beneficio,
et abbatis demus illud, notato periurio,
deprehenso in incestu et in adulterio?'
Dicunt ei cardinales: ‚Docti sumus celitus,
1495 quod electus nichil portat, set est homo perditus.
Abbas vero se purgabit, sicut decet concitus,
licet niger sicut corvus extet eius habitus.'
Hoc audito dicit papa: ‚Deus in adiutorium!'
Et respondent cardinales: ‚Nos imus ad prandium.'

3. NUMMUS-KATECHISMUS

Überlieferung: Leipzig Stadtbibl. Ms. CXII saec. XV fol. 3^V, Bruchstück
(*Li*); Lübeck Stadtbibl. Ms. 152 saec. XV fol. 250^V (*L*); München Staatsbibl. Cod. lat. 641 saec. XV (*M*).

Veröffentlichung: W. Wattenbach im Anzeiger für Kunde der deutschen Vorzeit. N. F. XVIII (1871) S. 340f. nach *M* mit Hinweis auf *L.* –Vgl. Lehmann, Die Parodie, S. 54.

Nummus que pars est? Preposicio. Quare? Quia preponitur omnibus partibus oracionis et scienciis ex his contextis. – Cui casui servit nummus? Nulli. Quare? Quia tempora, casus et agnitiones serviunt sibi. – Cuius qualitatis est nummus? Infinite. Quare? Quia eius qualitas activa et virtututum operativa non est finis. – – Comparatur nummus? Non. Quare? Quia ipse per se comparat reges, principes, milites, barones, civitates, villas, regna et imperia. – Movetur nummus? Ita. Quomodo? De genere in genus, de paupere ad divitem, de divite ad bursam, de bursa ad tabernam, et ibi dimittitur. – Genus concluditur sub mocione. – Cuius numeri? Utriusque. Quare? Quia apud pauperes est singularis numeri et apud divites est pluralis numeri. – Cuius figure est nummus? Circularis. Quare? Quia quidquid mundi circulus in se continet hoc totum continetur in nummo. – Cuius casus est nummus? Nullius. Quare? Quia nullum cadere sinit, sed illesum erigit et cum divitibus in solio residere facit. – Cuius declinacionis est nummus? Prime. Quare? Quia primo et principaliter iras dominorum declinat et avertit. Et declinatur sic: Dativo huic nummus, quia dativus iam preponitur et omnibus aliis casibus prehonoratur; genitivus huius nummus, quia iam non curatur casualis inflectio, sed multo magis realis possessio; nominativo non indiget, quia per se proponit, arguit, respondet et concludit; accusativo caret, quia nullum accusantem ha-

5

10

15

3 *1 est fehlt Li L. 1ff.* Quare *fehlt immer Li L. 1f.* omnibus aliis partibus ex hiis contextis *M.*, omnibus casibus oracionis et scienciis e. h. c. *L,* omnibus partibus oracionis et scienciis et hiis contextis *L.* 2 deservit *L. 2ff.* Cuius casus? Nullius, quia nullum cadere facit sed elisos erigit *Li. 3f.* Quia omnes casus, tempora, cogniciones deserviunt *L. 4* est nummus *fehlt L. 4f.* qualitas a crimine et virtute non est finis *L,* cuius qualitatis? Infinite. Quia eius active et virtutes optime non est finis *Li. 5* Nummus *fehlt Li L.* ipse *fehlt L. 6f.* reges – imperia] villas, urbes, terras, regnum et imperium *Li,* villas, urbes, opida, regna et imperia *L. 7f.* nummus *fehlt hier und auch sonst fast immer in der Frage Li L. 8* in divitem *L,* de paupere ad divitem *fehlt Li.* de divite ad bursam] de bursa ad bursam *L,* de bursa in bursam *Li. 8* de bursa ad tabernam *fehlt Li.* et ibi eum dimittamus *L.,* et sic de aliis de diversis ad diversa, de locis ad loca *Li. 9f.* genus – mocione *fehlt L,* Cuius generis? Active, quia in negociis humanis maxime agit et pluribus passionem infert *Li.* utriusque *fehlt Li L. 10ff.* Apud divites pluralis, apud pauperes singularis. Quare pluralis? Quia plures personas indoctas et indignas, ignobiles, despectas et difformes preferri facit *L.* Cuius numeri? Pluralis, quia plures persones indignas, indoctas, ignobiles, deformes, despectas specialiter preferri facit *Li. 11f.* quia circulariter circuit et perambulat universum urbem et sicut figura circularis est perfectissima sic figura nummi gratissima in conspectu *Li, dann bricht der Text ab.* in se *fehlt L. 13* illesos *L.* divitibus] principibus *L.* residere] sedere *L. 15* et avertit] indignaciones maiorum aufert *L. 16* iam *fehlt L.* preponitur et] et *fehlt L. 16f.* et prehonoratur *L. 17f.* genitivus – possessio *nach dem Accusativ und Nominativ L. 18* proponit] ponit *L. 19* arguit *und* concludit *fehlen L. 19f.* Acc. caret et est racio quia *L.*

20 bet; vocativo O numme, precede, loquere, gloriare et optime recede; ablativo
ab hoc habeas tibi, quod alter impetravit qui diu laboravit. Et plurali declinatur verbaliter: nummo, – as, – at. Unde qui nummos congregat, sine fine
bibit et regnat per infinita pocula poculorum. Versus:

> Qui caret nummis,
25 > dem hilfft nit, das er frumm ist,
> sed qui dat summis,
> der macht schlecht, das krumm ist.
> Tu autem, Domine, infunde, da nobis libera.

4. MÖNCHSKATECHISMUS

Überlieferung: München Staatsbibl. Cod. lat. 641 saec. XV fol. 56^V–57^V.
Veröffentlichung fehlte bisher. – Vgl. Lehmann, Die Parodie, S. 75.

De monachis

Monachus que pars est? Nomen invidum, dolosum, superbum. Quare? Quia
caritas Sathane diffusa est in cordibus eorum.

Wersus: Est res ignava monachus, substancia prava,
5 > invidus et fallax, est arrogansque loquaxque.

Cuius qualitatis est? Appellative. Quare? Quia communis est criminis et
vitii et multorum adinventio scelerum, unde iure iurando fecit illum dyabolus
in dominum secundum illud phylosophi: Fama quam omnes famant non omnino
deperditur.

10 Wersus: Hiis nam equalis est quis nec crimine talis.
> Namque regit multo conflictu consticioso.

Comparatur? Non. Quare? Quia non recipit augmentum in virtutibus nec
patitur in vitiis detrimentum. Unde non est inventus similis illi qui conservat
legem perversi.

15 Wersus: Debetur monacho vitii collacio talis
> Ad (?) valet augeri dolus eius, sed minui non.

Cuius speciei? Divinative. Quia non contentatur antiquis vitiis, sed novas
studet inventiones scelerum atque de se derivat. Unde divisit eis dominus
secundum desideria cordis eorum: Ibunt in adventionibus eorum.

20 Wersus: Non tantum veteri monachus wlt crimine fungi
> penis et inpenis affectus claudicat eius.

20 precede, loquere optime et redde L.   21 pluralis L.   23 Unde] wersus L.
23 vivit et regnat L, dann nachgetragen statt 24ff.: Est hic et hec ludelein, sluck
enen dreck als en regelsteen.
4 4 ignava] ignata Hs.

Movetur? Sic. Quomodo? De fenestra per murum, de claustro ad prosti-
bulum, ut ibi mulierem pulchram inveniet, procul de ultimis finibus habitacionis eius.

Wersus: Cumque putas monachum   Davidis perlegere psalmum,   *25*
       truditur irsutis   cum renibus casa salutis.

Cuius generis? Epicheni. Quare? Quia sub una longa cappa tot et tanta
vitia committit, quanta aliquot scilicet duo vel tres iniqui latrones sub armis,
gladiis et fustibus.

Wersus: Ingratum   conportat cor maculatum,   *30*
       amplius non strictus   ipsum salvabit amictus.

Cuius numeri? Indeterminati. Quare? Quia post indeterminatum numerum
haustorum tociens calicem potacionis accipit, donec viscera eius pertranseat
potuum intollerabilitas.

Wersus: Cumque bibit vinum   prostratus ante caminum,   *35*
       fit presul, papa,   lector, doctor, patriarcha.

Cuius figure? Composite. Quia componit in sua cellula contritis manibus
penitenciam clamans: Reus. Ubi possunt hoc discerni, dum suppositum in
genere feminino et appositum in masculino et conveniunt in metro dactilico
ascendendo ex hoc in illud.   *40*

Wersus: In monachi cella   residens contrita puella
       fit crimine pura   monachi per verbera dura.

Cuius ordinis? Mendicantis. Quia circuit per vicos et plateas civitatis que-
rens multas quas diligit anima ipsius. Si non benignas invenit, currit cum eis
et cum meritricibus tamquam canicula cum canibus et se secus ipsam ponit *45*
iuxta illud: Fratres, dum ortus fuerit sol, videbitis monachum procedentem
de domo sororis tamquam sponsum de thalamo suo.

Wersus: Cunctos per vicos   monachus tu curris mendicos,
       pileus addatur,   dum mendico sociatur.

Cuius casus? In declinacione et casu dicitur confusus nequam, quia os eorum *50*
maledictione et amaritudine plenum est et supra lingwam eius labor et dolor.

Wersus: Os fraude plenum   latens sub corde venenum
       fert monachus nequam,   quia rem non diligit equam.

      O monachi nigri[1]   non estis ad inpia pigri,
      pessima gens estis,   vos confundat male pestis.   *55*
      Sanctum Franciscum   non dicunt tangere viscum,
      sed Francissite   tangunt fiscum sine lite.

---

[1] *Str. 10 des Gedichtes* ‚In huius mundi patria‘ *beginnt (Carmina Burana, ed. Schmeller,
p. 15)*: ‚Monachi sunt nigri et in regula sunt pigri.‘

13 Lehmann, Parodie

Quando per posticas	monachus sibi querit amicas,
herens in cappa	solet illum prodere lappa.
60 O monachi, vestri	stomachi sunt anphora vini.
Vos estis, deus est testis	turpissima pestis.
Ordo gugulatus	satis posset esse beatus,
si biberet flumen	et vellet amare legumen,
sed quia sepe fabas	spernit pro piscibus abbas,
65 consimiles mores	volunt retinere minores,
atque sic rite	semper vivunt Carmelite,
et bene si penses	similiter tenent Augustinenses.
Plus in salmone[2]	student monachi quam in Salomone,
plus in vino	monachi gaudent quam in Latino.
70 Dyabolus:	
De monachi morte	non est michi flere necesse,
sed doleo forte,	quia tot video superesse.

[2] *Vgl. Lehmann, Die Parodie S. 137.*

5. DIE BETTELMÖNCHE

Überlieferung: Augsburg Stadtbibl. Ms. 2⁰ 430 saec. XV ex., von Sigmund Lang im Augsburger Kloster SS. Udalrici et Afrae geschrieben, fol. 1ᴿ (*A*); Lübeck Stadtbibl. Ms. 152 saec. XV fol. 242ᴿ (*L*); München Staatsbibl. Cod. lat. 4423, im Augsburger Kloster SS. Udalrici et Afrae um 1482 geschrieben, fol. 119ⱽ (*M*); verschollener Basler Codex (*B*), vgl. unten.

Veröffentlichungen: Mathias Flacius Illyricus, Poemata de corrupto ecclesiae statu (im Nachdruck von 1754 p. 481 sq.), ‚metra de monachis carnalibus reperta Basileae a. 1554. 14. Julii in libro tergo signato I. LVI cum titulo Jesuida Hieron. Patavini‘; W. Wattenbach im Anzeiger für Kunde der deutschen Vorzeit. XX (1873) S. 74. – Vgl. Lehmann, Die Parodie, S. 74.

Metra de monachis carnalibus.
Scire vis, quid sit monachorum nobile vulgus:
In omnem terram exivit sonus eorum. (Rom. X 18.)
Statim post primam veniunt offare coquinam:
5 Sepulchrum patens est guttur eorum. (Rom. III 13.)
Vix psalmos dicunt et mox concumbere discunt:

5 *1 ohne Überschrift L. 2 Qui nescit quid sit L, Scire cupis quid sit B.* nobile] *tam nobile B,* mobile L.
  4 Statim] *En mox B.* veniunt offare] *solent intrare L. 6f. nach 11 L. 6* et] *tunc*

Sicut equus et mulus, quibus non est intellectus. (Tob. VI 17.)
Omnia consumunt, possunt nec eos saturare:
Volucres celi et pisces maris. (Ps. VIII 9.)
10 Fercula multa petunt et longum tempus edendi:
Si non fuerint saturati et murmurabunt. (Ps. LVIII 16.)
Dicunt gaudenter, dum plurima fercula cernunt:
Letatus sum in hiis. (Ps. CXXI 1.)
Sed cum pauca vident, replicant miserabile carmen:
15 Heu michi, quia incolatus meus prolongatus est. (Ps. CXIX 5.)
Ut bene pascatur monachus, non aliud optat:
Superbo oculo et insaciabili corde. (Ps. C 5.)
Sic igitur sperant celestia regna mereri:
Non sic, impii, non sic! (Ps. I 4.)

6. GEREIMTES VATERUNSER FÜR DIE LAIENBRÜDER

Überlieferung: Rom (Vat.) Ottob. lat. 1472 saec. XIII/XIV, französischen Ursprungs, fol. 51^{R-V}, für mich von P. Dr. F. Pelster S. J. (Rom) abgeschrieben.
Veröffentlichung fehlte bisher. – Vgl. Lehmann, Die Parodie, S. 73.

Dico pater noster
pro conversis, ut eos ter
centum milia de-
moniorum perpete clade
5 omnes cum Pluto-
ne locent in faece tuto,
a quo non decli-
nent omni tempore secli.
Qui Dominus Deus es,
10 ipsos salvare recuses,
et sit apud te ius

L. concumbere discunt] carnalia gliscunt L.   8 Omnia devorant nec eos possunt saciare L, O. c., saturos nec reddere possunt B.   11 Si vero non L. et] tunc B, fehlt L.   12 Dicit gaudenter, cum plurima cernit L.   13 Letatus sum in hiis que dicta sunt michi L.   14 videt, replicat L.   15 Hew michi A, Heu, heu M.   16 non aliud] nil amplius B, nil aliud L.   17 oculo fehlt B, insaciabile L. vor   18f. noch die Zeilen Utque habeat vestes omnis cetus monachorum: / Moab, Agareni, Jebal et Amon, hii fuerunt illic. (Ps. LXXXII 8) L.   19 danach noch: Fratribus congaudeo minoribus, / nam humanis florent in honoribus, / dicunt quod sint homines / propter Deum pauperes L, / Hoc est hic homines semper cum tempore labi, / res et opes prestantur ei famulantque ad horas A.

ipsis dare post mala peius.
Qui regnas in ce-
lis, cleri crimina vince,
15 et semper conver-
sis sint mala tempora, non ver.
Sanctificetur pes
iacens in stercore turpes
edos, semper pes-
20 tis eis sit penaque perpes.
Nomen, Christe, tuum
spernunt Adoni berechina,
adveniat manuum
cesura pedumque ruina.
25 Regnum cum Michaele tuum non ingrediantur,
Jacob, Ysac, Habre sinibus non suscipiantur.
Fiat eis in de-
cessu mors dura, deinde
perpetue pene,
30 fex, fetor, flamma, chatene.
Per te non sunt assumpti nec consociati
clero, quippe pati
nequit hoc tua, Christe, voluntas, sicut dispar balantis
bidentis et edi est, sic hos quoque dividit a clero sua barba
35 pendula, de qua nos
ingeramus: det Deus anos.
In celo non as-
sumantur et his pie ponas
in terra, que pres-
40 tet eis tantum modo vepres;
panem non nostrum
comedant canis instar in annum
infigant rostrum,
sit eis hoc cottidianum.
45 Da mortem reprobis
conversis, gaudia nobis.
Conversos hodie,
fili, confunde, Marie
et dimitte foras
50 ipsos extra paradisum,
ut preter risum
cantent cum Belzebub horas.
Nobis ipsos tra-
das, donec debita nostra

55 persolvantur, si-
cut et hic nos querimus. Ursi
dissipet ipsos pes,
donec dimittimus, hospes
exclamet, debi-
60 toribus. Sancte quoque plebi
sorbeat ipsos tris-
te chaos, sit gloria nostris.
O Deus et ne nos
a te faciant alienos,
65 ipsos inducas
in partes morte caducas,
in temptacionem,
que transcendat racionem.
Sed liber amor
70 nos omni liberet a morbo, repleat quoque malo,
quibus mala quam bona mallo.
Clerus dicat amen, amen
decantet et amen.
75 Noli, Christe, tamen
ipsis differre gravamen
et sanctum flamen
neget illis atque renamen.

7. BAUERNKATECHISMUS

Überlieferung: München Staatsbibl. Cod. lat. 18287 Vorsatzblatt, saec.
XV. – Der Text auch in München lat. 15 602 saec. XV, hier aber nicht
herangezogen.
Veröffentlichung fehlte bisher. – Vgl. Lehmann, Die Parodie, S. 76.

Rusticus que pars est? Nomen. Quale nomen? Judaicum. Quare? Quia
ineptus et turpis ut Judeus.
Versus: Irsutus, fallax, nequam, tristis quoque mendax. – Cuius qualitatis?
Appellative. Quia sicut factus est, ita appellatur. – Conparatur ita, ut quomodo semper de malo ad peius. – Movetur ita, ut quomodo semper de una 5
turpitudine in aliam. – Cuius generis? Asinini. Quia in omnibus factis suis et
operibus semper assimilatur asino.
Versus: Rusticus asello similis est, hoc tibi dico. – Cuius numeri? Singularis.
Quia illud quod omnibus placet, sibi displicet et econtra, quod omnibus dis-

10 plicet, sibi placet. – Cuius figure? Composite. Quia aufert omnia vina ecclesiastica cum decimo quem exhaurit. – Cuius modi? Nullius. Quia deficit in modis
et in formis. – Cuius temporis? Preteriti imperfecti.
      Versus: Presentis temporis rusticus deficit omnis. – Cuius declinacionis?
Tercie. Quia antequam gallus bis cantat, rusticus ter merdat.
15   Versus: Declinans terne rusticus merdat ubique. – Cuius significacionis?
Dolentis. Quia dolent, quod clerici utuntur de eorum uxoribus et vivunt de
eorum laboribus. Unde dicit magister Pharraphat in prophanica sua circa
rubricam in corrupto folio, ubi nichil est scriptum: Deus, qui perpetuam discordiam inter leccatores et rusticos seminasti, da nobis de eorum uxoribus et
20 filiabus uti et de eorum morte gaudere per antichristum, qui venturus est
equitare in asino seculorum. Amen etc. – Et declinatur sic:
      Nominativo. Hic rusticus nequam, turpissimus.
      Versus: Laborans uxor sua stans cum follibus ibi retro.
      Genetivo: Huius rustici nequam, turpissimi.
25   Versus: Genetivus erit rusticus, fallere querit.
      Dativo: Huic rustico leccatori nigro.
      Versus: O sicut cento rusticum permerdare memento.
      Accusativo: Hunc rusticum nigrum, turpissimum.
      Versus: Rustice callose, cunctis populis odiose,
30   vis tu formose   consociari rose.
      Vocativo: O rustice, nullius amice nisi sue porce.
      Versus: Rustice dich puk quis tulit te huc?
             Tu stas quasi guguck.
      Ablativo: Ab hoc rustico nigro turpissimo.
35   Versus: Cum dat ab hoc et ab hac, rusticus est quasi giigack.
      Etiam in plurali numero non caret, quia pluribus viciis habundat et de-
clinatur sic. Nom.: hii rustici nigri. Supponas stropham plebani.
      Gen.: Horum turpissimorum leccatorum rusticorum.
      Versus: Ungentes pungit, pungentes rusticus ungit.
40   Dat.: Caret, quia nunquam dat, nisi quando oportet, sed libenter recipit.
      Versus: Est tardus ad dandum et largus ad recipiendum.
      Acc.: Hos rusticos. Sunt omnes curvi quasi bos.
      Versus: Rusticus est quasi bos, nisi quod sibi cornua desunt.
      Voc.: O rustici quadrati semper sunt irati.
45   Versus: Ad foveam vere tres rustici cecidere.
      Abl.: Ab hiis rusticis.
      Versus: Aufer ab hiis quiquid poteris, quia nil valet istis etc.
      Hec Georius Prenperger, arcium bacularius studii Wiennensis.

8. LEIDENSGESCHICHTE DER RICHTER EDWARDS I.

Überlieferung: London Brit. Mus. Add. Mss. 31826 saec. XIV in fol.
54 sq. (*A*); Oxford All Souls College Ms. 39 saec. XIV in fol. 109^V–110^R (*B*);
London Brit. Mus. Harleian Ms. 2851 saec. XIV in fol. 148^V–150^V (*C*).

Veröffentlichung: Tout and Johnstone, State trials of the reign of Edward
the first, London 1906, p. 95–99 nach den Hss. A u. B. Die noch unbenutzte
Hs. C für mich von Prof. A. Souter (Aberdeen) abgeschrieben. A B C untereinander unabhängig. Varianten hier nur in Auswahl. – Vgl. Lehmann, Die
Parodie, S. 84.

Passio iusticiariorum Anglie. c. IV Sequencia s. ewangelii secundum Bumbum. In illo turbine: Rex quidam nobilis abiit in regionem longinquam accipere sibi tributum et reverti, vocavitque servos suos et tradidit illis bona sua
et dedit illis potestatem facere iudicium et iusticiam in terra. Unusquisque
secundum propriam virtutem, paravit in iudicio tronum suum et oblitus est   5
clamorem pauperum et opprobrium accepit adversus proximum suum. Sede-
runt cum divitibus in occultis, ut interficerent innocentes, et dextra eorum
repleta est muneribus. Dixeruntque inter se: ‚Nolumus hunc regnare super
nos, quia in proverbiis scriptum est „Rex insipiens perdet populum suum, et
civitates inhabitabuntur per sensum prudencium". Et quia nichil occultum,   10
quod non reveletur, rex, cum audisset hos sermones, ascendit in naviculam,
transfretavit et venit in terram suam. Filii autem Israel ambulaverunt per
siccum iuxta mare. Quidam vero adoraverunt eum cum muneribus, quidam
vero dubitaverunt. Unus autem ex eis quidam Didimus non erat cum eis,
quando venit dominus, sed mare vidit et fugit et finxit se longius ire et reliquit   15
domum suam et uxorem, filios, fratres, agros, oves et boves et universa pecora
campi et fugit in fontem Babilonis et erat ibi in vestimentis ovium propter
metum iudiciorum et omnis sapientia eius devorata est et factus est timor
super omnes vicinos eius et super omnia montana Anglie divulgabuntur verba
hec. Tunc dixit rex ministris suis ‚Habete custodiam illius. Ite, custodite,   20
sicut scitis, ne forte veniant Romani et tollant nostram locum et gentem,

8 *1f.* Narratio de passione iusticiariorum *A*, Passio ministrorum domini Edwardi
regis Anglie secundum opera sua *B*. *2* turbine] tempore *A*. *4f.* et potestatem dedit
eis iudicium facere et iusticiam *A B*. *5f.* paravit igitur tronum in iudicio et obliti
sunt – – – – acceperunt adversus proximos suos *C*. *7* innocentem *C*. *9* in proverbiis
fehlt C. Rex] Dux *C*. *11* reveletur, accidit, ut res audiret *C*. *17* Babilonie *C*.
18 iudiciorum] Judeorum *C*. *20* ministris suis *fehlt B*.

2f. Luc. XIX 12. *3f.* Matth. XXV 14. *4f.* Joh. V 27 + 1 Macc. I 14. *5* Matth.
XXV 15. *5f.* Ps. IX 8. *6* Ps. IX 13. *6* Ps. XIV 3. *7f.* Ps. X 8. *8f.* Ps. XXV 10.
8f. Luc. XIX 14. *9* Ecclesi. X 3. *9* Matth. X 26. *11* Matth. IX 1. *12* Exod.
XIV 29. *13* Matth. XXVIII 17. *13f.* Joh. XX 24. *15* Ps. CXIII 3. *15* Luc. XXIV
28. *15* Ps. VIII 8. *17* Matth. VII 15. *17* Joh. VII 13. *17f.* Luc. XV 13.
18 Luc. I 65. *20* Matth. XXVII 65. *21* Joh. XI 48. *22f.* Matth. XXVII 64.

et erit novissimus error peior priore.' Illi autem abierunt signantes Babiloniam cum custodibus. Rex vero ulterius proficiscens dixit domesticis suis:
,Circuite terram et perambulate eam et audite voces populi mei qui est
25 in Egipto, quia propter miseriam inopum et gemitum pauperum nunc exur-
gam et reddam ultionem hostibus meis et hiis qui oderunt me retribuam.'
Illi autem ab oriente et occidente et a desertis montibus diligenter inquirentes
invenerunt aliquos qui fuerunt tamquam leones parati ad predicta et sicut
catuli leonum habitantes in abditis et promptuaria eorum plena eructancia
30 ex hoc in illud, et qui missi fuerunt, erant ex Phariseis et dixerunt ad regem:
,Ecce totus mundus in maligno positus est, quare non facis iudicium et vin-
dicas fratres nostros?' Tunc dixit rex: ,Nox habe<bi>t consilium.' Et post
pauca appropinquavit rex Londinie, vidit civitatem et flevit super illam et
dixit: ,Quia si cognovisses et tu.' Et statim egressus est populus de taberna-
35 culis suis et tulerunt archam federis Domini contra eum et dixerunt: ,Iste est
rex noster, qui a servitute Egiptiaca liberavit nos.' Rex vero transiens per
medium eorum ibat et intravit paradisum suum, ut quereret hominem quem
creaverat, et dixit: ,Adam, Adam, ubi es? Olim quidem debui perdere te, sed
pecunia tua oravit pro te. Redde rationem villicationis tue.' Respondit Adam:
40 ,Fodere non valeo, mendicare erubesco.' Et dum accusaretur in multis, non
respondit verbum. Novissime autem venerunt duo ingrati testes et dixerunt:
,Hic dixit „Possum destruere domum vestram in triduo et nunquam reedi-
ficare illam". ,Dixit et facta sunt, mandavit et destructa sunt.' Tunc dixit illi
preses: ,Non audis, quanta adversum te dicunt testimonia?' Et non respondit
45 verbum, sed exivit foras et flevit amare. Tunc apprehenderunt eum ministri
et posuerunt eum in carcerem. Et dixit rex ministris suis: ,Ite, colligite frag-
menta, ne pereant.' Collegerunt ergo et impleverunt plus quam XII cophinos
denariorum in loco tabernaculi domus sue et multa alia que non sunt scripta
in libro hoc. Igitur qui convenerant, interrogabant dominum dicentes: ,Do-
50 mine, si in tempore restitues illi quicquam?' Dixit autem rex illis: ,Non est
vestrum nosse thesaurum vel monetam que posuit in potestate mea.' Et post
pauca exiit edictum a rege prefato, ut discriberentur universe seditiones terre.
Et ibant omnes, ut profiterentur, in Londiniam civitatem. Et scisma erat
inter eos. Testimonium ergo perhibebat turba que erat ibidem, quod aliqui
55 ministri regis transgrediebantur traditiones seniorum, amabant primos recu-

---

25 gemitum *fehlt* C.   50 in tempore hoc BC.   50 rex *fehlt* C. illis] eis B, *fehlt* A.
51 mea] vestra BC.   52 discriberentur] seducerentur C.   55 regis] eius C.

22 Matth. XXVII 66.   *24f.* Jos. XVIII 8.   25 Ps. XI 6.   *27* Deut. XXXII 41.   *27*
Matth. VIII 11.   *28* Ps. XVI 12.   *28f.* Ps. CXLIII 13.   *29* Joh. I 24.   *31* Joh. V 19.
31f. 1 Macc. VI 22.   *34* Luc. XIX 41f.   *34f.* Jos. III 14.   *36* Exod. XVIII 10.   *36*
Luc. IV 30.   *38* Gen. III 9.   *40* Luc. XVI 2.   *40* Luc. XVI 3.   *40f.* Matth. XXVII 12.
42 Matth. XXVII 60f.   *43* Ps. XXXII 9.   *44* Matth. XXVII 13f.   *45* Matth.
XXVI 75.   *46f.* Joh. VI 12f.   *48* Joh. XX 30.   *50ff.* Act. I 6f.   *51f.* Luc. II 1.   *53*
Luc. II 3.   *53* Joh. IX 16.   *53f.* Joh. XII 17.   *55* Matth. XV 2.   *55ff.* Matth. XXIII 6f.

bitus in cenis et primas cathedras in sinagogis et salutationes in foro et vocari
ab hominibus rabi. Et per eos occultatum est aurum et argentum terre. Et
dispersi sunt lapides sanctuarii in capite omnium platearum. Et cum audisset
rex hos sermones, infremuit spiritu et dixit: „Mihi vindicta et ego retribuam.‘
Item fecit Londonie cenam magnam et vocavit multos et misit servos suos hora   60
cene dicere invitatis, ut venirent. Et ceperunt aliqui se excusare. Primus dixit:
‚Villas emi pecunia non numerata et necesse habeo videre illas.‘ Et alter dixit:
‚Iuga bovum emi quinquaginta et eo probare illa.‘ Et alius dixit: ‚Uxorem
duxi alienam et vado probare illam. Reversique servi nunciaverunt hec domino regi. Tunc ait rex: ‚Ite, compellite eos intrare huc coram me. Crastina   65
die delebitur iniquitas terre. Et considerabo novissima eorum.‘ Dixerunt aliqui: ‚Videmus, quod nichil proficimus. Ecce totus mundus super nos et super
opera nostra. Eamus et offeramus ei munera, aurum quia rex est, thus quia
prelatus, mirram quia inmortalis, et forte miserebitur nostri.‘ Et cum venissent ad regem, dixit ille: ‚Amen, amen dico vobis, quia venit hora et nunc est,   70
quod risus vester dolore miscebitur, populus autem gaudebit. Mea est ultio et
ego retribuam vobis in tempore, quia dilexistis iniquitatem et odistis iusticiam. Ite in castellum, quod contra vos est. Et invenietis alios alligatos et
plures cum eis. Illic orate, ne intretis in temptacionem.‘ Dixeruntque illi:
‚Domine, verba vite habes. Cum quo ibimus?‘ Tunc ait rex: ‚Cum custode   75
civitatis, ut respondeat pro vobis in die iudicii.‘ Dixerunt: ‚Domine, rex,
miserere nobis.‘ Tunc ait rex: ‚Que procedunt de labiis meis non faciam irrita.
Semel iuravi in ira mea, non habebitis partem mecum, quia honor regis iudicium diligit.‘ Illi autem dixerunt: ‚Domine, fiat voluntas tua.‘ Et secuti sunt
custodem et per aliam reversi sunt in Babiloniam expectantes, donec veniat   80
dominus ultionum, dominus qui reddet unicuique iuxta opera sua.
    Item versus de eisdem:

Sumpserunt Turbyt, Wei(land), Brun(ton), Lu(vetot), Leycestr.perit
et plures facient, tanto magis sitient.   [Lyt (lebiry)
Sed nequeunt bibere claro cratere soluto,   85
cernere nec serere dedecus esse puto.
Lyt (lebiry) plangunt plures, reliquos dicunt fore fures.
Iam fuerant reges subvertentes male leges.
Est Adam de Strat in scaccario per escheke mat.

62 numeravi *A*, enumeravi *C*.   *63* probare] videre *C*.   *64* Reversi autem *C*.   *64* nun-
ciabant *BC*.   *69* nostri] nobis *BC*.   *83–102 fehlt A*.   *88 fehlt AB*.

57f. Lament. IV 1.   *58* Joh. XL 33.   *59* Rom. XII 19.   *60ff.* Luc. XIV 16–21.
65f. Luc. XIV 23.   *66* Eccli. XL 12.   *67* Deut. XXXII 26.   *67f.* Joh. XII 19.
68f. Matth. II 11.   *70* Joh. V 25.   *71* Prov. XIV 13.   *71* Deut. XXXII 35.   *71f.* Ps.
XLIV 8.   *73* Matth. XXI 2.   *74* Luc. XXII 40.   *74f.* Joh. VI 69.   *77* Ps.
LXXXVIII 35.   *78* Ps. XCIV 11 + Hebr. III 11.   *78* Joh. XIII 8.   *78f.* Ps.
XCVIII 4.   *79f.* Matth. VI 10.   *79f.* Matth. II 12. Rom. II 6.

90 Sumitur ille rocus nec minor ille locus,
    sed caveant gentes in banco nunc residentes,
    ne dent iudicium, quod teneat vitium.
    Si sui attincti, punientur fune revincti.
    Hoc rex iuravit, facta sequendo David.
95 Sex sunt proscripti: non est exul nisi solus,
    sed sunt convicti: fecit inesse dolus.
    Expectant ceteri vindictas quas meruerunt.
    Tristes sunt miseri reges qui primo fuerunt.
    Non est inmerito falsorum tempore scito
100 vincas rexque cito: tales dominare nolito.
    Est ubi solamen, quod sunt super acta gravati
    et cito dampnati totus populus ferat Amen.

9. LEIDENSGESCHICHTE DER FRANZOSEN BEI COURTRAI

Überlieferung: London, Brit. Mus. add. ms. 10404 saec. XV, Chronicon Adae de Usk.

Veröffentlichung: Chronicon ed. by Sir E. M. Thompson, London 1904, p. 107–110, vgl. auch p. XXXVII sq. – Vgl. Lehmann, Die Parodie, S. 85 f.

Passio Francorum secundum Flemingos

In illo tempore: Philippus, rex Francorum, convocatis discipulis suis secreto ait illis: ‚Quem dicunt homines esse comitem Flandrie?‘ At illi dixerunt: ‚Alii Carolum, alii Lodewycum, aut unum ex prophanis.‘ Dixit iterum eis rex:
5 ‚Vos autem quem me esse dicitis?‘ Unus ex eis, nomine Petrus Flot, consilio accepto a Carolo, dixit: ‚Domine, tu es rex Flandrie.‘ Dixit ergo ei rex: ‚Beatus es tu, Petre, quia caro et sanguis non revelavit tibi, sed frater meus qui est infelix. Et ego dico tibi, quia tu es Petrus, et super hanc petram edificabo consilium meum; et tibi dabo claves regni mei in Flandria; et quodcumque
10 ligaveris erit ingratum Deo celi.‘ Rex vero, vocatis nunciis, dixit eis: ‚Euntes in Flandriam, dicite Flemyngis „Omne regnum in se divisum desolabitur, et domus supra domum cadet“; si ergo a regno meo divisi fuerint, domos eorum demolliar, gladium meum vibrabo, et potestas mea regia subiugabit eos, aut in mari, terram de eis mundando, ipsos fugere compellet. Congregaboque eos,
15 quemadmodum gallina congregat pullos sub alis, et fiet unum ovile et unus pastor.‘

9 *2* Vgl. Eingang der Evangelienperikopen.   *2f.* Matth. XV 32.   *3ff.* Matth. XVI 13–19.   *11* Vgl. e. g. Matth. XXVIII 7.   *11* Luc. XI 17.   *12f.* Ez. XXXV 4.   *14* Matth. XXIII 37.   *15f.* Joh. X 16.

At illi, venientes in Flandriam, sicut rex precepit Flemyngis. Ac Flemyngi, respondentes et singula singulis reddentes, dixerunt: ‚Civitates et opida gloriose construximus. Rex vester non pastor, sed pocius lupus dicendus est, quia vult oves devorari et lupo subici. Et, cum boves non sumus, timemus 20 subiugari; et, quia pulli non sumus, timemus sub alis congregari; et pocius gladio perire. Cum pocius pastorem deceat paci parcere quam gladio vibrare, nec credimus demollicionem domus ymmo demonis fieri, ymmo pocius tigurrium sibi in deserto fieri.‘

Nuncii ergo, responso accepto, abierunt, nunciantes regi omnia que audie- 25 rant et viderant, sicut dictum est ad illos. Indignatus ergo rex propter iusiurandum et simul discumbentes vocavit comitem Arthasie et alios condiscipulos suos et dixit eis: ‚Euntes in mundum universum, docete omnes gentes contumaciam Flemyngorum in nomine meo. Qui dederit eis mala, hic salvus erit; qui vero non dederit, condempnabitur. Signa autem eos qui dederint hec 30 sequentur: In nomine meo demonia suscipient, Deum despicient et, si mortiferum quid susceperint, hoc eis nocebit. Et cum fueritis euntes in Flandriam, occidite omnes Flemyngos a bymatri et infra.‘

Comes abiit facturus sicut dixit ei rex. Quidam vero Francorum dederunt quinque talenta, quidam vero duo et quidam unum, unusquisque alteri secun- 35 dum propriam virtutem. Et congregans comes universam cohortem profectus est statim et venit in Flandriam. Cumque Petro Canyng hoc relatum fuisset, perrexit obviam ei cum centum milibus virorum comitatus. Conversusque Petrus dixit: ‚Tu quis es?‘ Respondit comes dicens: ‚Jeo luy su. Quis es tu, qui interrogas?‘ Respondit Petrus Canyng: ‚Sum ego.‘ Dicit ei comes: ‚Amen, 40 amen, dico tibi, quia, antequam gallus cantet, ter me negabis.‘ Dicit ei Petrus: Etsi oportuerit te mori mecum, non te negabo. Dixit iterum comes: ‚Tu es, Petrus, et super hanc petram evaginabo gladium meum, et non relinquam tibi membrum sub capite eo, quod non cognoveris tempus visitacionis tue.‘ Dicit ei Petrus: ‚Scriptum est enim „Non occides, quia qui gladio percutit gladio 45 peribit“. Et Petrus ipse, extracto gladio, abscidit auriculam eius dextram.‘ Tunc dixit comes: ‚Usquequo non parcis mihi, ut gluciam salivam meam?‘ Petrus iterum percussit et dixit: ‚Sic respondes pontifici?‘ Et procidit comes in terram et oravit dicens: ‚Pater, si possibile est ,transiat a me calix iste. Non, tamen sicut ego volo, sed sicut tu vis, Petre.‘ Et terre motus factus est 50 magnus ab hoc hora tercia usque ad horam nonam. Et hora nona clamavit comes voce magna dicens: ‚Bayard, Bayard, ou es tu? Pur quey as moy refuse?‘ Hoc est: ‚Equus meus, equus meus, ut qui me dereliquisti?‘ Et hoc dicto expiravit. Et recordatus est Petrus quod dixerat comes: „Jeo luy suy‘; et ivit foras et clamavit alte. 55

25 Matth. II 12. 25f. Luc. II 20. 26f. Marc. VI 26. 28–32 Marc. XVI 15–18. 33 Matth. II 16. 35f. Matth. XXV 15. 40ff. Matth. XXVI 34f. 42 Matth. XVI 18. 44f. Luc. XIX 44. 45 Exod. XX 13. 45f. Matth. XXVI 52. 46 Joh. XVIII 10. 47 Job VII 19. 47 Joh. XVIII 22. 48ff. Marc. XIV 35f. 50–55 Matth. XXVI 45ff., Marc. XV 37.

Et dixit unus ex Flemyngis: ‚Vere vilis Dei erat iste.' Conversus vero Petrus Canyng, cum vidisset Petrum Flot, illum scilicet discipulum quem Deus neclexerat; eratque monoculus homo ille, ut adimpleretur quod dictum est per Scripturam dicentem: ‚Si oculus tuus scandelizet te, erue eum et proice abs
60 te.' Vir autem ille sequebatur a longe, ut videret finem, ut impleretur quod dictum est in evangelio: ‚Melius est cum uno oculo intrare prelium Francorum quam duos oculos habere et mori a Flemyngis.' Ex quibus dixit unus: ‚Vere et tu ex illis es.' At ille incepit detestari et iurare, quia non novisset hominem, et continuo nullus Gallicus cantavit. Et angariaverunt eum Flemyngi, ut
65 sequeretur comitem Arthesie; et ille, ablato capite, secutus est eum.

Putruerunt cadavera Francorum, ut impleretur id quod dictum est per prophetam dicentem: ‚Putruerunt, corrupte sunt cicatrices eorum.' Venerunt Flemyngi, ut viderent corpora defunctorum, et dixerunt: ‚Dormite iam et requiescite. Spiritus quidem promptus est, caro vero infirma.' Canes et volu-
70 res celi pascebantur ex carnibus eorum, ut impleretur scriptura: ‚Posuerunt morticina Francorum tuorum escas volatilibus celi, et carnes eorum bestiis terre.' Dixit unus ex Flemyngis: ‚Sepeliamus corpora Francorum, ne tumultus fiat in populo.' Dicit Petrus Canyng: ‚Nolite sepelire eos in terra neque in mari neque in arboribus, quousque signemus eos Francos in frontibus eorum,
75 ne veniant vicini et cognati eorum et furentur eos et dicant plebi, quia evaserunt a mortuis. Et erit novissimus error peior priore.' Et erat numerus centum quatuordecim milia signati ex tribu Francorum; quadraginta septem milia signati ex tribu Picardorum; XXIIII milia signati ex tribu Normannorum; XVI milia signati ex tribu Britanorum; XIII milia signati ex tribu Picta-
80 vorum; XVI milia signati ex tribu Andagavorum.

Et multa alia facta sunt que non sunt scripta in libro hoc. Post multum vero temporis venit dominus servorum ponere racionem cum eis, et, consilio accepto, ne rediret ad Flemyngos pugnare paratos, per aliam viam reversus est in regionem suam.

---

56 Marc. XV 39.   56f. Joh. XXI 20.   58 Matth. I 22, II 15, 23, IV 14, VIII 17, XII 17, XXI 4.   59f. Matth. V 29.   60 Matth. XXVI 58.   60 Vgl. zu 58.   61 Matth. XVIII 9.   62f. Matth. XXVI 73f.   64 Matth. XXVII 32. 66 Matth. I 22, II 15.   66 Ps. XXXVII 6.   68 Matth. XXVI 45.   69 Matth. XXVI 41.   69 z.B. Matth. XIII 4.   69f. Joh. XIX 24, 36.   70f. Ps. LXXVIII 2.   72 Matth. XXVI 5.   73f. Apoc. VII 3.   75 Luc. I 58.   75f. Matth. XXVII 64.   76–80 Apoc. VII 4ff.   81 Joh. XX 30.   81f. Matth. XXV 19.   83 Matth. II 12.

10. LEIDENSGESCHICHTE DER SCHOTTISCHEN EIDBRECHER

Überlieferung: **Reigate church, Surrey**, public library zwischen Gesta Scotorum von 1066–1327 und 1333–1346.
Veröffentlichung: Marquess of Bute in Proceedings of the society of antiquaries of Scotland. N. S. VII (Edinburgh 1885) p. 166–192. – Vgl. Lehmann, Die Parodie, S. 84 f.

Lectio actuum Scotorum infra librum iudicum.
In diebus illis – – – (Iudic. IX 8–12, 14–15).
Omelia eiusdem.

In illo tempore, videlicet a. D. 1306, facta est contencio non inter discipulos Jhesu, sed inter maiores Scocie, quis eorum in malicia videretur esse   5
maior. Dixerunt autem: Reges gencium Anglicarum dominantur nobis et qui potestatem exercent in nos inimici nostri, non benefici, nominantur. Sed qui maiorem potestatem habet inter Scotos superior noster fiat. Constituamus ergo nobis regem, sicut et cetere naciones habent, qui excuciat cervices nostras ab Angligena servitute et in prelio nos defendat. Ecce postquam recessi-   10
mus a patriis legibus et fidei iuramento, invenerunt nos mala multa, quorum non est numerus propter dece < de >ntiamstatus nostri. Proinde dixerunt olive, id < est > comiti de Bowan: ,Impera nobis.' Qui respondit: ,Non possum deserere pinguedinem meam, id < est > fidem meam, ex qua iustus vivit, et venire, ut inter lingna bifurcata promovear.' Dixeruntque ad arborem ficum,   15
id < est > comiti de Ros: ,Veni et accipe super nos regnum.' Qui respondit: ,Numquid possum deserere pinguedinem meam et fructus dulcissimos, id < est > vinculum iusiurandi, quo proximus proximo Deoque constringitur, et ire ut inter ligna maledictionis commovear? Pro maledicto enim habetur homo omnis qui pendet in ligno.' Locuta sunt quoque ligna ad vitem, id < est >   20
comitem Patricium: ,Veni et impera nobis.' Qui respondit: ,Numquid possum deserere vinum meum, id < est > robur fidelitatis mee, quod tactis sacrosanctis evangeliis coram Deo pollicitus sum servire regi Anglie, et ire ut inter ligna mortifera, flexo poplite et truncato capite, laurea periurii merear coronari?' Dixeruntque ligna ad rampnum, id < est > Robertum le Brus, comitem   25
de Carrike: ,Veni et impera super nos.' Qui respondit eis: ,Si vere me regem constituistis, venite et preceptis mei culminis obedite. Si autem nolueritis egredietur ignis de rampno et consumet cedros Libani; hoc est: Vos vocatis me regem et dominum et bene dicitis. Sum etenim primogenitus patris mei, cui regnum hoc iure hereditario debebatur, sed a domino rege Anglie alteri   30
est translatum. Venite ergo ad me omnes qui pacem negligitis, guerram cupitis, periuri ac suspensi eritis, et ego vos reficiam de cruore occisorum et de

10 *1* Vgl. Eingang der Evangelienperikopen. *4–8* Luc. XXII 24 ff. *8f.* 1 Reg. VIII 5;
Gen. XXVII 40. *10f.* 1 Macc. I 12. *12–28* Judic. IX 8–15. *28f.* Joh. XIII 13.
31f. Matth. XI 28; Deut. XXII 42.

captivitate nudati amicorum capitis. Et sub umbra, id < est > vocacione
regalis nominis mei, severe proficiscimini per totam Scociam, compellentes
35 episcopos, abbates, comites et barones simul in unum, divitem et pauperem,
ad coronacionem meam venire. Qui autem venerint usque ad visitacionem
regis Angliae, qui unicuique iuxta opera sua retribuet de hiis qui me coro-
nant. Si autem non consenserint, ignis succensus est in furore meo, et quem
volo, ut ardeat in omnibus habitaculis venire nolencium. Ite, ecce mitto vos
40 sicut lupos inter agnos. Nolite portare sacculum neque peram, sed gladium
atque hastam neque quemque Anglicum potenciorem nobis per viam saluta-
veritis.' Adhuc eo loquente, venit quidam nobilis decurio Johannes Comyn
et ait: ,Non est nobis hereditas neque pax in Roberto neque regem nisi Cesa-
rem, regem Anglorum.' Cui alius in dolo est locutus: ,Amice, ad quid venisti?
45 Assentire nobis et vive super terram, et eris deterior quam fuisti.' Cui Johannes Comyn: ,Etsi oportuerit me mori, regem Anglie non negabo.' Tunc
surrexerunt adversus eum duo falsi testes, dicentes: ,Audivimus eum prohi-
bentem tributa dari nostro regi et contestari fidelitatem esse servandam regi
Anglie a Galilea usque hic.' Quibus Robertus: ,Quid adhuc egemus testibus?
50 Audivimus ex ore eius blasphemiam.' Et evaginato pugione illum in ecclesia
trucidavit. ,Stulte', dixerunt, ,operatus es', dixerunt fratres minores, ,et quod
non licet quemquam interficere in templo Dei.' Quibus ille: ,Sanguis eius
super me et super fratres meos et benivolos meos semper.'

Sub illo tempore dixit Robertus Brus discipulis suis: ,Ecce, misi angelum
55 meum Wilhelmum Waleys ante faciem vestram qui preparabit consimile vobis
iter, nempe in regno Anglie elevabitur et sublimis erit valde.' Et ipsi nichil
horum intellexerunt. Qui dicunt illi: ,Edissere nobis hanc parabolam.' – – –
Numquid et vos ceci estis? Quinimo seducti et ceci eritis. Omnis enim qui se
humiliat exaltabitur, et qui se exaltat humiliabitur.' Itaque post dies aliquot
60 perigrinacionis Wilhelmi Waleys de Scocia auditum est, quod tractus, suspensus, exinteratus, crematus, quatrifidatus et affixo capite super pontem London, et in Anglia est exaltatus.

Propterea dixit Symon Frisel: ,Impleta est scriptura, quoniam sic oportuit
eum pati et intrare in ignominiam suam. Sed vivat pseudorex noster, et vivat
65 anima mea, quia vadam et tollam capud eius et affigam capud Anglici loco
sui. Et sic auferam obprobrium gentis nostre.' Post hec fecit sibi rex nequam
currus et equites qui precederent eum in civitate qua coronandus esset ab
Anna et Caypha, sacerdotibus qui populum seducebant.

33f. Matth. XI 16; Ps. XLVIII 3.   *36* 1 Reg. XXVI 23.   *38* Jer. XV 14; Luc.
XII 49.   *40f.* Luc. X 3f.   *42* Luc. XXII 47; Marc. XV 43; 1 Reg. XX 1; Joh.
XIX 15.   *44* 2 Reg. III 27; Matth. XXVI 50; Dan. XIII 20.   *46* Matth. XXVI 35.
46f. Matth. XXVI 60; Marc. XIV 58; Luc. XXIII 2, 5.   *49f.* Matth. XXVI 65; Luc.
XXII 71.   *51f.* Gen. XXXI 28; Joh. XVIII 31.   *52f.* Matth. XXVII 25.   *54f.* Mal. III 1;
Matth. XL 10.   *56* Luc. XVIII 34.   *57f.* Matth. XV 15.   *58* Joh. IX 40; Luc. XIV 11.
63 Luc. XXIV 26.   *64f.* Reg. XVII 36.   *67* 2 Reg. XV 1.   *67f.* Luc. III 2.

Et abbate de Scone, Johanne comite de Asceles, Simone Frisel et fratribus
suis uterinis et multis coronatus est a prophanis episcopis Glasguensi et Sancti   70
Andree primo, et tercio die postea comitissa de Bowan, que transgressa mari-
tali thoro exarserat in concupiscenciam fatui coronati, vocans eum Daffe.

Cumque domum redisset, dixit uxori proprie: ‚Heri vocabamur comes et tu
comitissa, hodie vero rex et regina nominamur.‘ Cui illa: ‚Cave, ne sicut fenum
agri, quod hodie est et cras in clibanum mittitur, sic effloreas, ne quando prop-   75
ter usurpacionem regalis nominis perdas simul comitatem et regnum. Nonne
audisti: Quis rex bellum commissurus adversus alium regem, nonne prius
sedens computat sibi occurrere cum viginti milibus si possit? Alioquin, adhuc
longius eo agente, mittit legacionem, rogat ea que pacis sunt. Hoc fac et vives.
Sin autem forcior te supervenerit, auferet universa arma tua in quibus con-   80
fidis, et spolia tua distribuet diripientibus ea valde velociter.‘ Hiis sanis insane
turbatus maritus voluit eam gladiis trucidasse, sed prohibitus est a dicentibus:
‚Si fedaveris manus tuas in sanguine mulieris inbellis, non poteris stare contra
hostes tuos in bellis.‘ Ab illo autem die multi Scoti abierunt retrorsum nec
adherebant deinceps secte sue. Itaque diviso regno eius confusio aproximavit;   85
nam gens surrexit contra gentem propriam uno cum exercitu, Anglicano. Et
conserto prelio pseudo-rex senciens, quod totum pondus prelii versum est in
eum, fugit ex acie, populum suum in occisione gladii derelinquens. Testantur
quidem hoc qui capti fuerunt, videlicet Thomas Randulf, David Ynkemartyn,
Johannes Somervyle, milites, Huttyng marescallus, vexillifer illius regis, et   90
Hugo presbiter sed prophanus, cum multis aliis. Et data sentencia omnes
bravium suspendii acceperunt. Sed Hugo presbiter ante alios primitus est
suspensus, quasi diceret: Ego presbiter vobis prebeo tale iter. Ceteri vero
cum sensissent crucis tormentum, dicebant intra se: ‚Hugwe a diables.‘ In
diebus illis dixit rex Anglie principi Wallie: ‚Proficiscere in Scociam et vin-   95
dica despectum factum sancte ecclesie, et sanguinem Johannis Comyn et
Anglicorum qui effusus est. Ego vero prosequar iter tuum. Sicut fuerit voluntas in celo, sic fiat.‘ Exiit ergo a Cesare Edwardo edictum, ut describeretur
universa milicia Anglicana. Qua adunata statim in Scociam profectus est.
Premittensque angelos suos de Traylebastone, id < est > iusticiarios, binos   100
et binos ante faciem suam in omnem civitatem et locum ad quem erat ipse
venturus, dicebat: ‚Ecce, dedi vobis potestatem calcandi omnia membra
diabolica. Homicidas occidite, proditores distrahite, periuratos suspendite,
non per con., sed per col., incendiarios comburite, malos male perdite, et
meam vineam locate Anglicis agricolis, qui reddant vobis fructum tempo-   105

71f. 1 Macc. I 28 u. Dan. XIII 8.   *74* Matth. VI 30 u. Ps. CII 15.   *74f.* Vgl. Ps.
XXVII 3.   *77ff.* Luc. XIV 31 sq.   *79* Rom. XIV 19 u. Luc. X 28.   *80* Luc. XI 22.
84 Joh. XVIII 6.   *85* Luc. XXI 10.   *87* 1 Reg. XXXI 3.   *88* Hebr. XI 37.
91f. 1 Kor. IX 24.   *97* Is. LVII 14.   *97f.* Marc. III 22; Joh. X 20. ‚Intra se dicere‘
biblisch.   *95* Gen. XXVIII 2.   *96f.* 3 Reg. II 31.   *97* 1 Macc. III 60.   *98* Luc.
II 1.   *100f.* Luc. X 1.   *102* Luc. X 19.   *105* Matth. XXI 41.

ribus suis. Non parcat oculus vester cuiquam magno vel parvo, signo Thau
signatis duntaxat exceptis.' Illi autem abeuntes fecerunt sicut precepit illis
rex. Et capti sunt infra duorum mensium spacium per inquisiciones iuratorum
hominum centeni et milleni viri digni morte, velud fractores pacis regie,
110 parricide, conspiratores pessimi, qui omnes palmam patibuli meruerunt. Testimonium huic perhibet Nigellus de Bruys, miles et germanus pseudo-regis,
adolescens pulcherrime iuventutis. Qui cum iudicaretur ad mortem dicebat:
,Sumus quidem quinque fratres. Utinam testetur illis de me, ne et illi veniant in hunc locum tormentorum.' Tunc ait quidam de turba: ,Heliam vocat
115 iste.' Cui alius: ,Non, sed fratres suos. Sinite, si venerint fratres sui, eumque
nunc liberent si velint.' Qui cum moram facerent in veniendo, per plateas
de Berewyke tractus et suspensus est. Causa huius, quia consenserat faccio-
nibus fratris sui. Porro Johannes et Christoforus de Seytone, fratres et hostiarii
ecclesie, dum perimeretur Johannes Comyn, distraccionis et suspendii bene-
120 ficia condigne meritis suntadepte. Capitur autem et illa impia coniuratrix
comitissa de Bowan, de qua consultus rex ait: ,Quia gladio non percussit,
gladio non peribit.' Sed propter coronacionem illicitam quam fecit, in corona
ferrea ad modum domunculae fabricata obstruatur, cuius latitudo et longi-
tudo, summitas et profundum octo pedum spacio concludatur. Et apud Bere-
125 wike sub divo imperpetuum suspendatur, ut a pretereuntibus possit con-
spici et agnosci, pro qua fuerat causa illa. ,Que tunc assumpsit gemitum pro
cantu, meditans ut columba, et ait: ,Similis facta sum pellicano solitudinis,
nicticoraci in domicilio et passeri solitario in tecto.' Post hec optulerunt regi
episcopos et abbatem qui coronaverunt pseudoregem. Quibus Anglie rex:
130 ,Vos estis, de quibus lex vestra canit: ,,Egressa est iniquitas a sacerdotibus
Scocie qui videbantur populum regere." Nonne vos estis qui apud Shene
iuxta London, tactis sacrosanctis evangeliis, iurastis super corpus Domini,
sic Deus vos adiuvet et sancta Dei evangelia, michi et succedentibus post me
regibus Anglie fidelitatem servare? Et pactum Domini irritum fecistis propter
135 tradiciones vestras! Ypocrite, bene prophetavit de vobis Ysaias: ,,Populus
hic labiis me honorat, cor autem eorum longe est a me." Respondete, obsecro.
In lege Domini de talibus quid scriptum est.' Dixit episcopus S. Andree:
,Virum iniustum mala capient in interitu.'

Et rex episcopo Glascuensi ait: ,Quomodo legis?' Qui ait: ,Impietas impii
140 super ipsum erit.' Et rex: ,Tu abba, quid dicis?' Respondit: ,Qui iuramentum
Christi violat, ipsum in adiutorium sui negat.' Quibus rex: ,Recte iudicastis.
Et ego despiciam quos hactenus sprevit Deus. Os enim condempnavit vos et
non ego. Porro nunc non moriemini, quia portatis archam Domini, tonsuram

---

106 Ezech. IX 4, 5, 6.   *107f.* Matth. XXI 6.   *112ff.* Luc. XVI 28.   *114f.* Matth.
XXVII 47, 49.   *116* Tob. X I.   *121* Matth. XXVI 52.   *127* Is. XXXVIII 14;
Ps. CII 6, 7.   *130f.* Dan. XIII 5.   *134f.* Matth. XV 6.   *135f.* Matth. XV 7f.
137 Luc. X 26.   *138* Ps. CXXXIX 12.   *139* Luc. X 26.   *139f.* Ezech. XVIII 20.
141 Luc. VII 43.   *142* Ps. CXVII 7 u. LII 6.   *142f.* Job. IX 20.

capitis clericalem. Verumptamen, quia sub capa pastorali deprehenditur lo-
rica militaris, immutato habitu quo induimini ergastula introite, quousque 145
visitavit vos oriens ex alto, id < est > summus pontifex degradaverit vos ex
facto.'

Et factum est ita. In Anglia diversis carceribus mancipantur, sedentes in
tenebris et umbra mortis, vincti in mendicitate et ferro. Saulus, dum hec
fierent, adhuc spirans minarum, id < est > Symon Frisel petiit a pseudorege 150
epistolas, ut, ubicumque inveniret regis Anglie fideles, vinciret et trucidaret.
Ibat igitur Saulus, Simon, furia invectus totoque pectore virus efflabat et
Anglorum sanguinem sine intermissione siciebat. Et cum iter faceret, contigit, ut appropinquarat Tilistho. Et subito circumsepit eum rex Anglorum. Et
audivit vocem dicentem sibi: ‚Saule, Simon, quid me persequeris?' ‚Quis es, 155
domine?' At ille: ‚Ego sum minister regis Anglie, quem tu persequeris infi-
delis. Durum erit tibi contra pavimentum natibus calcitrare.' Et adductus ad
iudicem tremens ac stupens dixit: ‚Domine, quid me vis facere?' Et iudex.
ad eum: ‚Simon, habeo aliquid tibi dicere, quod non < potes > portare modo.
Scies autem postea.' Qui cadens in terram nichil ridebat. Et iudex ad eum; 160
‚Surge et ingredere civitatem London, ad dicetur tibi, quanta oporteat te pro
nomine regis pati.' Ad manum autem illum trahentes introduxerunt castrum
London. Et cum apponeretur ei cibus, neque manducavit neque bibit et ait:
‚Tristis est anima mea usque ad mortem, mortem autem crucis.' Fatigatus
est ex itinere, cepit < cedere >. Oculi enim eius erant gravati pre magna 165
tristicia.' Erant autem ibidem plures alii Scoti, insignes viri, qui propter sedi-
ciones et homicidia carcere claudebantur. Inter quos Thomas de Morham
cum filio Hereberto et armigero suo Thoma de Roys, ferreis compedibus nexi
erant. Et ait Thomas pater ad hospitem: ‚Simon, dormis? Non potuisti una
hora vigilare mecum? Vigilate et plorate; cras intrabitis in dampnacionem, 170
tu et filius meus tecum.' Et continuo gallus cantavit. Tunc recordatus est
Herbertus verbi quod prius dixerat: ‚In quocumque die captus fuerit Simon
Frisel, capud meum regi dono.' Et ‚pater', addens dixit, ‚si possibile est transeat a me calix iste. Spiritus quidem promptus est evadere, caro autem infirma'. Cui pater: ‚Fili, non venisti facere voluntatem tuam, sed eius qui te 175
misit.' Lucescente autem die ductus est Herebertus ad supplicium. Et clamavit post tergum armiger suus dicens: ‚Quo progrederis sine patre, fili? Quo
miles nequicie sine ministro versucie proferas? Tu nunquam sacrilegium,
homicidium vel maleficium sine ministerio meo exercere consueveras.' Qui
ait illi: ‚Veni et sequere me. Nam ego et tu morsque dividimur.' Exeuntes 180
autem de castello processerunt vicum unum. Quo sub divo, decollato milite,

145f. Luc. I 78.   148f. Ps. CVI 10.   149–162 Act. ap. LX 1–6, 8, 16; Luc. VII 40;
Joh. XVI 12, XIII 7.   163f. Act. ap. IX 9.   164 Marc. XIV 34; Phil. II 8.   164f.
Joh. IV 6; Marc. XIV 33, 40; Luc. XXII 45.   165 Luc. XXIII 25.   168f. Marc.
XIV 37f.   170 Matth. XXVI 74sq.   173f. Matth. XXVI 39, 41.   175 Joh. VI 38.
180 Matth. XIX 21; 1 Reg. XX 3.   180f. Act. ap. XII 10.

decapitatus armiger sequebatur eum. Et nesciebant, quia verum est, quod fiebat per Anglicum. Oculi enim eorum velabantur, ne quemque agnoscerent. Hoc autem factum est ut impleretur scriptura: ‚Ego dixi, in dimidio dierum 185 meorum vadam ad portas inferi nec aspiciam hominem ultra in terra vivencium.‘ Et planxerunt speciem decoris illius omnes qui noverant eum ab heri et nudiustercius, quia in tota Scocia non erat vir ita pulcher sicuti Herbertus. A planta enim pedis usque ad verticem non erat in eo macula. Ab humero et sursum eminebat super populum. Planxit autem pater filium suum dicens: 190 ‚Quis mihi det, ut pro te moriar, fili mi Herberte?‘ Addiditque pro filio et pro servo: ‚Ecce, quomodo dilexerunt se in vita sua, ita et in morte non poterant separari. Tunc conversus iudex ad Simonem Frisel dixit: ‚Tu es qui sepius turbasti regna regis Anglie. Quomodo et quociens rex Anglie dimisit te liberum, ut cum iusticia permaneres et viveres super terram. Jamque peiora 195 peioribus cumulasti; comprehenderunt te iniquitates tue et mala que operatus es ab adolescentia tua usque in presens. Ne poteris amplius villicare, sed itaque iudicaris. Primo, per longitudinem civitatis traheris, deinde in patibulo alcius exaltaberis, postea in decisione capitis spiritum exalabis, truncus cremabitur et capud tuum iuxta capud Willelmi Walleys, quod vovisti furatum fuisse, 200 affixo ibi capite Anglici pro eodem super lanceam fixum erit. Et sic discas alias reddere vota tua.‘ Hoc autem totum factum est, ut impleretur scriptura: ‚Dentem pro dente, suspensionem pro suspendio, adustionem pro adustione, capud pro capite luet homo.‘ Hec dum complentur in London, conscius ipse sibi Johannes comes de Asseilla, quod de similibus simile fieret iudicium, 205 fugam querit, sed fugiendo captus est. Comes autem iste de regali sanguine sibi originem vendicavit. Et hesitantibus nonnulis quid de ipso fieret et quod ve <l> quale subiret iudicium, respondit rex: ‚Si disceptatis pro sanguine, psalmus vos instruit: „Virum sanguinum et dolosum abhominabit Dominus.“ Et ait: ‚Quanto gradus, alcior tanto lapsus gravior. Non sanguinis lineam, 210 set iustitie iudicium attendite. Qui alios parricidas superexcesserit in sanguine, alcius felonibus pro scelere suspendatur. Item et ducite eum caute usque London, ut videat, si cuncta sint prospera circa falsos fratres, et renuncia michi quid agentur.‘ Quo cum pervenisset et in Turri falsis Scotis valediceret, dicunt illi: ‚Heri venisti et hodie compelleris subire tormentum.‘ Qui ait: 215 ‚Sine modo. Sic enim oportet me luere omnem iniquitatem quam perpetravi.‘

Tunc conversus iudex ad eum dixit: ‚Et si omnes Scoti conspiraverunt contra regem Anglorum, velis, nolis et Scotorum, sed non tu, suple si gratus esses, eo quod nacione Anglicus es et ex regali sanguine vendicas procreatus.

181f. Act. ap. XII 9; Luc. XXIV 16.   *184f.* Is. XXXVIII 10f.   *186* Ps. XLIX 2.   *186f.* Exod. IV 10, XXI 29; 1 Reg. XXI 5.   *187f.* 2 Reg. XIV 25; 1 Reg. IX 2.   *188* Is. I 6.   *188* 2 Reg. XIV 25.   *188f.* 1 Reg. IX 2.   *189* 2 Reg. I 17.   *190* 2 Reg. XVIII 33.   *191* 2 Reg. I 23.   *192* ‚conversus – dixit‘ mehrfach in den Evangelien.   *194* Deut. XXV 15.   *195* Ps. XXXIX 13.   *196* 3 Reg. XIV 9 u. 2 Reg. XIX 7. *196f.* Luc. XVI 2.   *201* Exod. XXI 24f.   *209* Ps. V 7.   *214* 2 Reg. XV 20.

Hoc est ergo in quo non es iustificatus; Anglicos, Scoticos, regis ministros, iugulasti, incendisti, quinimmo regem, quatenus in te est. Quociens prodi- *220* disti in Flandria, in Anglia et in Scotia? Suscipe ergo bravium cursus tui, sed regali sanguini tribuemus reverenciam et honorem. Non enim traheris per urbem, sed ascenso equo, ne forte offendas ad lapidem pedem tuum, leveberis in patibulum demissus decollaberis, azephalum corpus tuum vorax incendium adnichilabit et capud tuum medium inter duorum proditorum capita *225* altrinsecus defixum, quasi de regali sanguine, pontem Londinie decorabit. Si quando venerint Greci vel Barbari, Cretes et Arabes, Romani vel Yspani, Franci vel Angli, Scoti vel Picti, de quibus omnibus London est concursus, et furentur capud tuum et dicant plebi: Surrexit a mortuis.' Hoc autem totum factum est, ut impleretur scriptura: ,Sicut fecit gladius tuus mulieres absque *230* liberis, sic erat mater tua absque filio inter mulieres hodie.' Post hoc accessit ad regem quidam Scotus, Doncanus nomine, offerens ei sex viros in certamine deprehensos et ait: ,Domine hii peccatores evaginaverunt gladium, intenderunt arcum, ut depopularent terram tuam et trucidarent, si resisterent rectos corde. Quibus ego occurrens cum trecentis non multo eo amplius peremi *235* ex eis septingentos viros, hos in acie, hos in fuga, hos in saltu, hos in portu, et plures consepulti sunt in ponto. Istos reservavi, ut in quo voluntas regia de hiis decreverit faciendum.' Respondit rex: ,Gladius intret per colla eorum, et arcus eorum petencie confringatur.' Qui protinus iusticiariis liberantur. Quorum nomine hec fuerunt: Alexander de Bruys, decanus ecclesie Glas- *240* cuensis, germanus pseudoregis, Reginaldus de Craunforde, Malcolmus Makayle, dominus de Kentir, qui apud Karleolum dampnabantur, et Thomas de Bruys, qui tractus et suspensus ac decapitatus est relicto corpore super furcas, si forte veniret Joseph ab Arimathia ac tolleret et sepeliret illud. Reliqui simpliciter suspenduntur et per accidens decollantur. Tunc conversus iudex *245* ad Alexandrum de Bruys dixit: ,Tu quis es.' Respondit: ,Membrum et decanus – – – – (Schluß fehlt.)

11. LEIDENSGESCHICHTE DER PRAGER JUDEN, 1389

Überlieferung: Prag Domkapitel; Prag Univ.-Bibl. Ms. XI. D. 7. saec. XV. (In dieser 2. Hs. der Text unvollständig.)
Veröffentlichung: V. V. Tomek in den Sitzungsber. d. Kgl. Böhmischen Gesellschaft d. Wissenschaften in Prag, Jahrgang 1877, S. 11 ff. nach der Hs. der Domkapitelsbibliothek unter gelegentlicher Benutzung des anderen Prager Textzeugen. Ich folge Tomeks Ausgabe. – Vgl. Lehmann, Die Parodie, S. 85 f.

244 Job XXXIII 12.   *223* Ps. XC 12.   *227* Rom. I 14; Act. II 11.   *229 f.* Matth. XXVII 64.   *230* 1 Reg. XV 33.   *231* Matth. VIII 5 oder XVII 14.   *233 ff.* Ps. XXXVI 14.   *238 f.* Ps. XXXVI 15.

Passio Judaeorum Pragensium secundum Johannem rusticum quadratum.
Vespere autem sabbati, quae lucescit in prima sabbati, ingressus sacerdos
cum corpore Jesus in Judaeam. Judaei sibi obviam exierunt et portantes
lapides in manibus suis clamabant dicentes: ,Lapidetur iste, quia filium Dei
5 se fecit.' Deinde pueri Hebraeorum tollentes saxa platearum obviaverunt
sacerdoti clamantes et dicentes: ,Maledictus quem portas in tuis manibus.'
Videns autem hoc sacerdos dixit Christianis: ,Ut quid non molesti estis huic
genti? Opus enim pessimum operata est in me. Hanc enim habetis nunc vobiscum, me autem raro habebitis. Ut quid perditio haec? Mittentes autem hoc
10 lapides in corpus Jesu, ad offendendum ipsum et me faciunt. Amen, amen
dico vobis: Ubicunque publicatum fuerit hoc factum, in toto mundo dicetur,
quod in contemptum nostrae orthodoxae fidei hoc fecerunt.' At illi iniectores
lapidum in Jesum potestate praesidis captivi ducti sunt ad domum praeconis,
quae vulgariter dicitur satlawia. Et factum est, cum hoc percepissent prae-
15 dicatores ecclesiarum Pragensium, dixerunt ad eos, qui sermonibus eorum
astiterunt: ,Vere, nisi condignam super iniuria Jesu illata vindictam feceritis,
omnes scandalum patiemini anno isto.' Et cum Christiani tunc repleti gratia
Dei, in amore eius fervidi percepissent cordialiter hos sermones, dimisso pontificum et scabinorum penitus consilio, ad semetipsos dixerunt: ,Quid facimus
20 ad haec, quia haec perfidia Judaeorum turba multa mala non modo contra nos,
verum, potius et adversus Jesum facit intrepide obprobria? Si dimittimus
eam sic, omnes scandalizabuntur cum illa.' Tunc unus ex plebe Christianorum, nomine Gesco quadratus, cum esset quasi pontifex anni et temporis
illius prophetavit dicens: ,Expedit vobis, ut omnes pariter Judaei moriantur
25 pro populo Christiano, ne tota gens pereat.' Ab illa ergo hora cogitaverunt
interficere omnes Judaeos, dicentes: ,Ne forte veniat ultio Dei super nos,
tollamus eorum bona, et gentem perfidam de terra viventium disperdamus.'
Videns autem potestas civitatis, communem plebeculam magno contra
Judaeam fremitu incandescere, mandavit praeconibus, ut clamore valido
30 publice per plateas congregationem totius populi ad resistendum futuris
Judaeorum periculis in praetorium convocaret. Sed dispositione Sei factum
est, ut spiritus sanctus lingua praeconum oppositum praecepti clamantium

---

11 München lat. 16204 saec. XV, erst nachträglich von mir gefunden, weicht im
folgenden z. T. vorteilhaft von Tomeks Prager Text ab: *1* Pragensium Judeorum.
3 Jesu.   *3* et *fehlt.* et clamabant.   *4* quia] quoniam.   *6* manibus tuis hoc] hec.
8 Hanc autem semper habebitis vobiscum.   *9* hoc] hos.   *10* ad *fehlt.* faciunt *fehlt.*
11 fuerit publicatum.   *11* mundo] orbe. hoc] hec.   *13* lapidum] manuum.   *14* sat-
lawa.   *14* hec perceperint.   *19* ad hec *fehlt.*   *23* Jessko. quasi *gestrichen.* anni illius et
temporis prophetavit.   *24* Judei pariter.   *27* tollamus ergo bona eorum.   *28* plebi-
culam.   *30 hinter* publice *noch* protestarent.   *31* convocarent.   *31* dispensatione.

---

2 Matth. XXVIII 1.   *4* Mich. IV 11.   *5* Joh. XIX. 7.   *4ff.* Antiph. ad benedictionem
dominicae palmarum.   *7ff.* Matth. XXVI 10f.   *9* Matth. XXVI 8.   *9ff.* Matth.
XXVI 12f.   *16* Matth. XXVI 31.   *19–26* Joh. XI 47–53.

uteretur. Clamabant enim, ut regio edicto et consulum tota simul plebs irrueret in praedam et exterminium Judaeorum. Cum autem omnis populus Dei unanimi voce et ardore adversus Judaeos inter vicos et castra eorum cum 35 armis et sagittis venisset, innumerabiles sustulentes lapides in eos proiecerunt. Videntes autem huiusmodi rabiem scribae, sacerdotes et Pharisaei congregati sunt in atrium principis Judaeorum, qui dicebatur Jonas, non proficientes autem in dolosis et falsis consiliis, quomodo Jesum in suis membris non modo tenerent, sed statim interficerent et occiderent. Dicebant autem: ‚Faciamus 40 hoc die festo, ut tumultus maior fiat in populo.‘ Stantes autem Christiani foris in plateis, viderunt duos Judaeos per medium eorum equitantes. Insequentes eos cursu celeri, clamabant et dicebant: ‚Vere vos ex illis estis, nam et effigies et habitus vestri manifestos vos faciunt.‘ At illi negaverunt et dixerunt: ‚Nescimus, quid dicitis, ostendentes coronas noviter in capite rasas, 45 ut mentita et simulata iniquitate apparerent sacerdotes. Et ita simulatione iniqua evaserunt manus Christianorum. Et qui congregati fuerunt in atrium principis Judaeorum, quaerebant, quomodo mortibus suis succurrentes Christianos occiderent; et defecerunt in consiliis suis; nam et ipsi occisi sunt. Dixerunt autem Christiani: ‚Scriptum est enim „Percutiam eos fortiter et 50 dispergentur omnia bona eorum et, antequam gallus primam vocem dederit, omnes in igne et occisione gladii miserabiliter consumentur.“ Dixit autem Gesco ille quadratus: ‚Rei sunt mortis, et si in exterminio eorum oportuerit me mori cum illis, ob vindictam Jesu non denegabo.‘ Jonas autem princeps Judaeorum ait: ‚Tristis est anima mea usque ad mortem, mortem autem per- 55 petuam.‘ Respondens Gesco quadratus ait: ‚Non iocundabor ad plenum, donec inebrietur gladius similiter et animus meus de sanguinibus Judaeorum. Spiritus ad hoc promptus est, et caro non infirma.‘ Conversus autem ad alios hortabatur eos, ut et ipsi protinus confirment fratres suos, orent quoque et vigilent, ne in Judaicam intrent temptationem, ut, non sicut ipsi volunt, sed 60 sicut eos volumus, calix quem disposuit eis Deus pater, non transibit ab eis, sed bibent illum. Fiat voluntas nostra.

Adhuc illo loquente, venit ad eos turba multa Christianorum cum gladiis et sagittis, lanceis fustibus et armis, non persuasa a consulibus et a senioribus civitatis, sed motu divinitus inspirato, interficere eos. At illi Judaei accesse- 65

34 in exterminium.   *35* voto et ardore.   *36* sagittis] saccis. venissent.   *39* in dolo sed et falsis.   *42* eorum] eos.   *42f.* Et insequentes.   *45* ost. eis.   *47* fuerant.   *49* suis] eorum.   *49* sunt occissi.   *50* Percuciamus.   *52f.* Jessko. quadr. rusticus. in *fehlt.* *54* comori. Jesum.   *56* Resp. autem.   *57* similiter] simul.   *58* Spiritus quidem meus adhuc promptus.   *58* et *fehlt.*   *60* ut *fehlt.*   *62* sed bibent illum *fehlt.*   *64* et *vor* sagittis *fehlt.*   *65* civitatis *fehlt.*

37ff. Matth. XXVI 3–5.   *43ff.* Matth. XXVI 73, 70.   *47f.* Matth. XXVI 3. *50f.* Matth. XXVI 31, 34.   *52* Hebr. XI 37.   *53* Matth. XXVI 66.   *56* Jer. XLVI 10.   *53* Matth. XXVI 35.   *55* Matth. XXVI 38.   *58ff.* Matth. XXVI 39–42. *63ff.* Matth. XXVI 47–50.

runt ad eos et dixerunt: ‚Amici, ad quid venistis?' Dixerunt Christiani ad invicem: ‚Ut quid tamdiu sumus hic? Ut quid stamus otiosi? Comprehendamus et interficiamus Judaeos, ut per hoc impleantur scripturae.' Statimque iniecerunt manus in perfidos Judaeos crudeliter et non parcentes eorum rebus
70 et corporibus. Diviserunt autem inter se vestimenta eorum, unusquisque quantum rapere potuit; nec sortem miserunt super eis, sed integre et cumulatim ceperunt non solum vestimenta, verum etiam omnem thesaurum et suppelectilia eorum cum illis. Omnes autem, qui illic adherant (!), extenderunt manus suas, percutientes eos sine misericordia et amputantes eis non tantum
75 auriculas, sed capita, manus et pedes. Nonne sic oportuit fieri per ententiam per eos in se latam, ubi dixerunt: ‚Sanguis eius super nos et super filios nostros! Et dixerunt Christiani ad eos: ‚Amen, amen dictum est vobis: amodo videbitis filium hominis sedentem a dexteris virtutis Dei et venientem in nubibus coeli, in quem nos credimus. Videbunt patres vestri, in quem transfixerunt,
80 et quem vos blasphemastis, lapidastis.' Et velum a synagoga Hebraeorum receptum est et cum eo omnes libri prophetarum Moysis et Talmut, atque ad usus Christianorum usque translatum. Et plectentes struem coronae de lignis ardentibus, imposuerunt eos in ignem ardentem; et postquam illuserunt eis, exuerunt eos vestimentis eorum, et induerunt eos igne, ed tederunt eis bibere.
85 Et cum esset sero die illa, motus terrae in Judaea factus est magnus. Petrae epitaphiorum scissae et confractae sunt in cimiteriis eorum. Monumenta eorum per Christianos aperta sunt, nec tamen ulla corpora Judaeorum resurrexerunt, sed post diem novissimum venient in prophanam infernorum civitatem, et apparebunt Lucifero et cum eo multis daemonibus. A prima autem
90 hora noctis igne domos Judaeorum consumente tenebrae factae sunt; sol occasum dedit super universam terram usque ad sequentis diei auroram. O vere beata nox, quae spoliavit Hebraeos, ditavit Christianos. O sacratissimum pascha nostrum, in quo fides incontaminato agni esu, corpore videlicet et sanguine Jesu Christi, pridie tunc refecti et a peccatorum vinculis per
95 contritam confessionem liberati, ambulaverunt in fortidudine cibi illius, ze-

65ff. interficere eos. Quem cum venisset, dedit eis unus signum dicens: ‚Quamcumque domum vobis monstravero, plena est Judeis pocioribus. Incendentes comburite. At – – –. *68* per hec. *70* nec corporibus. *71* super ea. *72* ceperunt indifferenter non. *73* suppellectile. *73* aderant. *74* amputaverunt. *80* blasphemastis *fehlt. 80a* synagoga] synagoge. *81f.* et omnes libri prophetarum Moysi cum eo et Thalmuth abque Christianorum usum usque translatum. Et plectentes struem corone de lignis ardentibus inposuerunt super capita et corpora Judeorum et illudentes eos conposuerunt eos in ignem ardentem. *84* bibere flammam cum fumo mixtam. Et cum gustassent, oportuit eos bibere. Et cum. *87* eorum] ipsorum. *87* per Christianorum manus. *87* sunt *fehlt. 89* Lucipero. *90f.* sol. dedit *fehlt. 91* sacrum. *93* fides] fideles. *94* et tunc. *94f.* per contricionem et confessionem.

70f. Matth. XXVII 35. *73f.* Matth. XXVI 51. *76* Matth. XXVII 25. *77f.* Matth. XXVI 64. *78f.* Joh. XIX 37. *80f.* Matth. XXVII 51. 161–166 Matth. XXVII 29–34. *85f.* Matth. XXVII 51–53. *89f.* Matth. XXVII 45. *92f.* Vgl. das Praeconium der Osterkerze am Karsamstag.

lantes pro domo et ecclesia Dei, et veluti leones ex ore ignem spirantes nec
infantiae nec canitiei Hebraeae pepercerunt. Concluserunt itaque omnia in
gladio et igne, paucis elegantioribus infantulis de camino ignis ardentis ab-
ductis, quos postmodum viscera misericordiae Christianorum fidelium per
regenerationem sacri baptismatis a tenebris errorum Judaicae eos sibi in filios *100*
et filias adoptivas. Namque tunc potestas tantum vilis et communis plebeculae
fortitudinis impetum quovis ingenio non poterat cohibere, quin pro ulciscenda
Dei iniuria perficerent, pro quo spiritus Domini ipsos non modo una hora,
verum uno momento ex diversis locis et longe distantibus in unitatem volun-
tatum et facta sanctae fidei congregavit. Factum est autem hoc, ut scripturae *105*
implerentur: ,Venient dies in quibus dicent „Beatae steriles, quae non genue-
runt, et ubera, quae non lactaverunt.' Dicebant enim tunc Judaei montibus
castrorum suorum: ,Cadite super nos' et collibus domorum suarum ,Operite
nos.' Sic itaque non moti poenitentia, sed desperatione in malitia, sonantibus
inter ardores ignium musicis instrumentis, quidam ex eis propriis mucronibus *110*
sua viscera et parvulorum suorum confoderunt, quidam cum Juda Christi
traditore laqueo se suspenderunt.

    Mane autem facto, congregati iurati cives et seniores civitatis consules in
praetorium, dixerunt: ,Non licet cuiquam servare ablata nec in usum suum
convertere reservata, quia pretium usurae est.' Hoc enim non ex puritate *115*
conscientiae suae dicebant, sed concussi timore regiae maiestatis, reddi singula et in praetorium reponi voce praeconica sub poena capitalis supplicii
proclamantes per vicos et plateas procurabant, data desuper publica spon-
sione, quod reportantibus detur congruum premium secundum ius requisi-
tum. Audiens autem hoc populus, qui eos trucidaverat, quod iniuste bona *120*
usuraria occupavit, poenitentia mortis ductus super praetorium pecuniam et
alia suppellectilia retulit et proiecit. Consules autem dixerunt ad eos: ,Jam
vos mundi estis, sed non omnes.' Sciebant enim aliquos ad restituendum
penitus obstinatos. Ad quos populus: ,Quid ad nos? Ipsi videbunt.' Et omnis
turba Christianorum, qui simul adherant ad spectaculum, hoc et videbant, *125*
quae fiebant, percutientes Hebraeorum cadavera, revertebantur. Et qui prae-
missa vidit, testimonium perhibuit, et verum est testimonium, et ille scit, quia
vera dicit, ut es vos credatis. Facta autem sunt haec ab incarnatione Domini

---

99 postmodum] post.   *100* errorisque Judayce perfidie ad lucem vere et orthodoxe
fidei perduxerunt constituentes eos. *102* quin quid. *103* ipsos *fehlt.* *104f.* unitatum
voluntatem. facta *fehlt.* *107* quae] que. *109* desperati. *110* ex *fehlt.* *111* et *fehlt.*
confoderunt] effoderunt. *116* reddere s. e. i. p. reponere. *117* preconia. *120* iuste.
121 occuparet. *121* penitencia ductus super pretorium mortis pecuniam. *123* resti-
tuendum] restitucionem. *124* obstinatos] obscuratos. *125* aderant. *128* autem *fehlt.*

106 Luc. XXIII 29f.   *113* Matth. XXVII 1.   *114* Matth. XXVII 6.   *120f.*
124 Matth. XXVII 3f.   *122* Joh. XIII 10.   *124f.* Luc. XXIII 48.   *126f.*
Joh. XIX 35f.

nostri Jesu Christi anno M. trecentesimo octuagesimo nono. Altera autem die,
130 quae est tertia dies sabbati, post occidium Judaeorum convenerunt principes,
sacerdotes et optimates civitatis cum plebe, senes et iuvenes, mulieres et
virgines, monachi, latrones pariter et meretrices ad locum excidii sero facti,
cumque intuerentur innumera Hebraeorum nuda cadavera per domos et plateas in stationibus iacentia et in suis membris diversimode mutilata pariter
135 et adusta, inito consilio, ne ex usuraria pingwedine aeris corruptio inficeret
civitatem, statuerunt, ut quidam indigentes et egeni Christiani, tamen pretio
appretiati, comportatis omnibus cadaveribus in cumulos, quae ignis nondum
consumpserat, eadem in cineres redigerent igne forti, adiunctis etiam illis, si
quos adhuc vivos in latibulos reperissent. Et factum est ita. Eademque die et
140 aliis post hoc sequentivus plurimi utriusque sexus infantes et Hebraei proprio
ipsorum desiderio baptisantur, cum quibus et una Judaea antiqua, quae post
regenerationis lavacrum suo retulisse dicitur confessori, quod beatam virginem Mariam, genitricem Domini nostri Jesu Christi, stantem viderit supra
portam Judaeorum. Hi baptisati praedicabant Christum, dicentes: ‚Vere, qui
145 crucifixus est, filius Dei erat.' Illi autem, qui vivi post ferrum et ignem remanserunt, reclusi sunt captivi in praetorio. Quod videntes Christiani, moventes
capita sua, dixerunt: ‚Vach! qui Christum lapidastis, domus vestrae destructae
sunt, quae vix in tribus aut in triginta annis aedificabuntur.' Communis autem
populus Christianorum, laborantes continue in Judaea pro inveniendis the-
150 sauris, lapidem supra lapidem non dimiserunt. Consules autem, cum haec
percepissent, dixerunt: ‚Necesse est, ut talibus occurramus, ne cum rex ad-
venerit (quia in Egra fuerat his diebus), dicat, nos nihil fecisse ad ea, ut sic
novissimus error non sit peior priore.' Collegerunt igitur multitudinem gen-
tium armatorum et dixerunt, eis: ‚Ite et custodite, sicut scitis.' Illi autem
155 abeuntes muniverunt Judaeam, signantes valvas, cum custodibus.

129 anno eiusdem mille trecentessimo octuagessimo nono. *130* excidium. *132* et
latrones. *134* stationibus] stercoribus. diversimodis. *135* inito] en isto. *136* inficeret]
insisteret. *136* tamen] cum. *136* conportantes. *137* tumulos. *138* eadem *fehlt.*
139 Eadem itaque die. *140* proprio] pro nimio. *141* baptizati sunt. *144* Hii
baptizati. *146* videntes] cum vidissent. *148* reedificabuntur. *150* miserunt. *150*
cum] dum. *150* qua] quoniam. *155* Et sic est finis.

129f. Matth. XXVII 62. *136* Matth. XXVII 9. *144f.* Matth. XXVII 54. *146*
Matth. XXII 39f. *152f.* Matth. XXVII. 64ff.

12. ANTIHUSSITISCHE MESSEN

Überlieferung: Hohenfurt Ms. 28f. 184–187 (*H*); Rom (Vat.) Ottobon.
lat. 2087f. 237^V–239^R, für mich von Dr. F. Pelster S. J. kollationiert (*O*);
Wien 4941f. 262–263^V (*V*). Alle aus dem 15. Jahrhundert.

Veröffentlichungen: Joh. Loserth, Huß und Wiclif, Prag und Leipzig 1884,
S. 299ff. nach *V*; Ad. Franz, Die Messe im deutschen Mittelalter, Freiburg
1902, S. 759ff. nach *H*. – Vgl. Lehmann, Die Parodie, S. 86f.

Tristabitur iustus et letabitur impius in novi Wikleff solempnitate, qui se-
pultus, extumulatus et combustus in Anglia condempnatur et tamquam Deus
in Boemia adoratur.

Versus: Hus laudem eius et memoriam ad ignem defendere dignatus est.
Jessenicz et Koniprus non cessant dicere pany rach die ac nocte. Gloria eorum   5
sit tremor et malediccio in solio patris eorum Wykleff in secula secolorum.
Amen.

(Kyrieleyson et Gloria in excelsis non habent, quia ad nullum chorum angelorum pervenerunt.)

Collecta: Oremus. Omnipotens, sempiterne Deus, fac Bohemos in Bickhleff 10
heresibus sic gloriando proficere, quod ad eum in gehennam non descendant,
sed a facie ire radicitus exstirpati et combusti partem sanctorum precibus
mereantur, per omnia secula.

Epistola: Primum quidem sermonem feci de omnibus, o Jeronime, que
cepit Wiklef facere et docere usque in diem condempnacionis eius. Castigans 15
castigavit corpus eius in oleo et butiro iuxta regimen, quod patribus tuis
scripsit „Bibite et inebriamini vino in quo est luxuria". Et „Unusquisque
vestrum habeat uxorem suam a sacerdote usque ad laycum. Nullus habeat
caritatem Dei, sed tamquam bestie ambulantes pro lege naturalem inclina-
cionem et impetum babeatis. Quis enim similis bestie et quis poterit pugnare 20
contra eam? Sacerdotibus vestris decimare nolite, quia patres presbiteri et
episcopi argentum reprobum vocati nec absolvere nec excommunicare pos-

12   *1 Überschrift* in *O*: Missa yronice composita ac compilata de heretico Wikleff et
eius discipulis etc.; *in H*: Incipit introitus patronorum Bohemie.   *3* fideliter adoratur
H.   *5* Jessonitz, Chonipruz et Ruckhnizan *H*.   *5* panna yrach *O*, pann gerach *H*.
6f. in solio – Wykleff *fehlt H*.   *8f. Zusatz nur in H*.   *10–13 fehlt V*.   *12* a facie tempo-
ralis ignis *O*.   *14* Lectio actuum hereticorum *H*.   *16* iuxta regnum *V*.   *17* patribus et
Bohemis tuis *H*.   *18* vestrum *fehlt H*.   *19* sed omnes tamquam *H*.   *19f.* pro-eam
fehlt H.   *19f.* naturalis inclinacionis *O*.   *20* Eris enim *O*.   *20* et quis *fehlt V*.   *21f.* sac.
obtemperare vestris nolite *H*.   *20f.* quia-spiritali *fehlt H*.   *21* patres *fehlt O*.   *22* sunt
vocati *O*.

1f. Vgl. den Introitus des Commune unius martyris non pontificis ‚Laetabitur iustus
in Domino et sperabit in eo' usw.   *14f.* Act. ap. I 1f.   *16* Ps. CXVII 18.   *17f.* Cant.
V 1 und Eph. V 18.   *18f.* 1 Cor. VII 2.   *18f.* 1 Cor. XIII 1.   *20* Apoc. XIII 4.
21f. Judith XI 5.   *22* Jer. VI 30.

sunt, sed boni laici gladio militant spiritali. Religiosos et dyabolos cappatos diligenter exterminate, sacramenta altaris Christi quilibet vestrum conficere
25 potest." Hec et multa similia locutus est in enigmatibus Boemis patribus tuis et ipsi sequentes sanctum suum impleverunt omnia, nec preteriit Jota unum.

O virum malediccione dignum! Hic est draco rufus habens capita VII; hic est vitulus adoratus in Oreb; hic est vere serpens qui seduxit Adam; hic est qui deificat ens antilogum; hic est qui dignificat totam massam universalium;
30 hic est qui puncta indivisibilia sanctificat; hic est qui totam scripturam dampnatis erroribus coinquinat; hic est qui diabolo placuit in vita sua et fecit mirabilia pennata. Sed iam Hus regnat et gaudet in dyademate eius, cui sit malediccio et ve ter novies replicatum in secula seculorum. Amen.

Sequitur graduale: Accedite ad me omnes et facies vestre confundentur.
35 Quidam abierunt retro dicentes: „Durus est hic sermo, non possumus audire eum." Hus vero cum aliis videns spiritum accessit dicens: „Benedic, Domine, plebi tue."

Versus: Accepit malediccionem pro benediccione et gavisus gaudio magno dixit fratribus suis: „Locutus est michi Dominus de nubibus celi.
40 Sequitur allelulia: Alleluia. Germinavit spinas et tribulos, flores autem non apparuerunt, ascendit superbia in cor ipsorum et heresis velud pluvia supra singulos eorum. Alleluia. Sequitur prosa:

(1.) Olla mortis ebuliit,
canina gens esuriit,
45 cenam egit et periit
caterva Bohemorum.
Christi iugum deposuit,
Wykleph sectam elicuit,
suscepit ille, docuit
50 proterva mens eorum.

(2.) Verum expertes criminis
egenos pravi seminis
hos dentes huius carminis
turbare non aspirant,
sed mordicant vinee messis   55
fel propinantes heresis
qui tamquam morbo frenesis
tacti semper delirant.

---

23 Religiosos quoque et O. 23 et dyabolos *fehlt H.* 24 sacramentum H O. 25 potest, sub utraque specie communicamini H. 25 similia] alia H. locutus sum vobis *V,* locuta est H O. 26 sequ. omne factum suum O. 26 omnia *fehlt O.* 27 est enim H. 28 in monte Oreb H. 28 Hic est vere – 30 sanctificat *fehlt H.* 29 deificat] edificat O. 29 antilogum] analogum O. dignificat] deificat O. 29 universalem O. 31 coinquinavit O. 31 facit O. 32 pennata *fehlt H.* 32 Sed modo Ruckhnizan et Huss regnant et gaudent H. 32 f. quibus sit ve et malediccio ter novies multiplicatum H. 34 ad me omnes *fehlt H.,* omnes *fehlt O, add.* et minamini H. 35 quidam vero H. 36 cum aliis Bohemis O. videns spiritum] spiritu raptus H. accessit ad eum H. 38 Recepit H. gavisus est O. 39 michi] enim H. 41 quia ascendit H. ipsorum] eorum H. 42 Sequencia O. 43–114 *fehlt H.*

25 Matth. XIII 34. 26 Ps. IV 4. 27 Matth. V 18. 27 f. Apoc. XII 3. 28 Ps. CV 19. 28 f. Vgl. die Schriften des Realisten Wiklif, z. B. seinen Trialogus. 31 f. Ps. LXXVII 27. 34 Ps. XXXIII 6. 35 Joh. VI 67. 35 f. Joan. VI 61. 40 Eccli. XXXVI 14 und Deut. XXVI 15. 38 Gen. XXVII 12 u. 34 f. 36 f. Matth. II 10. 40 f. Gen. III 18 u. Cant. Il 12 u. 4 Reg. XIX 28. 41 Ps. LXXI 6.

(3.) Ut Hus et eius complices
60   dantes erroris calices,
     qui circumveniunt simplices,
     et nequam Austini
     Knyn, Symon, Jessenicz
                     sequitur,
     De Messlik, Habart additur,
65   Jeronymus non tollitur,
     quamvis addatur fini.

(4.) Hii iuramenta prestita,
     olim statuta condita
     dampnantes probant vetita
70   stultorum plebiscita.
     De fide pars opposita
     ostendit horum irrita
     sectam et sancta credita
     erroribus condita.

75 (5.) Conflabant tunc consilium,
     quo nasceretur prelium
     perpendi omnem filium
     fautorem veritatis.
     Et venit execucio
80   procedens a principio,
     dedit verum iudicio
     summe probitatis.

(6.) Pars reliqua condoluit,
     quod sic error invaluit,
85   exorando redarguit,
     ruinam declaravit.

Sed stantes in malicia
nolebant a perfidia
reduci, fraudis recia
nec quisquam laniavit.   90

(7.) Demum triplata nacio
     vidit quod obstinacio
     et ultima dampnacio
     hos undique vallavit.
     Vidit quod gressus improbos 95
     ad eligendum reprobos
     extrema soror A[n]tropos
     ponens acceleravit.

(8.) Mox dedit se recessui,
     ut desponsatos fastui   100
     Boemos tantum destrui
     mittendo salvaretur.
     Nam pluries vicinitas
     confect, quod pene pietas
     res viles et oppositas   105
     quassare non veretur.

(9.) Fecit, ut mandat sapiens
     nature dux compaciens,
     quod eger inobediens
     omnino reicietur.   110
     Sic torbent in illecebris,
     sic cespitant in tenebris
     et in errorum latebris,
     quis morbo victo medetur.
                  Amen.   115

Evangelium: Liber malediccionis omnium hereticorum filiorum diaboli, filiorum Wikleph. Wykleph genuit Sneuma, Sneuma genuit Stanislaum, Stanis-

51 Verbum expers O.   61 circumvenit V.   62 Augustini O.   63 Yesnitz O.   64 Do-
merzitz, Habhart addicitur O.   66 fini] frui V.   68 condita] edita O.   81 verum H.
85 exhortando O.   90 triplicia V.   93 hos] nos V.   94 Viditque grossos V.   95 ad de-
ludendum V.   101 mittendo] nutendo V.   103 pietas] caritas O.   115 Evangelium fehlt
V. maledurccionis] maledictorum H.   116 Bikleff genuit Stephanum de Colonia, Stephanus genuit Suebinam, Suebina genuit Stanislaum O. Sneuma] Sinimna H, Suebina O.   171 genuit Politz, Politz O, fehlt H V.   116 Stanislaum – genuit fehlt H.

119ff. Matth. I 1 ff.

laus genuit Politz, Politz genuit Hus, Hus genuit Marcum de Grecz, Marcus
genuit Sdeniconem, Sdenico genuit Tyssnow, Tyssnow genuit Konoprum, qui
fuit baccalarius quadruplex et nequam quintuplex, Konoprus genuit Micha-
120 licz, Michalicz genuit Knyn, qui fuit pater nequicie, Knyn genuit Jeronymum
athletam antichristi, Jeronimus genuit Jessenicz usque ad transmigracionem
trium nacionum et post transmigracionem Jessenicz genuit Sdislaum leprosum, cuius contagione infecti sunt multi. Novissimis autem temporibus istis
non tantum literati fantasticis Wikleph erroribus insistebant, verum et laici
125 universaliter singuli et singulariter universi.

Symbolum: Credo in Wykleph, ducem inferni, patronum Boemie, et in
Hus filium eius unicum nequam nostrum, qui conceptus est ex spiritu Luciferi, natus ex matre eius et factus dyabolus incarnatus, equalis Wikleph secundum malam voluntatem et maior secundum eius persecucionem, regnans
130 tempore desolacionis studii Pragensis, tempore quo Boemia a fide apostatavit;
qui propter nos hereticos descendit ad inferna et non resurget a mortuis nec
habebit vitam eternam. Amen.

Sequitur sermo: ‚Sequitur patrem sua proles.‘ Karissimi, volens antiquis
patribus connumerari digne lauream obtinendo debet horum sentencias imi-
135 tari ore et opere profitendo. Hinc est, quod Wykleph patrem vestrum non
videbitis in eternum nisi viam legum eius ambulare curaveritis et approbare
duxeritis iuxta thema ‚Sequitur patrem sua proles‘. Sane Wykleph pater
vester est. Numquid enim pater tuus est qui creavit et possidet te? Eius
supersticiosa vanitas est vobis evangelium. Eius heretica pravitas est vobis
140 tamquam lac cdotrine salutaris. Eius lex et constitucio sunt vobis loco precep-
torum Dei. Studeatis ergo vestigia pedum eius sectari, ut de vobis verificetur

---

117 de Grecz *fehlt O.*   *118* Czdenckonem, idem *O,* Zinkhonem, Zinkho *H.* Tis-
nonem, Tisno *H,* Cisnan, Cisnan *O.*   *119* Koniprus *V,* Chanoprum *H.*   *120* fuit]
erat *H.*   *119* bacc. quadruplex *fehlt V.*   *119f.* Chanoprus autem genuit Jacobellum
qui fuit primus nequicie, Jacobellus autem genuit Hussonem, Husso vero genuit Ma-
ram, Maras autem genuit Jeronimum, Jeronimus autem genuit Jessenitz et socios eius
usque ad transmigracionem multarum nacionum, Jessenitz autem genuit Dissnomum
leprosum, cuius contagione infecti sunt multi Bohemi, Dissnomus autem genuit Ruckhnizan ex ea que fuit prostibuli Pragensis rectrix *H.*   *120* Michelotz *O.*   *120* omnis nequicie *O.*   *121* Yesnitz *O.*   *122* post transmigr. trium nacionum *O.*   *122* Gesslitz *O.* Cys-
laum *O.*   *124* verum et layci universaliter singuli sequaces Hussonis, obtusos habentes
oculos, quos Deus ob suam infinitam misericordiam et ferventem nostram depreca-
cionem illuminet luce claritatis, ut eclipsis fidei ipsorum radicitus exstirpetur, pre-
stante hoc qui vivit et regnat in secula seculorum. Amen. *H.*   *126* patronum] patrem
O.   *127* nequam nostrum] inique combustum *H.*   *127* conceptus est ex Lucifero *O.*
127f. Luciperi *V.* natus ex matre eius Rach *H.*   *128* et *fehlt H.* dyabolus *fehlt V.*   *130*
a fide katholica *H.* nos] vos *H O.* propter vos hereticos et propter vestrum errorem *O.*
131 infernos *H.* a mortuis in finalem iudicium *H.*   *133–189 fehlt H.*   *133* Sermo bonus
V.   *134* digna *O.*   *135* confitendo *O.*   *137* duxeritis *fehlt V.*   *138* tuus] vester *V.*
140 Eius ordinacio et constitucio *O.*   *141* ergo] igitur *O.*

133 Ecloga Theoduli v. 105.   *138f.* Deut. XXXII 6.

illud scripture: ‚Quorum os malediccione et amaritudine plenum est‘, et per
vos dicere possitis: ‚Peccavimus cum patribus nostris iniuste‘ etc. Magnificate
ab oriente in occidentem nomen eius, dicentes: Non est Deus preter Wycleph,
Deum nostrum. Ipse est qui fecit mirabilia pennata. Glorificate filium eius 145
Hus, dicentes: Inquinate sunt vie illius in omni tempore. Extollite totam
turbam Wiklephistarum, dicentes: Hic est populus perdicionis, gens dure cer-
vicis, conventus malignancium, turba Judeorum, exercitus Pharaonis. Op-
tetis vobis plagas eiusdem, ut sic equaliter expurgati a facie ad faciem merea-
mini patrem vestrum. Non eciam latere oportet, quod erat principium heresis 150
Boemorum atque cuiuslibet secte singularis origo. Dyabolus enim suis subditis astutis unam personam bravium tantum aggrediens et persuadens aliquo
erroris laqueo involvit et ad id ipsum defendendum multipliciter armat. Quo
facto eadem persona eiusdem artificis cooperacione aliam inficit et sic consequenter usque quam plures illius fellis gustaverunt et tunc spe multitudinis 155
animati sese manifestant et singulis palam exponunt, quod prius absconditum
observabant. Ultimo se fidei fore meliores credentes nituntur contradictores
supprimere per potenciam et persuasionem terrere vel quomodolibet aliter
exterminare. Tunc primo gloriantur adinvencionibus suis et putant se angelis
sanctiores. Hoc dico probabiliter, cetera gracia eutropologie. Rursus ad pro- 160
positum redeundo congratulamini Wikleph, hereticum vestrum, adorantes.
Ipse est enim lux oculorum vestrorum et lucerna pedum vestrorum. Vos estis
opera manuum suarum, quia circa Luciferum genuit vos. Exultate et gaudete, quia merces vestra magna est apud eum. Ivit enim parare vobis locum,
qui promissus est diabolo et angelis eius. Quare secum gloriari volentes debent 165
suis doctrinis incessanter insistere contradictores inpugnando iuxta principium: ‚Volens antiquis patribus connumerari condigne lauream obtinendo
debet horum sentencias imitari ore et opere profitendo.‘ Ad quod sequitur
thema premissum ‚Sequitur patrem sua proles‘. In quibus verbis patronus
Boemie, precursor antichristi, Wykleph, pater vester, tripliciter recolitur. 170

142f. plenum est, veloces pedes eorum ad effundendum sanguinem O.   142 et] ut O.
150f. iniuste egimus, iniquitatem fecimus O.   144 dicens O.   149 plagas fehlt O.
equaliter] aliqualiter V.   151 singularis origo fehlt V.   151 Ergo diabolus V.   151f.
subtilibus astuciis O. bravium fehlt O.   153 armavit O.   163 infecit O.   154f. conse-
quenter] communiter V.   155 usque quo V.   155 illud fellis gustaverint et sic pre
multitudine et fortitudine armati O.   156 palam] pallium O.   157 fore] forme O.   157f.
contradictoriis vel quemlibet alium exterminare. Tunc O.   159 in advencionibus O. ut
putant V.   160 Hoc dico probabiliter tetragram eutropologie V.   163 quia fehlt V.
165 gloriantes V. incessanter] iugiter O.   166 insistere contra doctores in fugando
iura principum V.   167 condignam O.   168 profitendo] perficiendo V, promittendo O.
169 patronus] proposicione V.

142 Ps. XIII 3.   143 Ps. CV 6.   144 Deut. IV 35 und Ps. XVII 32.
144f. Ps. LXXVI 15 u. LXXVII 27.   146 Joh. XI 4; 1 Cor. VI 20.   146f. Ps. X 5.
147 Exod. XXXII 9, XXXIII 3, 5, XXXIV 9.   156 Ps. LXIII 3.   172 Prov. XV 30.
Ps. CXVIII 105. Matth. V 12.   162f. Ps. CI 26 u. Ps. CIX 3.   163f. Joh. XIV 2.

Primo in doctrine sue vigorositate, quia ‚sequitur‘. Qui enim aliquem sequitur, vi eius attrahitur. Secundo in docendi auctoritate, quia ‚patrem‘. Pater enim filio maior est. Tercio in auditorum disciplinabilitate, quia ‚proles‘. Filius enim obediens gaudium est matris eius. In primis duobus commen-
175　datur ipse Wikleph. Nam eius doctrina fuit efficax et vigoris plena, quod a signo ostendi potest. Tota enim Boemia delirat eius aceto inebriata et non solum clerus sectam sibi disponit, sed et laicus quilibet aberrat tamquam a vino crapulatus. Unde velud magnes insensibili quadam virtute sibi ferrum attrahit, sic eius doctrina quedam secreta diaboli violencia innumerabilis sub-
180　vertit, quare iuste dicitur vigorosa. Secundo ex auctoritate docendi recolitur. Fuit enim a diabolo informatus, animatus et approbatus, ut secum dicere dignaretur: ‚Ascendam ad aquilonem et similis ero altissimo.‘ Vir magnus et autenticus erat, qui magnum luminare diei parvo luminari noctis suppeditavit. Fecit enim papam Cesare potestate in omnibus inferiorem et consequenter
185　clerum layco viliorem, quare ‚autenticus‘. Tercium convenit vobis: Vos estis enim dispositi ad heresim acceptandam, parati ad exequendum et animosi, ymmo pertinaces et obstinati ad defendendum. Quare merito discipuli Wikleph dici potestis. Cuius gloria vos accipiat et tribuat vobis omne malum excogitabile nec plus vel minus uni quam alteri, sed equaliter cuilibet summe
190　malum ein scula seculorum. Amen.

　　Offertorium: Amen, amen dico vobis. Maledictus a Deo, qui exasperat matrem suam; heresis, qua diabolo regenerati estis, mater vestra est. Exterminate mulierem extraneam, que Christianorum fides dicitur, tamquam adulteram a cubilibus vestris, dicit Wykleph deus vester.

195　　Secreta: Quesumus, Domine sancte, fraternitatis collegium perversum in omni molestia mentis et corporis confirma, ut opera manuum suarum consequantur retribucionem, ut hii mereantur triligneo celo perfrui, corporibus fluminibus involutis, super rotas membratim concussis elevari aut alias morte mala finire, ut post huius vite ergastula angeli eorum reliquiarum suarum
200　devoracione letentur, per omnia secula seculorum. Amen.

　　Sanctus: Planctus, planctus, planctus dominus Wycleph Scarioth. Pleni

171 in *fehlt V.　171* aliquid *V.* eius *fehlt V.　173* enim *fehlt V.* in auditorum] mandatorum *V.　174* est *fehlt V.　175* vigore *O.　177* disponit] desponsavit *O.　182* dignetur *O.*
182 Vir] Vere *O.* qui] quia *O.　182* suppeditat *O.　184* Cesare] cessare *O.* consequenter] communiter *V.　185* Vos *fehlt O.　186* parati] periti *O.　188* dicere *O.　189* inexcogitabile *O.* nec plus nec minus *O.　190* aspernat *V.　191* heresim *H.* mater enim *H.*
193 dicitur] dei *V.　194* a] et *O.* a cubilibus vestris *fehlt H.　195–200 fehlt O. V.　201*
dominus] canimus *V.*

172 f. Joh. XIV 28.　*174* Prov. X. 1.　*178 f.* Ps. LXXVII 65.　*182* Js. XIV 14.
182 f. Gen. I 16.　*190* ‚amen, amen, dico vobis‘ biblisch.　*190* Eccles. III 18.
192 Prov. II 16 u. VII 5.　*194* Mich. II 1.　*201 f.* Vgl. die nach der Praefation vom Chore gesungenen Worte: ‚Sanctus, sanctus, sanctus, Dominus Deus Sabaoth.
Pleni sunt coeli et terra gloria‘ usw.

sunt celi et terra heresi tua. O sedens in profundis, maledictus qui venit nu-
mine diaboli, o sedens in profundis.

Agnus: Magne Dei oblatrator, qui colis peccata mundi, dona Boemis requiem tuam sempiternam. *205*

Communio: Propter veritatem et iusticiam non aperuit os suum, propterea
unxit eum. Dominus oleo tristicie pre consortibus suis.

Complenda: Omnipotens sempiterne Deus, fac Wikleph solempnitatem
fideliter peragentes nec non secum in fide communicantes eius glorie parti-
cipes cuilibet iuxta collectum manipulum condignum premium largiendo. Per *210*
Dominum etc.

Conclusio: Ite maledicti, missa est. Ve secundum omnem valorem, Amen.

13. EROTISCHER GRAMMATIKBETRIEB

Überlieferung: München lat. 6432f. 86ᵛ saec. XIII (*F*); München lat.
18628f. 70 saec. XIII/XIV, die 3 ersten Zeilen mit musikalischen Zeichen (*M*).

Veröffentlichung: W.Wattenbach im Anzeiger für Kunde der deutschen
Vorzeit. XXII (1875) S. 149f. nach *M*. – Vgl. Lehmann, Die Parodie,
S. 107f.

Scribere clericulis
paro novellis omnibus
per hoc tempus vernale.
Renunciemus emulis
5 nostris sevis doctoribus.
Ad me, scolares, currite
et hoc lete suscipite,
quod scribo, doctrinale.

Non posco manum ferule,
10 non exigo sub verbere
partes orationis.
Proiciantur tabule,

queramus, quid sit ludere
cum virginale specie,
15 que primule, non tercie
sit declinacionis.

Jam tempus est cognoscere
quid feminini generis
composita figura;
20 quid sit casus inflectere
cum famulabus Veneris;
quid copula, coniunctio;
quid signat interiectio,
dum miscet cruri crura.

202 sedes *O. V.* 202 numine] in nomine. *V.* 203 sedes] *fehlt O.* 204 Vgl. in den
Missae pro defunctis: ‚Agnus Dei qui tollis peccata mundi, dona eis requiem sempiternam.' 204f. qui tollis dona mundi, Bohemis penam tuam sempiternam *H.*
206 *fehlt V.* 209 fidele *O.* 209 secum] cum eo *H.* 212 Ve – amen] Deo gracias *V,*
Schluß verstümmelt H.

13 *1* En scribere *F.* *10* nec exigo *F.* *14* virinali *F.* *15* que prime et que tercie *F.*
17–24 nach 25–32 F. *20* casum *F.* *22 fehlt F.* *24* commiscens cruris *M.*

25 Sunt silve resonabiles
   philomenosis cantibus,
   iam flores sunt in pratis;
   sunt virgines placabiles
   nostris novis amplexibus.
30 Que cuius modi, discite,
   cuius sint forme, querite,
   cuius sint qualitatis.

   Et prima coniugatio
   cum sit presentis temporis,
35 hec: amo, amas, amat
   sit nobis frequens lectio.
   Scola sit umbra nemoris,
   liber puelle facies,
   quam primitiva species
40 legendam esse clamat.

   Dum ad choream tenditur
   gradu pluralis numeri;
   dum cantu conclamatur;
   dum sonus sono redditur,
45 iungatur latus lateri,
   quod fixum sit vel mobile,
   quod Veneri flexibile,
   dum cantu conclamatur.

   Hic instat disputacio,
50 vincant promissis precibus,
   non tandem ludo pari
   amoris sit relacio,
   sit fervor in amplexibus,
   dum demum verno tempori
55 iam pratis, campis, nemori
   potestis colluctari!

14. DIE GESCHICHTE VOM EHEBRECHERISCHEN MÖNCH

a) Ältere Fassung

Überlieferung: Bésançon Bibl. publ. Ms. 592f. 3ᴿ–5ⱽ saec. XV (*B*; Abschrift von Dr. Jak. Werner); Cambridge Trinity College Ms. 1149 (O. 2. 45) p. 344–346 saec. XIII (*C*; Photogr. von W. M. Lindsay geschenkt); Oxford Bodl. Ms. A. 44 saec. XIII (*O*; Photogr. von E. A. Lowe geschenkt); Rom Vat. lat. 1904f. 52ⱽ–53ᴿ saec. XIII (R; Photogr. von P. F. Ehrle geschenkt).
Veröffentlichung dieser Fassung fehlte bisher. – Vgl. Lehmann, Die Parodie, S. 121 ff.

De cuiusdam claustralis dissolucione et castracionis eventu, fratres illustrissimi, parumper disserere cupiens ad reverentiam vestram subsistere dignum duxi et ideo loqui prohibeor, eius tamen innum eratis animatus excessibus

---

26 philomenarum *F.*   *28* placabiles] hic abiles *F.*   *29* vestris novis doctoribus *F.*
32 vel cuius qualitatis *F.*   *33–56 fehlt F.*

14   *1* monachi claustralis *B.*   *1f.* fratres – *1* earum] dicere cupio de quodam monacho *C.*   *1* dissolucione – eventu] vita et moribus *B R C.*   *1* literatissimi et illustrissimi *B.*
2 paurumper *R.*   *2–7* ad – est ille] vobis edicere cupiens ob hoc reverenciam vestram subsilere dignum duxi, eius tamen provocatus exessibus avido procedente affectu totus affluo et ideo tacere non possum, quia ille *B.*   *3* duco *R.* innumeris *R.*

avido incedendi affectu totus estuo et ideo tacere non possum, verumptamen
tante professionis prerogativam convitiis vel insultationibus exacerbare turpe 5
est et ideo loqui prohibeor. In hoc tamen transgressore, quia lesi ordinis
inpunitas crimen est non reverentia, ideo tacere non possum. Hic est ille qui
visitavit puellas et viduas in fornicatione earum, qui concepit in corde suo
immissiones per angelos malos et extendit ad iniquitates manus suas et dixit
,hereditate possideamus sanctuarium Dei'. Hic est ille qui fecit mirabilia 10
magna solus, qui fecit scelus in intellectu, qui firmavit se super aquas et fecit
itinera magna peragrando solum in potestate diei et violavit puellas in potestate noctis, qui divisit merum rubrum in divisiones et eduxit offas per medium eius et excussit rationem et virtutem eius in mero rubro, qui transduxit
populum suum per desertum et percussit leges multas et occidit reges fortes, 15
Seon regem Amorreorum et Og regem Basan et ideo tacere non possum.

Peragrante quidem memorato monacho obediancialia sua sepe et multum
quodam forte die introspiciens in domum cuiusdam viri de optimatibus pro-
vincialium vidit mulierem ornatam monilibus circumamictam varietatibus
composita et circumornatam, ut similitudo templi. Que tamen senio anti- 20
quata arte iuvat faciem nec rapinam arbitrata est se esse equalem virgini,
super quam nullus hominum sedit. Crines eius crines Apollinis, sed tamen

4 procedendi R. estuo] incaleo R.   5 conviciis R.   7 f. In – quia] tamen quia intragres-
sore tanto R.   7 inpunitum R.   8 f. qui – earum *fehlt* R, qui visitavit pupillas et viduas
in fornicacionibus B, *hinter* sanctuarium Dei, oben Z. 10.   8 concepit] cepit C.   8 in
corde suo *fehlt* B R C.   9 immissiones] immissionem C, visiones B.   9 iniquitatem C R.
10 ille *fehlt* C.   11 aquas] equas C O R, equas bipedas C. et] qui B C R.   12 peragrando]
vagando B. et *fehlt* C.   11 solus B.   12 et violavit] vina et O, qui violavit B.   12 f. potestatem R. obscuritate C.   13 qui] Hic est ille qui R, et C. merum] vinum B C R.
13 et ed.] qui ed. B.,   14 et exc.] qui exc. B. rationem et *fehlt* C. rationem] potationem
suam de vino aquatico B, eius suam C., *fehlt* R.   14 et virtutem – 16 Basan *fehlt* B.
14 qui – 16 Basan *fehlt* C.   14 mero] vino C.   14 qui transduxit] Hic est ille qui tra-
duxit R.   15 populum] poculum R. disertum O. et percussit] qui destruxit R. reges] greges
R.   16 Seon] sed non O.   16 et Og] nec Og O, nec hoc R. Basam R.   17 pergente quodam C, quidem *fehlt* R.   17 f. Quadam vero die monacho memorato ab obediencia sua
respexit forte in domum cuisdam viri de optimatibus provincie B.   17 obedientiam
suam R, ab obedientia sua B. C.   17 sepe et multum *fehlt* R.   18 quadam die C. R.
18 introspiciens] respexit R. in *fehlt* R.   20 f. de opt. prov. *fehlt* C.   21 et vidit R.   21
monilibus suis R.   19 et circumamicta C, circonamictam varietate R.   20 in simi-
litudinem templi R.   19 mulierem sedentem speciosam valde in vestitu de aurato
circumamictam B.   20 vidi ibi R.   20 composita et circumornatam *fehlt* C.   20 ornatam B.   20 f. Que antiquata] Que octoginta annos habens a nativitate sua antiquata R.,
XL annos habentem a nativitate sua que antiqua B.   20 que – 29 rutilant *fehlt* C
21 iuvabat B.   21 rapina B.   22 sedit nisi centum XL quatuor milia ex omni nacione
que sub celo est, et breviter lutimus psalmus post me quicumque volt B.   22 Crines –
29 rutilant *fehlt* R.   22 crispali B.

7 f. Jac. I 27.   9 Ps. LXXVII 49.   9 Ps. CXXIV 3.   10 Ps. LXXXII 13.   10–18
Ps. CXXXV 4–16.   17 Is. LX 10.   19 Ps. XLIV 15.   19 f. Ps. CXLIII 12.
20 Phili. II 6.   21 Marc. XI 2.

calamistro crispari studuit, de colore crocum consuluit; frons candore lilia
figurat, sed tamen fido parum de tali lilio quo non regnat, cum cessat unctio;
25 arcuata sunt supercilia, sed tamen frequenter es depilatorium surgit Deus in
adiutorium; oculi sui oculi columbarum, set tamen est patrantis ocelli fractio
impudici cordis argumentatio. Et erat facies electri species, set tamen candor
hic candoris conscius et rubori rubor obnoxius et tument modice labella rosea,
set tamen suffuso minio in vita rutilant et dentes veterum genarum ratilant.
30 Monachus vidit et invidit, accessit et dixit: ,Domina postquam vidi te, factum
est cor meum tanquam cera liquescens in medio ventris mei, quia facies tua
incendit animam meam, set tu domina succurre mihi, quia crucior in hac
flamma'. Que stetit et ait: ,Quam dulcia faucibus meis eloquia tua super mel
ori meo. Si dictis facta compenses, tuis obtemperabo mandatis nec renuntiabo
35 muneribus.' Erat enim valde compatiens et super lascivos pia gestans viscera.
At ille dixit: ,Semel iurabo tibi in fidei pignore, quia que procedunt de labiis
meis non faciam irrita. Dextera tua repleta erit muneribus, quia ego dives
sum agris, dives positus in fenore nummis et substancia mea in inferioribus
terre et possessionis mee non est numerus, promtuaria mea plena, eructancia
40 ex hoc in illud, oves mee fetose in egressibus suis, boves mee crasse. Numerabo
tibi pecuniam inestimabilem, si nocte adimpleveris vota cordis mei, quia
amore langueo.' Illa vero conservabat omnia verba hec conferens in corde
suo. ,Quod petis', inquit, ,faciam. Viro meo propinabo plenius lavabitque

---

23ff. de colore consiluit theocum (?) fraus candore figurat lilia, sed fida parum de
tali libro quod non regnat, quod non cessat; antica erant supercilia, sed frequenter
per depilatorium Deus in adiutorium; oculi sui columbarum, sed erant vagantes ocelli
impudici cordis agnicio et erat facies *B.* *27f.* electri – candoris] illustris specie et candor est candorum *B.* *28* rubori] ruborum *B.* *28* rosea *fehlt B.* *29f.* set – monachus]
sed fusa. Quid plura? Induta specie puella vetulam annos teneros intravit. secula *B.*
30 monacus *R.* *30f.* Monachus – – – accessit ad eam *C*, qui accessit ad eam et dixit ei
B. *30* O domina *R.* postquam vidi te] quam cito te vidi *B.* *32* animum meum *R.*
32f. quia – meam] quia delectasti me domina in factura tua *B.* *32* tu] o *B.* mihi] ei *O.*
crucior] uror *C.* *33* flamma] flamma, et si voluntatem meam adimpleveris, quitquid
pecieris dabo tibi *B.* *34* conpenses, faciam quod hortaris nec renuntiabo muneribus
R. compenses faciam que hortaris n. r. m. *B.* *34* mandatis] preceptis *C.* *35* Erat
autem monachus valde *C.* *35* lascivos] iam dictae. *36* At ille dixit] Monachus dixit
ei *B.* *36* Et dixit *C.* *36* iuravi *B*, iuro *C*, semel *fehlt C.* *37* in fide quod dextera
mea repleta est muneribus *C.* *36f.* quia que procedunt – irrita *fehlt C.* *36* ego *fehlt*
B R. *37f.* sum dives in agris et dives *C.* *37ff.* dives sum valde et possessionis non est
numerus, dives sum in agris, dives positis in fenore nummis et substancia mea in inferioribus terre. Dinumerabo tibi pecuniam innumerabilem *B*, dives sum in possessi-
onibus et fenore et substantia mea in i. f. t. inestimabilem tiba dabo peccuniam *R.*
37f. quia ego sum dives in agris et dives in nummis et possessionis mee non est numerus
C. *38* interioribus *O.* *41* hac nocte *B*, nocte hac *R.* vota cordis mei] voluntatem meam
R. *42–45* Illa – potabo te *fehlt B.* *42* observabat *O.*

30 Ez. I 4. *38* Ps. XXI 15. *32* Luc. XVI 24. *33* Ps. CXVIII 103 f. *36* Ps.
LXXXVIII 36. *36* Ps. LXXXVIII 35. *36* Ps. XXV 10. *38* Ps. CXXXVIII 15.
39 Ps. CXLIII 13f. *41* Cant. II 5. *41f.* Luc. II 51.

vino gulam suam et sanguine uve palatum suum et inebriabitur ab ubertate
domus sue et torrente voluptatis tue potabo te. Recede paululum, donec 45
inclinetur dies, et ponens tenebras latibulum tuum veni, domine, et ne tarda-
veris, cooperto capite, oculo vaganti, pede inoffenso, manu tamen non vacua.'
Ille vero gavisus est gaudio magno valde et dixit: ,Gaudeo plane, quia voti
compos effici merui. Modicum dico et iam non videbis et iterum modicum et
videbis, quia vado ad fratres meos et iterum videbo vos et gaudebit cor 50
vestrum. Peto tamen osculum, donec optata veniant.' Inpressis igitur osculis
et valedicto recessit ille securus et gaudens et per mille meandros vulpinos
fecit amfractus moras caliginis arguendo. Tandem sepulto sole venit ille secundum quod didicerat ab ea tempus et horam et locum, per angustam frondosi virgulti semitam ad thalamum usque pervenit, quod querit invenit. Pul- 55
santi aperitur, intravitque cum ea, apertisque oculis nil videbat, ad manus
autem trahebat illum et introduxit in cubiculum suum et cecidit in amplexus
eius. Sed ut flagrantius urat amantem, suspirat, fremit et resilit dicens:
,Religio tua abominatio est mihi et habitum hunc odivit anima mea, quia,
si sustinuero te, infernus domus mea est et ideo volo tibi comisceri.' At ille 60
concussis cito visceribus ait: ,Domina, si laborem fastidis, accipe forulum hunc
decem marcarum laboris precium. Si religionem causaris, subiecta esto michi
et ego ponam me inter te et Deum.' Illa vero satisdatione percepta dedit

45 tue] sue O, potabor R. Domina dixit ei ,Recede etc.' B.   45f. donec inclinentur diei
umbre ponentis in tenebris lectulum meum, tunc veni et noli tardare B.   47 cooperto
capite incedens R.   47 oculo circumspiciente B.   47 tamen fehlt B.   48f. Ille – plane]
Monachus dixit ei ,Gracias tibi ago, domina' B.   48 est fehlt R. valde et fehlt R.   48f. quia
compos mei effici merui B.   49f. Modicum – vestrum fehlt R.   49 dico fehlt B. iam fehlt B.
49f. non videbis me et gaudebit cor meum quia vado ad fratres meos, iterum modicum
et videbis me et gaudebit cor tuum, quia dextera tua repleta erit muneribus, sed, o domina, osculum peto B.   51 Oscula tantum peto R.   51f. veniant. Domina dixit ei
,Ecce ancilla Domini' ,fiat michi secundum verbum tuum'. Expletis ergo osculis et
dicto Vale recessit B. 51 igitur] ergo R.   52 Per und meandros fehlt B.   53 fecit amfractus
fehlt R., fecit amictus nachgetragen R, anfractus per claustrum moras etc. B.   53 venit
ille fehlt B, ille fehlt R.   54f. secundum locum et tempus quod didicerat ab ea et per
angustas frondosi R, secundum quod didiscerat ab ea locum, tempus et horam per
semitam frondosi B.   55 semitas usque thalamum R.   55f. et pulsanti B.   56 intravit
igitur R.   57 illum domina trahebat B. et introduxit non in Damascum, sed in cubiculum suum ceciditque in amplexus et ut forcius urat R.   58 ureret B.   58 suspirat,
tremit, fremit resilitque B, suspirat, gemit et resilit R.   66 Domine, religio R.   59f.
anima mea – ait] et tenebris stravi lectulum meum. Monachus percusso pectore ait B.
60f. At – ait] Ille vero concussis visceribus vel pocius retropend ntibus ait R.   69 accipe –
causaris] dabo tibi bursam XV marcarum precium laboris tui. Si Deum causaris B.
62f. esto michi et denudato corpore pone me etc. B.   63f. Illa – dixit: ,Domine']
Domina audiens XV marcarum precium ait B, Illa vero decem marcarum datione
suscepta dedit copiam sui dicens: ,Domine' R.

44 Gen. XLIX 11.   45 Ps. XXXV 9.   45 Job XIV 6.   45 Cant. II 17, IV 6.
45f. Ps. XVII 12.   46 Ps. XXXIX 18; Hab. II 3.   49 Joh. XVI 16.   50 Joh.
XVI 22.   51 Job XIV 6.   55 Matth. VII 8, Luc. XI. 10.   59f. Job XVII 13.

copiam sui et dixit: ,Domine, non recuso laborem, fiat voluntas tua, intra
65 in gaudium domine tue.' Eaque semel temptata secundo, tercio et quarto,
non murmur resonat nec querimonia, sed in corporalem possessionem missus
adicit opera tenebrarum, ut induat arma ioci; et erant duo molentes in carne
una in lecto uno in nocte illa, unus assumetur et alter relinquetur. Media nocte
clamor factus est. Ecce sponsus venit, ille ergo prosilit amens et extra se de
70 monaco demoniacus effectus est, in sportam vacuam se intrusit totum occul-
tans corpus preter rasi capitis supereminenciam. Ingrediente domino catervatim ruunt famuli cum gladiis et fustibus comprehendere rasum. Nemine
autem cum illa reperto dicit ad eam dominus: ,Nefanda mulier et detestabilis,
ubinam inimicus homo qui superseminavit zizania et cubile meum multa
75 maculavit perfidia, fatere vel ecce gladio peribis.' Illa vero sibi conscia ani-
mosius respondit: ,O homo, nescio quid dicis. Munda sum a semine huius,
tu videbis.' Ipse cubiculares vestes sedulo scrutatur scrutinio, invenit tandem
quesiti monachi exuvias et dixit: ,Quid adhuc egemus testibus? Opera tua
testimonium perhibent de te. O inveterata dierum malorum, quousque irruis
80 in lasciviam et faciem puellarum sumis. Lumbi tui inpleti sunt illusionibus et

64f. intra – tue *fehlt R. O. 65f.* Ea que – relinquetur] Ille autem cum ea
iacuit usque secundo et tercio, non murmur resonat, non querimonia, sed in corporalem
introductus possessionem omnia queque voluit fecit et erant duo molentes in lecto uno
una assumens et alter relinquens *R,* Monachus admissus in corporalem substantiam
exuit arma tenebrarum, induit arma lucis, et erant duo monentes in lecto uno, alter
relinquet, et alter sumet. Domina temptata semel, secundo, tercio, quarto, non murmur resonat, non perineumonia, sed corde tacito mens male conscia sustinet, monachum et peccunia. Que vox que poterit lingua retexere, monachis gaudia, sed versa
est in luctum cithara et *B. 68* Quia media nocte *O.* et ecce *R. 69f.* venit et cum eo
turba magna cum gladiis et fustibus et exierunt obviam ei, sed non cum lampadibus,
Pre timore autem venientium territus est monachus et dixit ,Domina, ubi me ab-
scondam furore viri tui?' Domina respondit ,Nescio, domine, quia non est locus in
diversorio'. Tunc inclusit se monachus in sportam vacuam *B. 69* et extra se *R. 70*
factus est intrusit se in sportam vacuam *R. 71* corpus] se *R.* totum occ. corp. *fehlt B.*
supereminenciam] eminenciam *R,* supereminentem epyphaniam *B. 71f.* Ingrediente
vero et querente monachum catervatim et sui famuli comprehendere cupientes nemine
reperto ad mulierem ait dominus *B. 73* dicit] dixit *R.* O nefanda *B R. 73* et detestabilis mulier] o detestabilis, o nequam mulier *B.* ubinam] ubi est *B,* quis est *R.* homo
interlinear R., fehlt B., ille qui *B. 74* inimicus homo qui venit ad te et seminavit
zizaniam *R. 74* zizaniam in lecto nostro et cubile nostrum multipliciter maculavit
perfidia *B. 75* vel ecce] aut iam *B. 75* Illa vero sibi conscia] domina malefacti conscia
B. 76 semine] sangine *B.* videbis] videris *B O R. 77* Ipse] Ille *R.* Ipse – dixit] Dominus
autem iniquitatem scrutans scrutinio vestes cubiculares et moniales in lecto invenit et
ait *B. 78* Opera – te *fehlt R. 79* usquequo *R. 79* quousque. *79* ruis *R.* laci-
viam *O. 80* assumis *R. 81* sunt] erunt *R.* vindemiabunt *R.*

64 Matth. VI 10.   *65* Matth. XXV 23.   *67* Rom. XIII 12.   *68f.* Matth. XXV 6.
71f. Matth. XXVI 47.   *73f.* Matth. XIII 25.   *76* Dan. XIII 46.   *77* Ps. LXIII 7.
78 Matth. XXVI 65.   *78f.* Joh. V 36.   *79* Dan. XIII 52.   *79f.* Ps. LXI 4.   *80* Ps.
XXXVII 8.   *80* Ps. LXXIX 13.

vindemiant te omnes qui pretergrediuntur viam, dii te submoveant, o nostri
infamia seculi! Nec te lateat Sathana imminere tibi tormenta, imminere tibi
penas.' Interea discurrit per thalamum querendo monachum, oculo venatur,
manu rimatur, visa tandem in angulo sporta vidit semitecti capitis epifaniam
et dixit: ,Euge, euge, viderunt oculi nostri.' Exclamaverunt famuli: ,Ubinam 85
est? Ostende nobis, Domine, et devorabimus eum. „Michi vindicta et ego
retribuam", dicit Dominus, „Malum opus operatus est in me. Sic eum volo
manere, donec veniam". Accessit ad eum et illum per capillos fortiter arripuit
et traxit viriliter nec pre magnitudinis sue mole poterat eicere demonium et
illud erat mutum. Rupto itaque capillorum manipulo nudam reliquid frontem 90
et fecit Golgota quod est calvarie locus usque in hodiernum diem, et iterum
assumpsit illum per capillos residuos et traxit illum cum manu potenti et
brachio extento et divisit sportam illam in divisiones et eduxit monacum per
medium eius et elevans allisit eum et respiciens dixit: ,Amice ad quid venisti?'
Et ille: ,Domine, dilexi decorem domus tue.' ,O immo locum habitacionis mee', 95
dicit dominus. ,Nunc autem excusationem non habes, quia ubi te invenero,
ibi te iudicabo. Misisti falcem in messem alienam, et ideo necesse est, ut
veniant scandala. Unum ex duobus elige aut auferizabo corpus tuum aut
sincopabo illud.'
    Dixerunt famuli: ,Non tantum pedes, sed eciam capud et manus.' Dixit 100

<hr>

81f. dii – seculi *fehlt R.*   82 nec] non R.   latet Sathan R.   83 interea *fehlt B.*   83
imminere tibi penas R.   Interea] igitur R, *fehlt B.*   84 discurrit quoque per
totam domum B.   83f. oculo rimatur et manu predatur tandem respexit in angulo
porte et vidit B.   84 tandem] tamen O. in angulo domus sporta R. semitecti] rasi
B. epyphaniam B, ephiphaniam O.   85 Exclamaverunt] dixerunt ei B.   85f. Ubinam – Domine] furem ostende nobis B.   86 vindictam R O.   87 tribuam B.   87f. Sic –
veniam *fehlt B.*   88 Accessit – illum] Tunc assumpsit eum B. ad eum] autem dominus
ad monacum R. illum] eum R.   88f. arripuit – traxit] arripiens fortiter extorsit R.
89 pre magnitudine molis sue R.   90 Rupto – manipulo] rapto autem per capillos B.
91 usque – diem *fehlt B.*   92 assumpsit] allusit R.   91–94 et iterum – respiciens *fehlt B.*   92 extraxit eum in manu potenti R.   94 allisit] illusit R. et respiciens
dixit] ei dicens R. tunc dixit ei dominus B.   95 Et ille] at ille R, monachus tremens
dixit ei B.   95 O – mee] sive locum habitationis tue B. dixit B.   96f. Nunc –
iudicabo *fehlt B.*   96 autem] vero R.   97 falcem tuam R, manum tuam B.   98
auferizabo corpus] exaecabo capud R.   98 scandala. Scriptum est enim: Si pes
tuus vel occulus scandalizet te, erue eum et proice a te, quia modicum fermenti
corrumpit totam massam. propter quod dico tibi: Unde aut unum elige e duobus
aut fricabo caput tuum aut simcopabo illud B.   100 dixerunt ei famuli B.   112 Non
tantum capud, sed et manus et pedes B R.

<hr>

85 Ps. XXXIV 21.   85f. Deut. XXXII 26.   86f. Hebr. X 30.   87 Ez. XVIII 18.
87f. Joh. XXI 21.   88 Job XXIII 6.   89 Luc. XI 14.   90 Matth. XXVII 33.
93f. Ps. CXXXV 12.   93 Ps. CI 11.   94 Matth. XXVI 50.   95 Ps. XXV 8.
95 Joh. XV 22.   96 Apoc. XIV 15.   98 Matth. XVIII 7.

dominus: ‚Capud nolo propter religionis sterile signum; pedes nolo, quia claustra sepissime metati sunt, sed bonum est resecare superflua que Deum offendunt et homines.‘ Et conversus ad eum dixit: ‚Modicum est fermenti quod totam massam corrumpit. Frater loculus tuus nequam es. Eruam eum

105 et proiciam abs te et, cum simplex fuerit, totum corpus tuum lucidum erit.‘ Dixit et facta sunt. Post ea illusit ei dominus dicens: ‚Surge velociter et collige sarcinulas tuas, percussi te in posteriora dorsi, obprobrium sempiternum dedi tibi, Vade et iam amplius noli peccare et tu aliquando conversus confirma fratres tuos, ne et ipsi veniant in hunc locum tormentorum.‘ Ipse vero con-

110 surgens pre timore pariter et dolore ignorat que facta sunt, et sicut cervus claudus saliens per ostia pomerii Iesus et tremescens ubi patent septa citissimo transvolavit saltu. Deinde quippe passu vix eo progrediente dorsum suum semper incurvat et venter eius amaricatus est, quia ubi dolor ibi digitus septus. Hec tangit et exspectavit, ut faceret uvas, et fecit labruscas. Tunc

115 humi prostratus summo crepans gutture et evigilans geminos gemit. Et factus est Rachel plorans calculos suos et noluit consolari, quia non sunt.

100–108 Dixit ei dominus: Pedes nolo, quia claustrati sunt et accedunt ad altare; manus nolo quia sacrate sunt et sacra tangunt; capud nolo quia signum sterile et religionem demonstrat, sed volo ea que Deum offendunt et homines. Nam totum corpus suum lucidum erat et factum est ita, ut adimpleretur quod dictum est per prophetam: Percussit eum in posteriora dorsi, opprobrium sempiternum dedit ei. Tunc dixit dominus monacho ‚Collige sarcinulas tuas et vade et amplius‘ *B. 102* sepissime *fehlt R. 103f.* dixit dominus: Frater, modicum fermenti est *R*, frater *fehlt R. 104* ergo eum *R. 104* cum] con *R. 105* fuerit *R. 106* illuxit *R. 108* tibi] te *R. 108* Peccare *fehlt B.* aliquando] de cetero *B.* conversus] conscius *B. 109* tuos et dic eis, ut non veniant in locum hunc tormentorum ubi est fletus et stridor dentium *B. 109* Ipse] Ille *R*, monachus *B. 109* vero *fehlt B.* consurgens *fehlt B R. 110* pariter *fehlt B. 110* sicut] quemadmodum *B 111* claudus *fehlt B. 111* ad hostia *B*, per ostium *R. 111* pomerii] virgulti *R. 111ff.* Iesus – curvat] Iesus – incurvans *O*, perpete saltu pervolavit, tandem dorsum curvant *B*, citissimos saltus pervolavit, deinde quippe passu dorsum suum semper incurvat *R. 112* Deinde] deside *O. 113* et – quia *fehlt R. 113* quia *fehlt B. 113f.* digitus septus] manus *B R. 114* Hec tangit] palpavit *R. 114* fecit autem *R. 114f.* et tunc vox in rama audita est, ploratus et ululatus multus. Monacus plorans geminos suos, noluit *R. 114f.* monachus clamabat dicens: O vos omnes qui transitis per viam attendite et videte, si est dolor sicut meus, quia dispersi sunt lapides sanctuarii, posuerunt margaritas meas aute porcos et iacent in capite platearum. Vox in claustro audita est, ploratus et ululatus multus, Rachel plorans geminos suos et noluit consolari quia non sunt, per aliam viam versus est in claustrum. *B.*

103f. 1 Cor. V 6 und Gal. V 9. *104* Matth. XX 15. *104* Matth. V 29. *104f.* Matth. VI 22. *106* Matth. XXVII 29. *106* Act. XXII 7. *106* Matth. IX 6. *107* Ps. LXXVII 66. *108* Joh. VIII 11. *108f.* Luc. XXII 32. *109* Luc. XVI 29. *110* Is. XXXV 6. *110* Dan. XIII, 17. *113* Ps. LXVIII 24. *113f.* Apoc. X 10. *113f.* Is. V 2. *115f.* Matth. II 18.

b) Jüngere Fassungen

Überlieferung: Graz Univ.-Bibl. Ms. II 260 (aus Seckau) f. 176ᴿ um 1430 geschrieben (G; Photographie verdanke ich Herrn Bibl.-Direktor Dr. F. Eichler); Leipzig Stadtbibl. Ms. CXII (Rez. II. 8. 160) f. 3–4 (Fragmente!) saec. XV (L); Leipzig Univ.-Bibl. Ms. 1250f. 32 um 1480 geschrieben (Li); Lübeck Ms. 152 f. 249ⱽ–250ⱽ saec. XV; Mailand Ambros. O. 63. sup. f. 109ⱽ (M; mir noch nicht zugänglich); Paris Bibl. de l'Arsénal Ms. 3521 f. 168ⱽ–169ⱽ s. XV (P); Abschrift von Dom A. Wilmart); Wittingau Archiv A. 7 f. 146ᴿ–148ᴿ, um 1459 in Prag geschrieben (W).

Veröffentlichung: J. Feifalik in den Sitz.-Ber. d. Philos.-hist. Kl. d. Kaiserl. Akad. d. Wiss. Bd. XXXVI (1861) S. 173 f. nach W. – Vgl. Lehmann, Die Parodie, S. 122.

Die sehr stark voneinander abweichenden Fassungen mögen einandermal veröffentlicht werden.

15. DE DILIGENDO LIEO

Überlieferung: Oxford Bodl. Add. Ms. A. 44f. 60ⱽ–61ᴿ, saec. XIII, Photographie freundlichst von Dr. E. A. Lowe (Oxford) besorgt.

Veröffentlichung fehlte bisher. – Vgl. Lehmann, Die Parodie, S. 149.

Collacio iocosa de diligende Lieo

De veteri testamento aliqua vobis memoranda proponimus, ne forte corruptis et falsatis codicibus vestris ea perperam et minus utiliter intelligatis. Moyses legem scriptam dedit populo Judaico et hoc tabulis lapideis, quia duri et lapides erant. Nos vero tenemus legem non in lapide scriptam, sed in tabulis 5 cordis carnalibus inpressam secundum apostolum carnalia carnalibus compensantes. Et ne verbositate vos et diem detineam, de thesauro nostro haurite nunc et in tabulis cordis vestri cum aromatibus bone voluntatis sepelite et condite.

Primum et precipuum mandatum est: Diliges dominum Lieum ex toto ore 10 tuo et ex toto ventre tuo et ex omnibus visceribus tuis. Vere secundum superlativum mandatum et primi predicamenti supereminens generalissimum: Sit Noe benedictus a Domino, qui fecit ciphum et cannam, quoniam ipse primus plantavit vineam et inebriatus est et hec passus est pro nobis vobis relinquens exemplum, ut sequamini vestigia eius.   15

15 *5* 2 Cor. III 3. *8* Gen. L 2. *10* Marc. XII 30. *12* Gen. IX 20f. *14f.* 1 Petr. II 21.

‚Diliges‘, inquit, ‚dominum Lieum tuum‘. Dum dicit ‚diliges‘, non impera-
tivo modo dicit, sed hortativo. ‚Diliges‘ inquit, non imperat, sed prophetat
sciens, quia ‚diliges‘. Quis enim est hodie in sancta ecclesia qui Bachum non
diligat, et tanto forcius quanto est forcior. Non enim sine causa dicitur Jesus
20 aquas vinasse in Chana Galilee. Apostolus Paulus Timotheo scribens precipit
vinum bibere propter stomachum inquit et frequentes infirmitates. Forma
dilectionis subiungitur cum subinfertur: ‚Ex toto ore, ex toto ventre‘ etc. ‚Ex
toto ore‘ dico, id est quieciore et leciore gustu, largiore et laxiore hiatu, inten-
siore et propensiore haustu vinum ingluciendo. Sequitur ‚Ex toto ventre tuo‘.
25 ‚Ex toto ventre‘ dico, ne aliquod rusticum vel bucolicum privati laris edulium
venerabilis vini venturi occupet hospicium. Et sic ex toto ventre diligendus
est, ne multiplex indigeries ferculorum, quasi quedam multitudo vilium man-
cipiorum domino venturo aut concludat introitum aut dimidiet cubiculum
aut retrudat in angulum. Sequitur ‚Et ex omnibus visceribus tuis‘. ‚Omnibus
30 visceribus‘ dico, id est visceribus que hauriunt visceribus, que ingluciunt visceribus, que inglutita suscipiunt multis et repetitis vicibus. Repetitis dico una
vice, quia una Bachi fides eiusdemque unum baptisma. Ego dico ‚baptisma‘
ad distinctionem baptismatis Johannis qui baptizavit aqua. Ego vero non
baptizo vos aqua, sed vino nec post multos hos dies, sed statim in hunc diem.
35 Bis propter duo testamenta et propter precepta cantaris. Ter quia tria sunt
que testimonium dant in cipho tenuitas, profunditas, implementum. Quater
propter quattuor mundi partes et propter quattuor qualitates humanorum
corporum et propter quattuor virtutes que circa ipsum Bachum considerantur
color videlicet, odor, substancia et sapor. Quinquies propter pentateucum
40 Moysi. Sexties propter sex ydrias quas ipse dominus vinavit in Chana Galilee.
Sepcies propter septem dona spiritus sancti. Octies propter octo beatitudines.
Novies propter novem ordines nagelorum. Sic usque decies propter decalogum
Moysi et propter annum iubeleum qui quinquagesimus erat, in quo remissio
erat debitorum, et si multiplicaveritis potaciones usque quinquagesies, erit
45 remissio poculorum sicut ibi debitorum et tunc secure poteritis accedere ad
orationem istam:
Vinipotens interne Lieus qui dedisti nobis famulis tuis in infusione vini
meracissimi taciturnitatis memoriam amittere et in potencia maiestatis vini-
tatem quas ut eiusdem vini meracissimi firmitate ab omnibus venter tueatur
50 adversis. Qui vivis et regnas per omnia pocula poculorum.

16. VERSCHIEDENE SAUF- UND SPIELMESSEN

Überlieferung: Halberstadt Domgym. Ms. 71 saec. XV (als *H* im Apparat der 2. Kolumne verwertet); London Harleian Ms. 913 Missa de potatoribus (Text meiner 1. Kolumne); London Harleian Ms. 2851 Missa Gulonis (im App. der 1. Kol. verwertet); München lat. 10751f. 204 saec. XVI (*M*; im App. der 1. Kol. verwertet); Rom Pal. lat. 719f. 50^V–51 saec. XV (R, Text meiner 2. Kol.); Zürich C. 101f. 76^R saec. XV (als *Z* im App. der 2. Kol. verwertet).

Veröffentlichungen: Th. Wright and Halliwell, Reliquiae antiquae. II (London 1845) p. 208 sqq. nach den beiden Londoner Hss.; W. Wattenbach im Anzeiger f. Kunde der deutschen Vorzeit. N. F. XV (1868) S. 134f. nach *M*; ders., a. a.O. XXV (1878) S. 316 ff. nach *H*; F. Novati, Studi critici e letterari (La parodia sacra), Turin 1889, p. 289 sqq. nach *R* unter Heranziehung der Londoner Texte und von *M*; A. Franz, Die Messe im deutschen Mittelalter, Freiburg i. B. 1902, S. 754 ff. nach *R* unter Heranziehung der Londoner Texte; J. Werner, Beiträge zur Kunde der lat. Literatur des Mittelalters, Aarau 1905, S. 160 nach *Z*. – Vgl. ferner O. Hubatsch, Die lat. Vagantenlieder S. 78 ff. und Lehmann, Die Parodie, S. 145ff.

V. Introibo ad altare Bachi.
R. Ad eum qui letificat cor hominis.

Confiteor reo Bacho omnepotanti et reo vino coloris rubei et omnibus
5 ciphis eius et vobis potatoribus me nimis gulose potasse per nimiam nauseam rei Bachi, Dei mei, potatione, sternutatione, ocitatione. Maxima mea crupa, mea maxima crupa. Ideo

Confitemini Bacho, quoniam bonus, quoniam in ciphis et cantaris est potacio eius. Et ego reus et indignus leccator.

Confiteor reo Bacho et omnibus 5a cantris eius et vobis potatoribus, quia ego potator potavi nimis in vita mea potando, sedendo, decios iactando, filium Dei periurando, vestimenta perludendo. Mea maxima culpa, mea 10a maxima culpa. Ideo precor vos fratres

16   2a est *fehlt H*.   4a–7a leccator – ego *fehlt H.*

1ff. Stufengebet vor dem Introitus im Ordo missae, Ps. XLII 4 durch Ps. CIII 15 parodierend.
16   *5–12* quia ego potator potavi nimis bibendo, ludendo, vestimenta mea perdendo. Mea crupa *Harl. 2851,* vgl. 7 a ff.

5ff. Parodie vom Confiteor.

1aff. Parodie von Confiteor u. Absolutio.   *7af.* in vita mea *fehlt H.*   *8a* sedendo] ludendo *H.* decio *H.*   *10a* perludendo] mea perdendo in cunctis poculis *H.*   *10a* maxima *fehlt H.*

10 precor beatissimum Bachum et omnes
    ciphos eius et vos fratres potatores,
    ut potetis pro me ad Dominum reum
    Bachum, ut misereatur mei.

    Miseratur vestri ciphipotens Ba-
15 chus et permittat vos perdere omnia
    vestimenta vestra et perducat vos ad
    maiorem tabernam, qui bibit et potat
    per omnia pocula poculorum. Stra-
    men.

20 Crapulanciam et perditionem om-
    nium vestimentorum vestrorum tri-
    buat vos ciphipotens Bachus. Stra-
    men. Deus tuus conversus letificabis
    nos, et plebs tua potabitur in te.
25 Ostende nobis, Domine, letitiam tu-
    am, et perditionem vestimentorum
    da nobis. Dolus vobiscum. Et cum
    gemitu tuo.

    Potemus. Aufer a nobis, quesumus,
30 Bache, cuncta vestimenta nostra, ut
    ad taberna poculorum nudis corpori-
    bus mereamur introire. Per omnia
    pocula poculorum. Stramen.

potatores, ut bibatis pro me potatore
ad doleum reumque Bachum, ut misereatur mei potatoris.

Misereatur tui vinipotens Bachus, si 15a
vult, et ducat te in bonam tabernam
et faciat te perdere vestimenta tua,
liberet te ab oculis et dentibus, manibus et pedibus; id est maledictus Decius, qui est afflictio spiritus, qui bibit 20a
et cartat per omnia pocula poculorum
Stramen.

Indigenciam dissolucionem, delusionem, perdicionem et abstractionem
omnium vestimentorum tuorum, per- 25a
severantiam in vanis operibus tribuat
tibi bellipotens Bachus, miser et dis-
cors Decius. Stramen.

Ad doleum nostrum in nomine Bachi, qui fecit ciphum et tabernam.   30a

---

20 Crapulanciam et absorbutionem *Harl.*
2851. 22 Bachus. Per talem Decium,
Dominum nostrum *Harl. 2851.*

13a ad dolium nostrumque *H. 14a* potatoris *fehlt H. 15a* vinipotens] bellipotens
H. 15a si vult *fehlt H. 18a* et *fehlt H. 18a*
pedibus et manibus *H. 19af.* id est] ille *H.*
maledictus *fehlt H. 21a* cartat] potat *H.*
23a Indulgenciam *H. 23a* delusionem
fehlt H. 24a et abstractionem *fehlt H.*
25af. persev. in van. op.] et membrorum
tuorum corrupcionem *H. 29a* dolium *H.*
30a ciphum et tabernam] Bachum *R.*

28ff. Par. Versikel aus dem Confiteor
des Ordo missae, nach Ps. LXXXIV 8.

Lugeamus omnes in Decio diem me-
35 stum deplorantes sub honore quadrati Decii, de cuius iactacione plangunt miseri et periurant filium Dei.

Versus. Beati qui habitant in taberna tua, Bache, et meditabitur ibi
40 die ac nocte V. Gloria potori et filio
Londri. Asiot, ambis asiot, treis asiot,
quins asiot, sins asiot, quernis asiot,
deus asiot.

V. Dolus vobiscum et cum gemitu
45 tuo.

Potemus! Oratio: Deus qui multitudinem rusticorum ad servitium clericorum venire fecisti et militum et
inter nos et ipsos discordiam semi-
50 nasti, da, quesumus, de eorum laboribus vivere et eorum uxoribus uti et
de mortificatione eorum gaudere. Per
dominum nostrum Bachum, qui bibit
et poculat per omnia pocula poculo-
55 rum. Stramen.

Introitus. Lugeamus omnes in doleo
diem mestum ululantes sub errore quadrati Decii, de cuius iactacione plangunt miseri et periurant filium Dei.

Psalmus. Beati qui habitant in ta- *135*
berna tua, Bache, in pocula poculorum laudabunt te. Gloria nulla fuit
mihi, cum habui in bursa nichil.
Griss, griss, hassart, heselin schantz.

Dolus vobiscum et cum gemitu tuo. *140*

Potemus! Deus qui tres quadratos
decios sexaginta tribus oculis remu-
nerasti, presta, quesumus, ut omnes,
qui vestimentorum suorum pondere
gravantur, ipsorum deciorum iacta- *145*
cione denudentur. Per doleum nostrum avumque Bachum, qui tecum
bibit et cartat per omnia pocula poculorum. Stramen.

35 celebrantes sub errore *Harl. 2581.*
46–55 Oremus. Coll. Deus qui multitudine
virtuteque vini multorum capita dolere
fecisti, tribue, quaesumus, ut qui serotina
potatione laeduntur, eadem matutinali
refocillatione recreentur. Per Bacchum
dominum nostrum etc. Stramen. Oremus.
Deus qui multitudine virtuteque vini et
cerevisiae capita hominum turbari atque
dura Thebaeorum ossa mollificari fecisti,
tribue nobis virtutem et fortitudinem, ut
qui serotina potatione laedimur, alterius
diei repotatione curemur. P. d. B. etc. *M.*

31 a Lugeamus] Rogamus *H.*   *32 a* ulu-
lantes] celebrantes *H.*   *37 a* quadrati Decii]
Decii et Bachi *H.*   *38 a* plangent *H.*
43 a dum *H.*   *44 a f.* Griss – schantz
fehlt H.   *50 a* renunciasti *H.*   *52 a ff.*
pondere quadrato decii deiectatio denudantur *H.*   *54 a* dolum *H.* avumque]
cipha *H.*   *56 a* certat *H R.*

34 ff. Par. des Introitus festi omnium
sanctorum. *38 ff.* Par. der Versikel des
Introitus, Ps. LXXIII 5 u. I 2. *40 f.* Par.
der Doxologie des Intr. *46 ff.* Orationspar. *56 ff.* und *46 a ff.* Epistel parodieren
Act. ap. IV 32 ff., VI 8 ff.

31 a ff. Vgl. zu *33 ff.* *35 a f.* Par. der Versikel, Ps. LXXXIII 5. *37 f.* Par. der In-
troitusdoxologie. *41 a ff.* Orationspar.

<Lectio ac>tuum apurtatricum. In
diebus nullis multitudinis bibentium
erat cor unum et omnia communia
nec quisquam eorum quod possidebat
60 suum esse dicebat, sed qui vendebat
spolia, afferebat ante pedes potatorum et erant illis omnia communia.

Et erat quidam Londrum nomine,
pessimus potator, qui accommodabat
65 potatoribus ad ludum, prout vestis
valebat, et sic faciebat lucra et dampna e poculo. Et eicientes eum extra
tabernam lapidabant. Deiectio autem
fiebat vestimentorum eius, et divide-
70 batur potatio unicuique, prout opus
erat.

R. Jacta cogitatum tuum in Decio,
et ipse te destruet. V. Ad dolium enim
potatorem inebriavit me.

75   Asiat, asiat.
V. Rorate ciphi desuper, et nubes
pluant mustum; aperiatur terra et
germinet potatorem.

73f. destruet. Allecia. Ad dolium cum
inebriarer, clamavi et expoliavit me. Allecia. *Harl. 2851.*

72f. Gradualpar. von Ps. LIV 23.   *83*
Alleluiapar.   *76f.* Par. des Introitus der
Adventszeit, Is. XLV 8.

Epistola. Lectio potatorum ad ebri- *50a*
os. Fratres. In diebus illis multitudo
potatorum erat in taberna, quorum
corpora nuda, tunice autem nulle.
Nec enim quisquam illorum aliquid
possidebat, quod suum esse dicebat, *55a*
sed erant illis omnia communia.

Et qui ferebant premia, deferebant
in prelia ante conspectum potatorum.
Et erat quidam claudus nomine
Drinck, videlicet leccator pessimus. *60a*
Hic autem faciebat lucra magna in
decio et dampna multa in populo.
Racionem dabat potatoribus ad ludendum et ad bibendum, prout vestes
eorum valebant.   *65a*

Graduale Jacta cogitatum tuum in
Decio, et ipse te decipiet. A doleo factum est istud, et est mirabile in bur-
sis nostris.

Alleluia, allecia. In cantro et in ci- *70a*
pho dum inebriarer, potavi, et Decius
expoliavit me. Allecia. Sequencia.

50a Lectio potatorum boni Bachi ad
ebrios *H.*   *51a* Fratres *fehlt H.*   *53a*
nuda *fehlt H.*   *56a* sed erant] erant
autem *H.* *56a* omnia *fehlt H.* *57af.* Et
qui deferebat premia, faciebat prelium *H.*
59a quidam *fehlt R.*   *60a* Drinck] Druncus
H. videlicet *fehlt H.*   *63a* Racionem] Nomen autem *H.*   *63a* lusoribus et potatoribus *H.* *64a* et ad bib. *fehlt H.*   *67af.*
decipiet facietque te perdere omnia vestimenta tua. A dolo *H.*   *68a* penale et mirabile *H.*   *70aff.* Allecia – allecia] Rorate
ciphi desuper, et cantri pluant mustum
et germinent multos plurimosque fideles
potatores *H*

66aff. Gradualpar. von Ps. LIV 23 u.
CXVII 23. *70a* Alleluia und Ps. CXIX 1
parodiert.

Vinum bonum cum sapore
bibit abbas cum priore
et conventus de peiore   *75a*
bibit cum tristicia.

Ave felix creatura,
quam produxit vitis pura,
omnis mensa stat secura
in tua presencia.   *80a*

Felix venter, quem intrabis,
felix, quicquid tu rigabis,
felix lingua, quam lavabis,
et beata labia.

O quam felix in calore,   *85a*
o quam flagrans in ardore,
o q am placens es in ore,
dulce lingue vinculum!
Supplicamus: hic habunda,
omnis turba sit facunda,   *90a*
sic cum voce nos iucunda
personemus gaudia.
Monachorum grex devotus,
clerus omnis, mundus totus
bibunt adequales potus   *95a*
et nunc et in secula.

80 Dolus vobiscum. Et cum gemitu tuo.

Frequentia falsi evangelii secundum Bachum.

Ewangelium. Dolus vobiscum. Et cum gemitu tuo.

Sequencia falsi ewangelii secundum Bachum.

81ff. und *99aff.* Parodie des Weihnachtsevangeliums, Luc. II 15–20.

73a cum sapore] et suave *R.*   *77a* creatura] gutta *H.*   *79a* mensa] bibens *H.* securus *H.*   *81aff. als 4. Strophe H.*   *81a* intrabis] es intrans *H.*   *82a* felix est quem tu girabis *H.*   *83a* lavabis] es lavans *H.* *87a* valore *H.*   *86a* fragrans in odore *H.* *87a* quam in ore *H.*   *90a* facunda] iocunda *H.*   *97af.* Dolus – tuo *fehlt H.* *99a* falsi *fehlt H.*

73aff. Par. der Sequenz ‚Verbum et suave‘.

Fraus tibi, rustice!

In verno tempore potatores loque-
85 bantur ad invicem:

Transeamus usque tabernam et videamus hoc verbum quod dictum est
de dolio hoc.

Intrantes autem tabernam invene-
90 runt tabernariam et tres talos positos
in disco. Gustantes autem de mero
hoc cognoverunt, quia verum erat
quod dictum fuerat illis de dolio hoc.
Et omnes qui ibi aderant inebriati
95 sunt de hiis quae data fuerant a potatoribus ad ipsos. Tabernaria autem
contemplabat vestes eorum conferens
in corde suo, si valerent. Et denudati
sunt potatores glorificantes Bachum
100 et maledicentes Decium.

Dolus vobiscum. Et cum gemitu
tuo.

Potemus. Offertorium. Ciphi eva-
cuant copiam Bachi, et os potatorum
105 nauseant usque ad fundamentum.

Fraus tibi, rustice!   *100a*

In illo turbine potatores loquebantur ad incicem dicentes:

Transeamus usque ad tabernam et
videamus hoc verbum si verum sit,
quod dominus hospes dixit de pleno   *105a*
doleo isto.

Intrantes autem tabernam festi-
nantes invenerunt tabernarium ad
hostium sedentem, mensam paratam
et tres talos positos in disco. Bibentes *110a*
autem Bachum cognoverunt et vide-
runt quod dictum fuerat de doleo
isto. Tabernaria autem cogitabat in
corde suo, quantum valeant vestes
illorum. Stupefacti sunt valde, divi- *115a*
serunt vestimenta sua. Reversi sunt
potatores glorificantes Bachum et
laudantes et Decium maledicentes.

Per ewangelia dicta: Der also felt,
der lit da.   *120a*

Offertorium. Dolus vobiscum. Et
cum gemitu tuo. O Bache, fortissime
potator, theos, qui de sapientibus

---

85 invicem dicentes *Harl. 2851.*   *86* usque ad *Harl. 2851.*   *103ff.* Offertorium.
O vinum fortissimum veni inebriandum
et noli tardare. Accipite enim quod vobis
paratum est ‹ab origine› vitis *Harl. 2851.*

100a Vinum tibi, rustice *H.*   *101a*
tempore *H.*   *102a* dicentes *fehlt H.*
104a–108a hoc – festinantes] an verum
sit de pleno dolio. Et venerunt festi-
nantes et invenerunt *H.*   *108a* ad] ante
H.   *109a* paratam et] preparatam per *H.*
110a Bibentes] Videntes *H.*   *111a* vide-
runt] biberunt *H.*   *112af.* quod – fuerat
fehlt H.   *113a* illo *H.*   *114af.* quantum
vestes illorum valebant. Potatores autem
stupefacti *H.*   *119af.* Per hec ewangelica
dicta: We de velt, de lyth dar.   *121a*
Offertorium *fehlt H.*   *135af.* tuo. Potemus. Officium. O Bache fortissime potatorum cohors, qui *H.*

112ff. Par. von Eccli. X 19.

121af. Wie in *Harl. 2851* Par. der O-Antiphonen.

stultos facies et de bonis malos, veni
ad inebriandum nos. Jam noli tar-   *125a*
dare!

Prefacio. Per omnia pocula poculorum. Stramen. Dolus vobiscum. Et
cum gemitu tuo. Sursum corda habe-
mus ad Decium. Gracias agamus do-   *130a*
mino reo Bacho. Merum et mustum
est.

Vere merum et mustum est potens
nos bene saciare. Nos igitur debemus
gracius agere et in taberna bonum   *135a*
vinum laudare, benedicere et predicare. Quem fodiunt miseri rustici,
quem bibunt nobiles domini et clerici,
quem venerantur devoti presbiteri,
per quem magna prelia veniunt, per   *140a*
quem sicientes potantur, per quem vita hominum restituitur sanitati, per
quem ludunt miseri, per quem cantant clerici, qui non cessant clamare
cottidie, cum inebriati fuerint, una   *145a*
voce dicentes:

Non cantatur Sanctus nec Agnus   Quantus, quantus, quantus, domi-
Dei, sed pax detur cum gladiis et fu-   nus Bachus Habaoth! Pleni sunt ci-
stibus.   phi, in mensa gloria tua. Osanna in
                                        excelsis. Maledictus qui bibit vestes *150a*
                                        amittit. Osyanna clamat in excelsis.

106ff. Sanctus enim dicitur agnus rei   *124a* fecisti H.   *128a f.* Dolus et
qui rollit talos in disco. Miserere nudis. semper corda habemus ad Decium H.
Bis. Agnus rei qui rollit talos in disco.   *133a* Vere *fehlt* H.   *134a* bene saciare]
Dona nudis pannos. Pax non datur. *Harl.*   saturare H.   *137a* fodiunt] faciunt H.
2851. 109–118 Pater noster. Potus no-   *138a* nobiles] reverendi H. *139a f.* quem
ster qui est in cypho; glorificetur nomen   – presb. *fehlt* H.   *140a* veniunt, *fehlt* R.
tuum; adveniat potestas tua sicut in scala *140a–193a fehlt* H, *dort nur:* Bachus,
et in vitro; panem pistum et album da   Bachus, Bachus. Collecta ut supra *und*
nobis hodie; et . . . . compotatoribus no- *das Schlußgebet.*
stris; et ne nos inducas in tabernam ma-
lam, sed libera nos ab illa semper. Stramen. *M.*

109ff. und *157 aff.* Par. des Vaterunsers.   *127 aff.* Praefationspar. am Schluß sich
                                                 nach der Trinitätspraef. richtend.

Per omnia pocula poculorum. Stramen.

Potemus. Preceptis domini hospitis moniti et de bono vino potati audemus dicere: *155a*

Pater Bache, qui es in cifis; bene potetur vinum bonum; adveniat regnum tuum;

fiat tempestas tua sicut in decio et in *160c* taberna; bonum vinum ad bibendum da nobis hodie; et dimitte nobis pocula nostra, sicut et nos dimittimus potatoribus nostris; et ne nos inducas in lucracionem, sed ⟨libera⟩ rusticos *165* a bono. Stramen.

Per omnia pocula poculorum. Stramen.

Fraus rustici sit semper vobiscum. Et cum gemitu tuo. *170*

Hospes Bachi, qui tollis sobrietatem mundi, da portae nobis! Hospes vini, qui habes ganam mundi, da potare nobis! Hospes bone, qui tollis pignora nostra, dona nobis *175* potum.

Pater noster, qui es in ciphis; sanc-
110 tificetur vinum istud; adveniat Bachi potus;
fiat tempestas tua sicut in vino et in taberna; panem nostrum ad devorandum da nobis hodie; et dimitte
115 nobis pocula magna, sicut et nos dimittimus potatoribus nostris; et ne nos inducas in vini temptacionem, sed libera nos a vestimento.

Communio. Venite, filii Bachi, percipite merum, quod vobis paratum est ab origine vitis. Dolus vobiscum et cum gemitu tuo. *180*

Communio. Gaudeant animae pota
120 torum, qui Bachi vestigia sunt secuti, et quia pro eius amore vestes suas perdiderunt, imo cum Bacho in vini dolium. Dolus vobiscum. Et cum gemitu tuo.

Potemus. Deus qui perpetuam discordiam inter clerum et rusticum seminasti et rusticorum multitudinem ad servicium dominorum venire precipisti, da nobis, quesumus, semper et *185* ubique de eorum laboribus vivere et eorum uxoribus et filiabus uti et sem-

---

125 Potemus. Oratio: Deus qui tres quadratos decios LXIII oculis illuminasti, tribue nobis, quesumus, ut nos, qui vestigia eorum sequimur, iactatione quadrati Decii a nostris
130 pannis exuamur. Per d.

177 aff. Par. des Agnus Dei.

per de eorum mor⟨t⟩alitate gaudere.
Per doleum nostrum reumque Ba-
chum, qui tecum bibit et cartat per   *190a*
omnia pocula poculorum. Stramen.

Dolus vobiscum etc.	Dolus vobiscum. Et cum gemitu tuo.
Ite, bursa vacua. Reo gratias.	Ite, potus tempus est. Bacho gra-cias. *195a*

O liquor optime, quam suavis es ad
potandum! Tu facis ex layco loycum
et ex rustico asinum et ⟨ex⟩ monacho
abbatem. Veni ad inebriandum et noli
tardare.   *200a*

132 Gratiarum actio.
   Christe tibi gratias,
   qui nos abunde satias
   de bonis rusticorum.
   contra voluntatem eorum
Schluß von M.

189a ff. gaudere per dolium nostrum, reum Bachum, qui vivit et potat
per omnia bocula boculorum. Z. *212a bis*
194a Ite potum. Missum est. Et anime omnium rusticorum requiescant in pice. Stramen. Z.

17. MÜNCHENER SAUF- UND SPIELMESSE

Überlieferung: München lat. 14654 fol. 245^V ff.
Veröffentlichungen: Der neue Text mir mitgeteilt durch B. Bischoff. Er-
läuterungen lieferte F. Brunhölzl.

Epistola. Leccio actuum potatorum ad ebrios fratres. In diebus miseriis
ciphum et canna et cantrum dolea plena et dixit Bachus. Omnes sicientes
venite[1] ad tabernam et saturamini.

Prophecia[2]. Leccio libri ex nichilo[3] in diebus nullius. In principio creavit
bibulus ciphum et canam, ciphus erat inanis et canna vacua et vidit[4] patator   5
(potatur *Hs.*), quod non esset bonum, et ayt Rorate[5] ciphi desuper et canna
pluit vinum aperiatur taberna et germinet potatorem. Sitis autem[6] potatorum ferebatur in ciphis. Tunc eckenwürffel et sineckenwürffel o diese vade
prister, ut nos omnes saturemini cum illo. Et ecce currens[7] ascendit in arbo-

---

[1] Vgl. Isai LV 1.
[2] Parodie der Prophetie am Karsamstag.
[3] Vgl. Gen. I, 1f.
[4] Vgl. Gen. I 10, 12, 20.
[5] Vgl. Isaia XLV 8. Parodie des Introitus der Marienmessen im Advent.
[6] Vgl. Gen. I 2.
[7] Vgl. Luc. XIX 4.

10 rem pomorum et formicam omnium profundum maris videret et ceperunt
manducare et saturati sunt. Nichil etiam surrexerunt ludere, sicut scriptum
est: Homo[1] quidam fecit cenam magnam et invitavit potatores et relicto[2] eo
fugerunt omnes. Erat autem frigus in terra Egypti et tantum conla sedebat[3]
populus contra ventum et valefaciebant se contra glaciem et enckenwürffel

15 non[4] erat cum eis, quando comederunt gallinam. Dixit servo suo: Estne aliquid ibi, ut manduretur? Respondens ayt: Ecce duo gladii et quinque duri
lapides. Et ayt ille: Satis est, Rabi, manduca, sinon vis manducare slucka et
sinecken – würffel. Unus[5] autem de septem qui dicitur hiisprey. Qui dixit:
non sum dignus[6], ut intres – – meam, sed tantum incende carbones et assa-

20 bitur anser meus. Et vidit[7] ibi hominem non vestitum ventrem nup[er]cialem.
Cui dixit: Amice, cur intrasti? Qui humili voce respondit: Non sum sicut[8]
ceteri homines. Jeiuno bis in sabatho et vado ter in sexta veria (= feria).
Et vidit[9] ibi hominem cecum natum iuxta thabernam, qui rogabat, ut elimo-
sinam accipere. Qui ebrietate[10] motus dedit ei alapam[11] dicens: Argentum et

25 aurum non est mihi, quod autem habeo, hoc tibi do. Tolle[12] quod tuum est et
vade. Et claudus subridens dixit ei: Vade retro, satrapas[13], qui proforasti(?)
uxorem meum (statt meam), que meritrix facta est. Navigantes[14] autem venerunt, ut lapsarentur recia sua et dicentes: Omnes sicientes venite ad aures et
quique duas tinicas[15] (statt tunicas) et habet ambas deludat illas et emat siti

30 gladium. Et si esurierit[16] inimicus tuus, appone ei ferrum et duri(!) lapides, et
si sitit, da ei sal et cineres; in hiis duobus data lex[17] pendet et prophete.
Post hec vidi[18] turbam, quam dinumerare nemo poterat. Non ressen von
Preussen von Engellant, unde prafant de populo gamorre(!) qui dicitur
Hederleins gesint, quos Deus spernit, dyabolus non vult et ego vix evasi[19]

35 solus ut Nucciam(!) vobis her omnia.

Passion[20]. Passio domini Decii secundum Bachum. In illo turbine sicut dictum est de decem scolarium secundum ordinem vagancium, Contigit autem,
quod ego et mei socii intravimus in domum cuiusdam pravi clerici vidit nos
intrantes, percussit[21] servum ad dentes et ayt: Habeas tibi precium, quare

40 non clausisti hostium. Nos intravimus domum sedebat ibi quedam antiqua
vetula, comedebat ovum. Hanc interrogavimus, ubi noster esset dominus. Ad

---

[1] Vgl. Luc. XIV 16.   [2] Vgl. Matth. XXVI, 56.
[3] Vgl. I Reg. IV 13 u. Joh. XVIII 18.   [4] Vgl. Joh. XX 24.
[5] Aus der Passion am Palmsonntag, vgl. Matth. XXVI 14 u. 25.
[6] Vgl. Matth. VIII 8, vor der Kommunion.   [7] Vgl. Matth. XXII 11.
[8] Vgl. Luc. XVIII 11.   [9] Vgl. Joh. IX 1 u. Marc. X 46.
[10] Vgl. Luc. VII 13.   [11] Vgl. Joh. XVIII 22.   [12] Vgl. Matth. XX 14.
[13] Vgl. Marc. VIII 33.   [14] Vgl. Luc. V 4, Joh. XX 6.   [15] Vgl. Luc. III 11.
[16] Vgl. Prov. XXV 21 (Rom XII 21).   [17] Vgl. Matth. XXII 40.
[18] Vgl. Apoc. VII q.   [19] Vgl. Job. I 15.
[20] Parodie der Passion die am Palmsonntag, am Dienstag, Mittwoch u. Freitag der
Karwoche gelesen wird.
[21] Vgl. Marc. XIV 47.

illa respondens ayt: Per septem animas pullorum meorum Dominus noster
equitavit adforum. Et nos sedebamus[1] super scabellum pedem nostrorum et
equitavimus ad forum. Tunc vidit nos tabernarius et multum erat gavisus et
ayt: Hic veniunt mei dilectissimi socii. Et cum provenissemus ad locum 45
ubi erat thaberna, dixit[2]: Sedite hic et bibite in meam commemoracionem.
Et intravit cel⟨l⟩arium et tulit[3] plenum peccarium et inclinato capite bibit
illud et unus[4] nostrum accepit tres[5] eburneos et proiecit pulchrum hasshar-
dum. Post omnes consedimus foribus et lusimus cum tasseribus et elusimus
unusquisque tunicam et pal⟨l⟩ium, Vespere[6] autem mane pracam (= braccam) 50
et camisiam. Et ecce homo[7] quidam perambolat totam Franciam, Lampar-
diam, Sleuciam, Daciam provinciamque Angliam, Flandriam, Marchiam, Hol-
landriam, Prusinam, Franckoniam, Bavariam, Poloniam, Ungariam, Gre-
cam, Duringiam, Austriam, Bohemiam, Styriam, Elsaciam, Michssanam,
Sweviam et Besstrobam. Et tandem venit in bonam thaberaiam qui inter- 55
pretatur Saxana, et in illo erat princeps leccatorum et ipse nequam. Et que-
rebat[8], videre Bachum, quis esset, et non poterat pre nimia panpertate, qui⟨a⟩
nullus erat sibi denarius, et percurrens ascendens lagenam vini, quia in ore
erat siciturus. Et cum pervenisset tabernarius ad eum suspiciens dixit: Merda
hac festinans descende, quia hodie in crinibus tuis oportet me manere. Ad 60
(= At) illa descendit et accepit eum langwens: Ecce dimidium bonorum
meorum do tabernariis et meritricibus et si quidem aliquem defraudavi, reddo
lapidem. Tunc[9] tabernarius vidit alios duos in camisiis sedentes ludentes et
dixit: Beati lusores[10], quoniam ipsi inebriantur, beati troffatores quomiam
ipsi vestes extrahuntur. Tu autem[11], domine, fac nobis infundere. 65

Gradale. Jacta[12] cogitatuum(!) tuum in Decium et ipse te destruat, liberatus
eris ab omnibus vestimentis tuis. Dum[13] clamarem ad Bachum, respondit:
Rustice, bibe et inebria te. Exclamabant potatores: In thaberna letabitur in
fortitudine Bachi. Alleluia.

Vox[14] (Vor Hs.) tribulacionis est mesticie, in thaberna sunt bona vina, nulli 70
dantur sine pecunia, ibi vestes deluduntur, ibi crines extrahuntur et sedens
nudis oculis, tunc venit hospes cum taxillis portans vinum, ait illis: Bibite,
ludite, vestes exuite, lusorum[15] anime allecia. Amen.

[1] Vgl. Ps. CIX I u. Jac. II 3.
[2] Wandlungsworte der Meßliturgie nach I Kor. XI 24.
[3] Vgl. Joh. XIX 29.
[4] Vgl. Matth. XXVI 48.
[5] Vgl. Matth. XXIII sq.
[6] Antiphon u. Magnificat am Karsamstag, vgl. Matth. XXVIII 1.
[7] Vgl. Luc. XIX 1.   [8] Vgl. Luc. XIX 3–8.
[9] Vgl. Matth. XX 3.   [10] Vgl. Matth. V 5f.
[11] Parodie des Graduale.
[12] Vgl. Psalt. Rom. mit Ps. LIV 23.   [13] C. c.
[14] Anfang vielleicht nach der Communio am Feste SS. Innocontium, vgl. Matth. II 18.
[15] Offertorium von Allerheiligen parodiert, vgl. Sap. III 1.

Sequencia. Victime[1] bachali fraudes ymolant Deciani. Sors et vino(!)
75   duello convenere ludendo, qui nimis (nimus *Hs.*) donabat, vestes exuat.
Nummus redemit vestes quas abstraxerint falsi testes, reconcilientur leccatores. Dic nobis, nudate, quis traxit vestes a te? Frandator quidam lusorum,
qui furatur de tribus Deciorum. Bachus est testis, pal⟨l⟩ium et vestis surrexit
Zincktans, spes mea precedet, tans esset in alea. Credendum est magis ter
80   quater Zinck veraci quam virzechen augen semper fallari. Scimus Zincktans
surrexisse ex taxillis vere nobis taus esset, nuni miserere.

Alia sequencia
Vinum bonum et suave[2]
bibit abbas cum priore
85   et conventus de peygore
bibit cum tristicia
Ave felix creatura,
quam produxit vitis pura,
omnis mensa stat secura
90   in tua potencia.
Felix venter quem intrabis,
felix lingwa quem(!) lavabis,
felix est quem tu rigabis
et beata labia.
95   O quam placens in calore,
o quam recens in odore,
o quam flagrans es in ore
dulce lingwarum vinculo.
Suplicamus hic habunda,
100   omnis turba sit fecunda,
[sit] et cum voce iocunda
Personemus gaudia.
Monachorum grex devotus,
mundus omnis, clerus totus
105   bibunt inequales potus
tunc et secula. Stramen.

Ewangelium[3]. Frequens plangi ewangelii secundum Bachum. Praus tibi,
rustice. In illo turbine loquebantur ad inficem(!): Transeamus usque ad thabernam et videamus, si verum sit, quod dictum est nobis de dolio illo: Vesti-
110   nantes (!) autem potatores invenerunt thabernam apertam et tres taxillos

---

[1] Parodie der Ostersequenz Wipos.
[2] Vgl. in der Darstellung S. 124 ff.
[3] Parodie des Evangeliums der 2. Weihnachtsmesse, vgl. Luc. II 15 ff. und Act. VII
58.

positus (!) in disco, gustantes autem de vino invenerunt quod dictum erat
de dolio. Deponentes autem vestimenta sua secus pedes thabernarii potest (!)
inludentes et glorificantes Bachum. Thabernarius autem considerabat in corde
suo, si vestes valerent, et vino exhausto reversi sunt potatores in regiones,
magnificantes et maledicentes Decium.   *115*

Symbolus (!). Credo[1]. In Bachum reum, ventrem benepotentem, actorem
pacis et gewerre (!), bibencium omnium atque ludencium, vinum optimum
numquam merum, filium Bachum primogenitum et ex vite natum, dantem
omnia pocula, reum de reo montis de culmine et sincerum, de petro vero
bibitum et haustum per narracionem ciphi, per quem multa facta sunt.   *120*
Qui propter nos potatores et propter nostram inebriacionem descendit, in
tiphis eciam increatus est nobis ex vera propagine, non homo factus est, sed
adhuc missus pro nobis. Sub Poncio notato hausto ut (*oder* nec) solutus est,
sed hylarescit nos per multas mensuras nec ascendit in celis, sed ad huc est
intra vasis enarracione et item miratus est cum copia inebriare confatuos,   *125*
cuius vasis numquam sit propoculum magnum et optinum dans ebrietatem
qui ex vite baculo que procedit, qui cum pace et odio simul propotatur dum
glorificatur. Qui persecutus est per tabernas, tunc adducendam in animam
falsiloquium et apostolicam leticiam confiteor unum blasfemium (!) et inebriacionem potatores et exspecto denudacionem factuorum et fraudem merito-   *130*
rum, deinde stramen.

Sermonem[2]. Ebrii estote[3], fratres mei, et vigilate in potacione et, fratres
mei incastissimi, in principio sermonis nostri rogamini bonum vinum et pro (!)
suam discordiam det nobis aliquid dicere, quod sit ad fraudem sui nominis et
ad nullam utilitatem peccuniarum nostrarum et dicite, si placet: ave thaberna.   *135*
Tercia in corrupta tunica, in quibus verbis tria notentur: Primo enim insinuat
dominus tabernarius, qualiter servire domino Decio debemus, cum dicit:
Ebrii estote. Quia numquam debet esse crudi et aquatici et sobrii, sed semper
vinosi. Secundo insinuas, qualiter debeat vel quale⟨s⟩ condiciones debent
isti ministrantes domino Decio, cum dicit: Vigilate. Primo igitur, fratres, po-   *140*
nendo sed (?) ad servicium domini Decii vocati debemus esse ebrii, cum dicit:
Querite inebriari vino inquit est luxuria, et alibi: Querite vinum, dum inebriari
potest, et potate lum, dum prope est. Unde legetur de domino Decio: Multe
ebr⟨i⟩etates stultorum et de vistibus omnibus liberavit eos dominus Decius.
Cum multitudine diviciarum ad thabernam rate (!) accessi et deficiente mihi[4]   *145*
peccunia partita sunt mihi vestimenta mea et super vestem meam miserunt
sortem. Accedamus ad secundum scilicet Vigilate; scribitur in libro insipiencie[5] beatus servus, quem cum invenerit dominus Decius vigilantem et
potantem. Amen dico vobis, super omnia damna sua constituet eum et super
nuditatem et paupertatem quia talenta duo sunt domino Decio, et alibi[6]:   *150*

[1] Parodie des Credo der Messe.
[2] Parodie einer patristischen Homilie.   [3] Vgl. I Petr. V 8.
[4] Vgl. Matth. XXVII 35.   [5] Vgl. Matth. XXIV 46f.   [6] Vgl. Matth. XXIV 42.

Nescitis, qua hora dominus Decius venturus est. Vigilate igitur in potacione,
ne habeatis aliqua vestimenta corodantur a tinea. Sed vigilat, scilicet servus
suus in veritate vigilantes, ludentes et potantes et sciatis, fratres incastissimi,
quia dominus Decius distribuit unicuique secundum propriam virtutem. Sicut
155 procedit iactus ut legitur: Ecce[1] ribaldus magnus qui in diebus suis placuit
domino Decio; item: inde inventus est nudus, unde in psalterio invocans dominum Decium: ut expoliavit me, et alibi ad Decium: Cum in ebrietate
clamavi et exspoliavit, me ut sic brivemur (!) a Decio bonis nostris, quod
potare dignetur ille qui potatur et bibit per omnia pocula poculorum. Stramen.
160   Oratio communis[2]. Rogemus ergo pro vineis et eorum cultoribus pro plenis
vini doleis et non facuis (= vacuis), pro cunctis potatoribus vivis et defunctis.
Habete vobis commissam in hac parte nudita⟨tem⟩, luctus, periurium, fal-
sitas, fraus, ullulacio, odium, vantisia (= phantasia), desperacio et sic de
alius moribus. Concedamus vobis septem dies negligencie et nequicie. (Am
165 Rande von anderer Hand nachgetragen): pro plebano Kalmperg et plebano
Leperer in Steckelsperg et Heinrico Konig et omnium bibencium vinum et
Bachum et sic est sibi.
    Offertorium[3]. Sanctificavit Decius altare offerens super illud quadratum
rusticum, extractis capillis capitis sui, proiecerunt eum in merdatorium
170 monachorum in conspectu omnium potatorum.
    Aliud[4]. Rorate ciphi desuper et nubes pluant mustum, aperiatur taberna et
germinet potatorum.
    Aliud. Gustate[5] et videte, quoniam suavis est Bachus, inebriatus erit et
qui diu biberit.
175   Privacio[6]. Per omnia pocula poculorum, stramen. Dolus vobiscum et cum
gemitu tuo. Sursum corda habemus ad Decium. Gracias agamus domino reo
Bacho. Vinum et mustum est vere vinum et mustum et potest vos saciare.
Nos igitur ei gracias agere et in thaberna Bachum bonum laudare, benedicere
et predicare. Quem vident miseri rustici. Quem bibunt reverendi domini.
180 Quem venerant devoti prespiteri. Per quam (!) magna prelio occurruntur in
populo. Per quem vita hominum restituitur sanitati. Per quem cantant clerici
qui non cessant clamare cum inebriati fuerit dicentes: Quantus[7], quantus,
quantus dominus reus Bachi. Pleni sunt ciphi in mensa, gloria tua bona.
O ciphum maledictus inter (?) bibit, quia vestes amittit, Offe (!) clamat in
185 excelsis.

[1] Vgl. den Anfang der Epistel des Commune confessoris pontificis bez. des Introitus
beim Einzug eines Bischofs.
[2] Par. der oratio communis bzw. or. fidelium, die sich in der römischen Liturgie
nur noch am Karfreitag erhalten hat.
[3] Parodie des Offertoriums vom 18. Sonntag nach Pfingsten.
[4] Parodie des Introitus der Marienmessen in der Adventszeit.
[5] Parodie der Communio des Herz Jesufestes, vgl. Ps. XXXIII 9.
[6] Parodie der Praefation der Marienfeste.   [7] Sanctus-Parodie.

Per omnia pocula poculorum. Stramen. Potemus preceptis hospitibus moniti et de bono vino potati audemus bibere. Pater[1] Bachi qui es in ciphis,
semper laudetur nomen tuum. Adveniat lucrum tuum, fiat tempestas tua
sicut in Decio et in taberna. Vinum bonum ad potandum da nobis hodie et
dimitte nobis pocula nostra sicut et nos dimittimus potatoribus nostris. Et *190*
ne nos inducas in perdicionem, sed bibera rusticus (!) a bono vino stramen.

Hospes Bache[2] qui tollis pignora nostra dei potare nobis. Dic hoc bis.
Hospes Bache, qui tollis pignora nostra vel qui habes gaudium mundi, dona
nobis potum.

Co(mmunio). O Bache fortissime, veni ad inebriandum nos et noli tardare, *195*
venite filii Bachi, percipite que nobis paratus est ab origine vitis. Dolus vobiscum et cum gemito (!) tuo. Ploremus[3].

Deus qui tres miseros taxillos sexaginta tribus oculis illuminasti et perpetuam discordiam inter nos et quadratos rusticos seminasti, concede ut de
eorum mortalitate gaude⟨a⟩mus et uxoribus et filiabus eorumutemur. Per *200*
eundem Bachum, qui bibit et potat per omnia pocula poculorum. Stramen.

Hospes Bache, qui tollis pignora nostra, dona rusticis malam aquam.
Hospes Bache, qui tollis vestes nostras, dona clericis et presbiteris vinum et
Bachum sempiternum. Sed libera nos a rustico malo.

18. SPIELMESSE DER BENEDIKTBEURER HANDSCHRIFT

Überlieferung: München lat. 4660 f. 93^V–94^V saec. XIII. (Von neuem von
mir verglichen.)

Veröffentlichung: Jak. Grimm, Gedichte des Mittelalters auf König Friedrich I. den Staufer. Philol. u. hist. Abhandlungen der Kgl. Akad. d. Wiss. zu
Berlin aus dem Jahre 1943 S. 232 (Auszug); J. A. Schmeller, Carmina Burana
(1847) no. 189. – Vgl. Lehmann, Die Parodie, S. 145 ff.

Incipit officium lusorum

Lugeamus omnes in Decio diem festum deplorantes pro dolore omnium
lusorum, de quorum nuditate gaudent Decii et collaudant filium Bachi.

Versus. Maledicant Decio in omni tempore, semper fraus eius in ore meo.
Fraus vobis. Tibi leccatori.   *5*

---

[1] Parodie des Pater noster.
[2] Parodie des Agnus Dei.
[3] Parodie der Postcommunio.

2ff. Parodie des Introitus festi omnium sanctorum. *5* Par. des sowohl im Missale
wie im Brevier vorkommenden Versikels, Ps. XXXIII 1.

Oratio. Ornemus. Deus qui nos concedis trium Deciorum maleficia colere, da
nobis in eterna tristicia et eorum societate lugere.

Epystola. Lectio actuum apopholorum. In diebus illis: Multitudinis luden-
tium erat cor unum et tunica nulla et hyemps erat et iactabant vestimenta
10 secus pedes accommodantis, qui vocabatur Landrus. Landrus autem erat
plenus pecunia et fenore et faciebat dampna magna in loculis accomodans
singulis, prout cuiusque vestimenta valebant.

Graduale. Jacta cogitatum tuum in Decio et ipse te destruet. V. Dum clamarem ad Decium, exaudivit vocem meam et eripuit vestem meam a lusori-
15 bus iniquis.

Aeuia.

V. Mirabilis vita et laudabilis nichil.

Sequentia.

Victime novali zynke ses immolant Deciani.
20 Ses zinke abstraxit vestes; equum, cappam et pelles abstraxit confestim
a possessore.

Mors et sortita duello conflixere mirando, tandem tres decii vicerunt illum.

Nunc clamat: O fortuna quid fecisti pessima.

Vestitum cito nudasti et divitem egeno coequasti.
25 Per tres falsos testes abstraxisti vestes.

Ses zinke surgant, spes mea precedant cito in tabulea.

Credendum est magis soli ses zinke quatter veraci quam dri tus es ictu
fallaci.

Scimus istos abstraxisse vestes lusoribus vere; tu nobis, victor ses, miserere.
30 Ewangelium. Sequentia falsi ewangelii secundum marcam argenti. Fraus
tibi, Decie. Cum sero esset una gens lusorum, venit Decius in medio eorum et
dixit: „Fraus vobis. Nolite cessare ludere! Pro dolore enim vestro missus
sum ad vos." Primas autem qui dicitur vilissimus non erat cum eis, quando
venit Decius. Dixerunt autem alii discipuli: „Vidimus Decium." Qui dixit eis:
35 „Nisi mittam os meum in locum peccarii, ut bibam, non credam." Primas
autem qui dicitur vilissimus iactabat decem, alius duodecim, tercius vero
quinque. Et qui quinque proiecerat exhausit bursam et nudus ab aliis se
abscondit.

---

18 *7f. Nachtrag:* Omnipotens sempiterne Deus, qui inter rusticos et clericos magnam
discordiam seminasti, praesta, quaesumus, de laboribus eorum vivere, de mulieribus
ipsorum uti et de morte dictorum semper gaudere. *8 et nachträglich verändert von
anderer Hand zu* de. *9* iactabant] bant *interlinear hinzugefügt. 9* vestimenta *aus*
vestimentis. *31 et von anderer Hand verändert zu* est. *37* qui *interlinear nachgetragen.*

5f. Orationspar. *8ff.* Epistelpar. nach Act. ap. IV 32–35. *13f.* Ps. LIV23, 17ff.,
CXIX 1f. *16* Alleluiapar. im Anschluß an Ps. XLVII 2. *19f.* Par. der Oster-
sequenz ‚Victimae paschali'. *30ff.* Evangeliumspar. nach Joh. XX 19ff. u. Matth.
XIII 8f.

Offertorium. Loculum humilem salvum facies, Decie, et oculos lusorum
erue, Decie. Humiliate vos avari ad maledictionem. Ornemus! Oratio. Effunde, *40*
Domine, iram tuam super avaros et tenaces, qui iuxta culum ferunt sacculum
et, cum habuerint denarium, reponunt eum inclusum, donec vertatur in
augmentum et germinet centum.

Pereat! Hic est frater pravitatis, filius iniquitatis, fixura scamni, genus
nescitandi, visinat amare, quando timet nummum dare. Pereat! *45*

Quod ille eis maledictionem prestare dignetur, qui Zacheo benedictionem
tribuit et diviti avaro guttam aque denegavit. Et maledictio Dei patris omni-
potentis descendat super eos.

Communio. Mirabantur omnes inter se quod Decius abstraxerat cuilibet
vestes. *50*

19. AUS EINER MISSA POTATORUM

Überlieferung: München lat. 388 fol. 108^V aus der Bibliothek von Wid-
mannstetter, 16. Jahrhundert.
Veröffentlichung fehlte bisher. Text von B. Bischoff.

Potus[1] noster, qui es in cypho. Multiplicetur nomen tuum, adveniat potestas tua sicut in cypho et in aula panem album bene coctum et bonum vinum
da nobis hodie et in omni tempere et dimitte nobis pocula nostra sicut et
nos dimittimus potatoribus nostris, et ne nos inducas in ebrietatem, sed
libera nosa cypho vacuo. Stramen. *5*

> Ave, color vini clari[2],
> salve sapor sine pari,
> tua nos inebriari
> dignetur clementia.

Evangelium istius temporis. Dolus vobiscum et cum gemitu tuo. Fre- *10*
quentia currentis evangelii secundum arcam gloria tibi mero. In isto tempore
dixit papa rapax carpinalibus suis (*am Rande* seu carpidenariis suis). Amen.
Dico vobis: Si venerit ad nos filius hominis nihil habens, dicite ei: Amice, ad

---

47 hinter denegavit *von anderer Hand* Amen.

39f. Offertoriumspar. nach Ps. XVII 28.   *40f.* Orationspar. im Anschluß an Ps.
LXXVIII 6.   *49f.* Communionspar. nach Luc. IV 22 (3.–6. Sonntag nach Epiphanie).

[1] Die parodierten Stellen stammen aus dem Matthaeusevangelium.
[2] Vgl. in Darstellung S. 125.

quid venisti? At si ille perseveraverit pulsans, proicite eum in tenebras exte-
15 riores, ibi erit fletus et stridor dentium.Tunc venit ad eos quidam pauper nihil
habens et ceperunt omnes clamare, dicentes: Crucifige eum. Tunc iste pauper
ivit retro hostium et flevit amare. At domini carpinales iverunt ad dominum
papam rapacem et dixerunt ei: Domine, ad quid possidebimus pecuniam?
Quibus ille respondit: Beati qui esuriunt et sitiunt pecuniam quoniam ipsi
20 saturabuntur. Beati possidentes, quoniam ipsi hereditabunt terram. Beati
eritis, cum salutaverint vos homines. Et cum dixerunt omnes bonum men-
tientes propter pecuniam: Gandete et exultate in illa die, quoniam merces
vestra copiosa est in thesauris. Laus tibi.

20. BACCHANTISCHE EVANGELIENPERIKOPE

Überlieferung: Cambridge Corpus Christi College Ms. 343f. 72^R saec.
XIV, Photographie mir von Prof. W. M. Lindsay (St. Andrews) geschenkt.
Veröffentlichung fehlte bisher. – Vgl. Lehmann, Die Parodie, S. 149f.

Sequencia leti euuangelii secundum Luc⟨i⟩um

In illo tempore: Erat quidam Phariseus Lucius voragine princeps potatorum, et congregatis discipulis suis interrogavit eum unus dicens: Magister dic,
quid faciam et vitam iocundam possidebo? At ille respondens ait: Noli esse
5 iustus, multum non occides, sed mechaberis, non concupisces rem proximi tui,
sed uxorem eius. Maledicta enim arbor que non facit fructum. Quod uni dico,
omnibus dico. Unusquisque habeat propriam. Et iterum: Comedite pinguia
et bibite multum. Unusquisque honus suum potabit, quia non in solo pane
vivit homo. Et qui habet duas tunicas, det non habenti, sed tum: qui tenet,
10 teneat, et qui potest capere capiat. Facite vobis amicas de mammona iniquitatis, ut, cum veneritis, recipiant vos in domos suas. Exemplum enim do vobis,
ut quemadmodum ego facio faciatis. Gaudete semper, iterum dico gaudete.
Quod timet impius, eveniet ei. Letabitur iustus et merces eius cum eo et opus
illius coram ipso est.
15   Credo in Deum Bacum patrem omnipotorum.

---

20 *2f.* Matth. XXII 41.   *4* Luc. X 25.   *5* Exod XX 13ff.   *6* Matth. III 10.   *7*
1 Kor. VII 2.   *8* 2 Esd. VIII 10.   *8* Galat. VI 5.   *8f.* Deut. VIII 3.   *9* Luc. III 11.
9f. 2 Thess. II 7.   *10* Matth. XIX 12.   *11* Luc. XVI 9.   *11* Joh. XIII 15.   *12*
Philipp. IV 4.   *13* Prov. X. 24.

21. GELDEVANGELIUM
PARISER BEZW. LEIPZIGER STUDENTEN

Überlieferung: Bésançon Bibl. publ. Ms. 592f. 10^{V}sq. saec. XV. Abschrift von Dr. Jak. Werner (Zürich) gütigst geliefert.
Veröffentlichung fehlte bisher. – Vgl. Lehmann, Die Parodie S. 152ff.

Viro venerabili et discreto domino B. archipresbitero dilecto fratri suo Johannes frater eius Parisius studens in artibus salutem et fraternam dilectionem. Quia iam vobis primo, secundo et tercio secretas transmisi epistolas, quibus fidem adhibere non curastis, sicut per rei evidenciam expertus sum, ideo evvangelium, quod anunciare et predicare debetis, mitto vobis in hunc 5 modum.

Inicium s. evvangelii secundum marcam auri et argenti.

In illo tempore: Erat Johannes Parisius studens in artibus sine peccunia. Propter quod erat sollicitus et turbatus circa plurima et, elevatis oculis in celum, dixit ad Jhesum: ‚Domine non est tibi cure, quod frater meus relinquit 10 me Parisius sine denariis studere. Dic ergo illi, ut me adiuvet.‘ Et respondens illi Jhesus ait: ‚Porro denarii Parisius studentibus sunt necessarii.‘ Et ait Simon Petrus intra se: ‚Si frater Johannes esset propheta, sciret profecto, que et tanta (!) necessitas Parisiensis scolaris (?) occupat.‘

Factum est, quod quidam compatriote sui Johannes et Philippus quandam 15 summam peccunie sibi concessissent et tempus restitucionis eiusdem iamdiu elapsum fuisset. Illi in arcto positi valde mane una sabbatorum venerunt ad hospicium dicti Johannis orto iam sole et suam volentes recipere peccuniam ad hostium camere sue pulsabant ad invicem dicentes: ‚Rabi, aperi nobis!‘ At ille respondens ait: ‚Amen, amen, dico vobis, quousque venerunt denarii 20 mei, nescio vos.‘ At illi magis clamabant dicentes: ‚Aperi nobis!‘ Et recordatus est Johannes, quod tempore necessitatis sibi subvenerant, aperiens hostium introduxit illos et ait: ‚Quid existis in desertum videre hominem mollibus vestitum? Ecce, qui mollibus vestiuntur, intus non sunt.‘ Videntes autem hominem sedentem in camera sua coopertum tenui tunica obstupuerunt. Qui 25 dixit illis: ‚Nolite expavescere! Hominem queritis opulentum, diviciis repletum. Recessit, non est hic. Hic est locus, in quo non est recondita peccunia. Euntes ergo renunciabitis sociis vestris et Philippo, quia, ad domum Judeorum cum vades, precedam eos. Ibi me videbunt, sicut dixi eis.‘ Et sedens docebat illos dicens: ‚Beati misericordes, quoniam ipsi misericordiam conse- 30 quentur. Et beati, qui non exasperant debitores suos neque molestant, quoniam cicius eius debita persolventur. Miseremini ergo mei, miseremini saltem

21 *9* Deut. IV 19.   *9* Luc. X 40.   *9* Luc. X 41.   *13f.* Luc. VII 39.   *16* Act. III 21. *17* 1 Reg. XIII 6.   *17* Marc. XVI 2f.   *19* Luc. XIII 25, Matth. XXV M.   *20* Matth. XXV 12.   *21* Marc. XV 14, Joh. XIX 6.   *21f.* Eccl. VIII 12, XXIX 2.   *23f.* Matth. XI 7f.   *24f.* Marc. XVI 5ff.   *29f.* evangelisch.   *30f.* Matth. V 7.   *32f.* Job XIX 21.

vos, amici mei, quia bursa vacua tetigit me. Ecce enim, quod pelli mee, iamdiu est, non adhesit nisi tunica, et derelicta sunt tantummodo duo lintheamina 35 circa lumbos meos. Non turbetur propter hoc cor vestrum neque formidet. Cotidie enim vado et venio ad vos. Et quicquid vobis debeo, ego recognosco et debitum meum contra me est semper. Scio tamen, quod nuncius meus vivit et in brevi reversurus est, et rursus circumdabor pelle mea, et tunc restituetur unicuique vestrum, quod suum est. Ite ergo, nunciate fratribus vestris, que 40 audistis et vidistis!' Contigit autem, quod, cum quidam nuncius eidem atulisset quandam summam peccunie, ecce turba et qui vocabatur Philippus et Johannes venerunt ad eum dicentes: ,Ave, Raby, redde, quod debes. Audivimus enim, quod bursa tua, que vomuerat, pregnans est.' Videns autem Johannes, quod instanter debita sua repeterent, cepit mestus esse. Erat autem 45 multum feni in camera Johannis, et ait sociis suis: ,Facite creditores meos discumbere!' Et discubuerunt viri, vero quasi milia milia. Et cum discubuissent, ceperunt inter se super debitis suis litigare. Johannes autem ait illis: ,Sedete hic, donec vadam illuc et orem.' Et acceptis tribus de sociis suis secreto ait illis: ,Tristis est anima mea usque ad evacuacionem burse.'' Et 50 flexis genibus oravit dicens: ,Pater, si fieri postest, transeant a me creditores isti!' Et reversus ad cameram suam iterum invenit super debitis suis litigantes; erant enim pre inopia gravati. Et iterum abiit et oravit eundem sermonem dicens: ,Pater, si fieri potest, transeant a me creditores isti: Digitus quidem ad computandum promptus est, bursa autem infirma.' Tunc con- 55 versus ad denarios suos ait illis: ,Exite iam ab archa mea et recedite. Venit enim hora, in qua vos trademus in manibus creditorum meorum.' Et proiecta pecunia ait illis: ,Accipite ex hac omnes!' Tunc orta est contencio inter illos, cui eorum prior deberet fieri solucio. Et extenderunt tunicam Johannis super archam ipsius, ut iacerent sortes, ut adimpleretur quod scriptum est ,,Super 60 vestem meam miserunt sortem''. Cum autem soluti fuissent, ait sociis suis: ,Colligite dispersos, ne pereant.' Et impleverunt duodecim loculos, ita vacui remanserunt. De residuo autem debito ait debitoribus suis! ,Pacieniam habete in me, et omnia reddam vobis. Multi vero denarii sunt mandati, pauci vero transmissi.'

33f. Job XIX 20.   36 Joh. XIV 27f.   *36f.* Ps. L 5.   *37* Job XIX 25f. *39f.* Matth. XXVIII 10.   *41–62* Matth. XXVIsq. und Joh. VI vermischt.   *63f.* Matth. XX 16.

22. REZEPT GEGEN KAHLKÖPFIGKEIT

Überlieferung: Deventer Athenaeum Ms. 81 no. 3 saec. XII/XIII (von mir nicht benutzt); München lat. 22294f. 1^R saec. XIV in. (*M*); Wien Pal. lat. 4774 saec. XVI in. (*V*).

Veröffentlichung: St. Endlicher, Catalogus codicum philologicorum Latinorum bibliothecae Palatinae Vindobonensis, Wien 1836, p. 187 nach *V.* – Vgl. Lehmann, Die Parodie, S. 172.

Carmen nobilissimum de calvitie curando.

Ars medicinalis, partes difusa per orbis,
cum privat variis languentia corpora morbis,
miror inesse viris tot frontes absque capillis.
Quosque frequento magis, miseresco frequentius illis.
5 Jamque Salerninae pede claudicat ars medicinae,
cum vis desit ei succurrere calviciei.
Tu si cunctorum fore vis medicus medicorum
atque capillorum novus insitor esse novorum,
hanc quasi divinam lege, scribe, tene medicinam:
10 Albe si nigrum gallinae videris ovum,
hoc cape cum cornu dextro miscens leporino,
excussus pulvis pedibus leporis fugientis
additur et nati noviter rugitus aselli
tres saltus picae, totidem radios cape lunae
15 et caveas, levus talpae ne desit ocellus,
cum quibus et parvae caudam sumes tibi ranae,
umbra sed antiquae fossae non debet abesse.
His adiungatur quarto qui currit in anno
ungula bissexti, de sanguine plena chimerae.
20 His addes oleum de nigro marmore tortum.
Mixta simul vitreo contundas vase silendo
et per tres horas facies bullire patellam,
que de virgineo fiat tantummodo ceno.
Mittas in ampullam, donec bene frigida fiant,
25 et media nocte, lucente per omnia sole,
calviciem caute tali perfunde liquore
aspiciesque novis caput ebullire capillis,
de duro tenera ceu marmore pullulat herba.
Haec tibi divinae pars sufficiat medicinae,
30 cuius nec iota minimum scit Gallia tota.

---

22 *Überschrift fehlt M.* 2 morbis] membris *M.* 8 institor *M.* 9 quasi] quoque *V.* 11 cum dextro cornu *M.* 16 parve *M.* 17 antique fosse *M.* 18 Hiis *M.* 19 bisexti *V.* chymere *M.* 23 virginea – – – cera *M.* 24 Mittis *M.* 24 ampellam *V.* 29 Haec tibi divitiae postea sufficient medicinae *V.*

23. PASSIO PRACMATICE SANXIONIS

Überlieferung: Giessen UB. Ms. 1256 fol. 84–86, 15. Jahrh. französ. Ursprungs.

Veröffentlichung fehlte bisher. Ich verdanke den Text B. Bischoff.

Incipit passio pracmatice sanxionis edita per venerabiles corthisanos curie Romane[1].

Vobis nuncio, quod matrimonium contractum fuit per verba de futuro et cum condicione inter dominam pragmaticam et Nycolaum papam quintum.
5 Ideo queritur inter scolares, utrum istud matrimonium tenet. Super hoc dicit Jo.(hannes?) A. (ndreae) super c. 3° d. condi (cio) ap., qui sub condicione contrahit contractus non tenet, nisi condicio impleatur. Et postquam predicta domina vidit et audivit, quod contractus de iure non teneret, dixit, quod non consummaret; que quedam domina de die in diem nihil facit nisi lamentare, et
10 dicit: Heu mihi utinam essem unde exivi, numquam consummentur in brevi dies mei et anni mei in gemitibus, sed quasi figura ero passionis Christi, quia tempore eiusdem passionis ablata sum. Primo concilium Basiliense me genuit virtualiter et in Francia nobilissima nutrita sum, deinde temptata a nigro monacho, qui tulit me supra pinaculum Petri mentaliter et supra mon-
15 tem s. Bernardi, ibimet michi ostendit omnes partes Italie et regna mundi et ayt: Si sponte volueris ire quo te duxero, omnium hominum domina eris. Postmodum prefatus monachus me duxit tamquam mulierem fragilem, que subicitur viro usque ad portam sacre civitatis Rome, et ybi in introitu veniunt michi obviam Romanorum pueri dicentes et clamantes: Benedicta qui (!)
20 venit ad salutem nostram in nomine sacre capelle, qui quidem sablatinis (!) vestibus viam tegebant pluribusque floribus ornabant ac cum melodia et cantico iter michi parabant. Ad cuius ingressum civitas omnis commota est spirituque gavisa est Romana urbs aureas michi ferebat (ferebas Hs.) laudes. Et postquam cognovisses et tu que tibi ventura sunt, non gauderes, ymmo
25 fleres mecum, quia venient dies etc. O ambasiatores carissimi incliti regis Francie, tristis[2] est anima mea usque ad mortem, sustinete hic et vigilate mecum, videbitis turbam que circumdedit me, vos fugam capietis et ego ibi ero ad tempus et demum tradur pro vobis, heu unus ex vobis ambasiatoribus regis me tradet hodie, ve autem illi per quem tradar ego. Melius Francie
30 esset, si natus non fuisset monachus; ille qui merum intingit manum in parapside, hic me traditurus est in manibus inimicorum meorum. Omnes inimici mei adversum me cogitabant mala, verbum iniquum mandabant adversum me dicentes: Venite, conteramus eam de terra viventium et non memo-

---

[1] Wohl angeregt durch die Pragmatique sanction de Charles VII sur l'autorité des conciles generaux etc. Bourges 7. 7. 1438: Ordonnances des rois de France. XIII (1782) p. 272 sqq.

[2] Die parodierten Bibelstellen stammen hauptsächlich aus dem Evangelium Matthaei 26 f, ergänzt aus anderen Evangelien.

retur non nomen eius ultra. Hec omnia perspicies, facite et submissa voce
dixi: O monache, qui regis consilium dereliquisti et cum papa consiliatus es, *35*
tu pacis osculum ferebas et mei mortem procurabas. Hiis completis omnibus
ducta sum ad consistorium publicum et me ibi existente, qui me tradidit ayt
Romano pontifici: Ecce, pater beatissime, pragmaticam tibi obtuli promissa
complevi. Redde ergo quod debes. Et facti sunt amici qui prius erant inimici. Tunc summus pontifex precepit, ut in carceribus recluderer nec inde *40*
umquam exirem. O vos omnes Francigine, qui per montem s Bernardi et
Bononie (Bononiam?) transitis, attendite et videte, si est dolor similis sicut
dolor meus. Novissime veniunt multi falsi testes dicentes: Vidimus eam
subvertentem curiam Romanam atque dicentem non dari que sunt Cesaris
Cesari et que sunt Dei Deo, et plura alia dixerunt adversum me. Sed non *45*
erant conveniencia eorum testimonia. Tunc pontifex Romanus (populus Romanus?) cepit clamare et dicere: Tolle, tolle, annichila eam, ne forte veniant
Gallici et tollant locum nostrum et gentem nostram. Tunc summus pontifex
iussit me flagellis cedi et inimici mei facti sunt iudices. Ecce quoniam moritur
iusta et nemo percipit corde, viri iniusti me tollunt et nemo considerat a facie *50*
iniquitatis, sublata est iusta et erit in pace memoria eius. In pace factus est
locus eius et habitacio eius in urbe. Sed quod numquam plures (?) dixi vobis,
dum murmur erat in vobis contra me, destruite templum hoc per consilium
Basiliense edificatum et in triduo reedificabo illud. Deinde veniunt ad me due
sorores, Ytalia videlicet et Lumbardia, que suadendo michi dicebant: Mane *55*
nobiscum domina ecce omnes de Francia aurum et argentum deferentes et
magnum commodum apportantes et sic nobis bene erit et erimus laudem
Domino annunciantes. Et ecce qui custodiebunt me concilium fecerunt in
unum dicentes: Francorum rex dereliquit eam, persequamur et apprehenda-
mus eam, quia non est qui eripiat de manibus nostris. Et ideo rex meus ne *60*
elongaveris a me. O rex Ludovice, princeps serenissime in adiutorium meum
intende sic vociferans et clamans tota die, contristata vulnerabar, ingredie-
bar, et repleta sum illusionibus et audivi voces magnas Francigenarum ve-
niencium ad me et dicentium: Revertere, revertere Sinamitis, revertere, ut
intueamur te. Quibus occulte respondi: Mures roderunt pedes meos, disci- *65*
paverant omnia ossa mea et me manus afflixerunt. Sed me, ut video, oportet
pati, vos autem paciemini et contristabimini. Sed postquam surrexero, precedam vos in Galileam[1], ybi me videbitis et tristicia vestra vertatur in gaudium, quia veni ad papam ad pretactum matrimonium consumendum (oder
conservandum?), si de iure fuerit contrahendum et obediendum regi, qui me *70*
misit, et si id fuerit de iure sustinendum que sustinui. Tunc una pars ambacia-
torum videns afflictionem meam pre nimio dolore discessit ad procurandum
me liberare a carcere mortis huius et me vindicare, ivit per dominum Francorum regem, qui me sine concilio in inimicorum meorum manibus dimisit et

[1] Matth. 26, 32.

75 ad papam me remisit. Tunc post discessum eiusdem partis iubet Romanus
pontifex me torqueri et cum Christo crucifigi. Sed verba que ipsa ante mortem
protulit et peciit a patre domino Romano pontifice. Primo peciit, quatenus
desistere vellet a guerra contra serenissimum regem renatum atque inclitum
eius filium habita. Secundo recommendavit eiusdem universitatem Parisien-
80 sem ceterasque regni universitates. Tertio dixit: S[c]itio[1], hoc est desidero
redire unde exivi. Quarto se commisit in manibus regis nobilissimi et omnium
in regno existentium, ideo dixit: Consummatum est[2] id est completum est
actu opus ac desiderium capelli rubre. Et hec dicens clamavit voce magna et
emisit spiritum[3]. Tunc Ytalia cecinit: vicia facta sunt, taberne aperte sunt,
85 ciphi repleti et multa corpora ebria que ceciderunt surrexerunt[4], Sol iusticie
obscuratus est, luna bacharum lucida facta est, gaudent Romani, exultant
Ytalici, letantur Lombardi, Sabaudi congratulantur, Burgondia congaudet,
Anglia applaudat et Gallici tristantur. Deinde posuerunt[5] eam in monu-
mento novo, quod excissum erat de petra. Romani hec videntes signa dixe-
90 runt summo pontifici: Beatissime pater, recordati[6] sumus, quod hec seduc-
trix dixit, dum viveret, quod infra triduum resurgeret. Jube ergo in continenti
monumentum custodiri, ne forte veniant Gallici et furentur eam et dicant:
Surrexit a mortuis, quia tunc esset novissimus error peior priori. Quibus ait Romanus pontifex: Ite, custodite eam sicut scitis. Quatuor militibus acceptis
95 custodita est. Tunc prevenit felix Francia ad sepulchrum et unxit pedes eius
quos mures roderant et alia vulnera, et tota curia repleta est ex odore ungu-
enti balsamo mixti fracto itaque alabastro fusoque unguento precioso unxit
pedes pragmatice ex toto corde petens illam que residens secus pedes eius
large irrigabat illos lacrimis, vespere autem sabbati, que lucessit (!) in prima
100 sabbati, venit felix Francia ad Ytaliam videre sepulchrum et angelus Domini
descendens de celo et accedens revolvit lapidem et sedit super eam et dixit eis:
Pragmaticam queritis. Jam surrexit, non est hic. Precedit vos in Galileam.
Ybi iam videbitis, sicut dixit vobis, et post tres dies recordati sunt Gallici
verbi pragmatice iverunt ad sepulchrum et invenerunt revolutum lapidem et
105 angelum dicentem eis sicut prius et omnes unanimiter currunt post eam, sed
ipsam invenire nequeunt. Curiales tamen eam invenerunt: Si vos domini mei
cordialissimi mei regni Francorum sustuleritis, eam nunciate nobis curialibus.
Si autem eam invenire volueritis, ad Romanam curiam crebre vos transferretis
et nos curiales nunciabimus vobis etc.

[1] Jo. 19, 28.
[2] Jo. 19, 30.
[3] Matth. 27, 50.
[4] Vgl. Matth. 27, 52.
[5] Vgl. Matth. 27, 60.
[6] Vgl. Matth. 27, 63ff.; durch das Folgende wird der Schluß des Matthaeusevangeliums parodiert.

24. LIBER GENERATIONIS JESU CHRISTI

Der Liber generationis Jesu Christi, filii David, filii Abraham, Abraham genuit Isaac usw., mit dem das Evangelium secundum Matthaeum (cap. I 1–17) beginnt, wird in der Handschrift Basel C. VI 34 parodiert. Den Text stellte mir abschriftlich Professor Hans Walther (Göttingen) freundlichst zur Verfügung.

Cacologion pape secundum Satanam.
Liber generationis pape, filii diaboli,
novi et veteris testamenti.
Diabolus autem genuit papam.
Papa autem genuit bullam.   *5*
Bulla autem genuit Ceram.
Cera autem genuit plumbum
Plumbum indulgentia⟨m⟩.
E[e] autem Carenam.
Carenam autem genuit quadragenam.   *10*
Quadragena autem genuit mammon,
    filium iniquitatis.

Mammon autem genuit avariciam. Avaricia autem genuit Cardinales et fratres eius in captivitate Babilonie et post captivitatem Babylonicam Cardinalis genuit curtisanum. Curtisanus autem genuit episcopum papisticum. *15* Ille autem genuit suffraganeus. Suffraganeus autem genuit officialem et viscalem cum pedello, unde orta sunt permutare, resignare, anticipare cum locare.

Locatio autem genuit pensionem, pensio autem decipere rusticum. Deceptio autem rustici genuit invidiam, ex qua nata est conspiratio rusticorum, *20* que genuit tumultum, in quo revelatus est filius perditionis, quivocatur Antichristus. Amen.

I. REGISTER ZUR DARSTELLUNG

Caecilia 105
Cambridger Lieder 18
Carmina Burana 26, 31, 36, 47, 53, 99, 101ff., 107, 129, 134f., 142f., 145, 154, 157f., 161, 163
carpinales u. dgl. – cardinales 38 f.
Cato 120, 135
Cena Cypriani 8, 12 ff.
Cento 2
Cerevisia 133 f.
Chevalier, U. 118, 127
Chrodebert von Tours 11
Chronik, Braunschweig. 115
Ciphus, Pseudo-Gott 150
Clemen, O. 115
Clemens I., can. 6 parod. 113
,Clerus et presbyteri nuper consedere‘ 112 f.
Codrus, codrior, codrizare 51
— des Joh. Kerckmeister 136
Cole, Ch. A. 2
,Congaudentes ludite‘ 100
Cornefredus – Godefredus 65
Cornutus 22
Cosquin 173
Courtrai 85
Crane, Th. F. 59
Crescini 20
,Cum animadverterem‘ 120
,Cum in orbem universum‘ 161 f.
,Curia Romana non petit ovem‘ 32
Curio, Caelius Sec. 33

Danae und Jupiter 104
Decius vgl. Spielerlieder, Spielermessen
Deiter, H. 115
Deklination, Bauern- 76 f.; Liebes- 107 f.
Dekretparodien 22, 46 ff., 114, 155 f. 162
Delepierre, O. 5, 57
Delisle, L. 118
Demens – Clemens 65
Denifle, H. 176, 178
,Denudata veritate‘ 135
Deutsche vgl. Fürbitten
Dichtung, weltliche und geistliche, in ihren Wechselbeziehungen 4, 99
Dieffenbach, L. 50
Dietrich von Nieheim 64
Dionysius Exiguus 113
Distinctiones monasticae et morales 101
Dolus, Pseudo-Heiliger 150
Dominici, Joh. 63

Doxologie, parodiert 135
Dreves, G. M. 94
Du Boulay, C. E. 74
Du Méril, E. 32, 54, 115 ff.
Dümmler, E. 33 f.
,Dum Dianae vitrea‘ 142
,Dum domus lapidea‘ 142 f.
,Dum transirem Danubium‘ 107

Ecbasis captivi 167
,Ecce homo sine domo‘ 151
Eckstein, F. A. 6
Ehebrecherischen Mönch, Geschichte vom 121 f.
Ehrenthal, L. 142
Ehrismann, G. 18
Einhard 1
Endlicher, St. 172
Engel, W. 91
Epistel-Lektion, parodiert 74, 87, 147
Epitaphien zu Scherz und Spott 16 f., 23, 75, 82, 141, 167
Ermenrich von Ellwangen 17
Ermini, F. 20, 137
Errorius – Gregorius 65
Eselsprose 94
Eselstestament 171
Esposito, M. 117
Evangelium des Geldes 26, 33 ff.
   Mahmet 21; Ovids 110. Vgl. ferner Passio und Sauf- und Spielmessen
Exemptionsprivileg, humoristisches 160 f.
Exkommunikationen, parodistische 110 f. 154 f.
Ezechielschreiben 63

Faral, E. 52, 110
Feifalik 86, 109, 129, 148
Feste der Schulkinder, der Geistlichen, der Laien 8, 93 ff., 117
Fichard, J. C. von 33
Fierville, Ch. 84
Fink, Joh. 125
Finke, H. 36
Fischer, Th. 82
Flacius, M. Illyricus 62, 66, 68, 75
Flögel, C. F. 2
Folleprandus, Folleprandellus – Hildebrandus (Gregor VII.) 65
Fortunatus, Ven. 96
Foss, E. 84
Frantzen, J. J. A. 6, 50 f., 53, 108, 161 f.

II. REGISTER ZU DEN PARODISTISCHEN TEXTEN